대자연 꿈을 노래하라

도서출판 **내인생의책**은 한 권의 책을 만들 때마다
우리 아이들이 나중에 자라 도서출판 **내인생의책**에서 나온 책이
내 인생의 책이라고 말할 수 있는 책을 만들고자 합니다.

대지여 꿈을 노래하라 ❷

밀드레드 테일러 지음 | 위문숙 옮김

초판 발행일 2008년 5월 31일 | **제 2쇄 발행일** 2009년 5월 1일
펴낸이 조기룡 | **펴낸곳** 도서출판 내인생의책 | **등록번호** 제10-2315호
주소 서울시 마포구 합정동 373-3 3층 (우)121-884
전화 (02)335-0449 | 335-0445(편집) | **팩스** (02)335-6932
E-mail bookinmylife@naver.com | **홈 카페** http://cafe.daum.net/calvin68
편집 김정옥 | **디자인** 인디자인
제판·출력 교보 P&B | **인쇄** 대덕문화사 | **제본** 신안제책

ISBN 978-89-91813-24-3 03840
     978-89-91813-22-9 (세트)

THE LAND

by Mildred D. Taylor

돌멩이 청소년문고 ❸

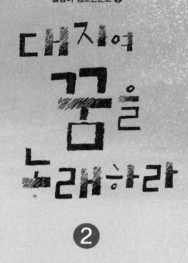

대지여 꿈을 노래하라

❷

밀드레드 테일러 지음 · 위문숙 옮김

내인생의책

로건 가계도

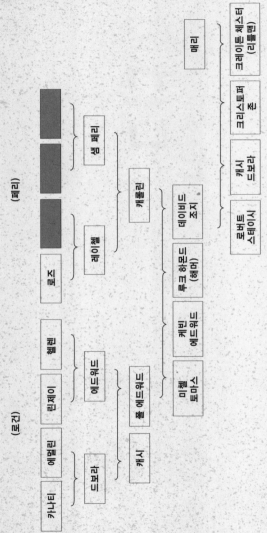

청년시절

대지

"야, 이 자식아! 당장 일어나!"

졸린 눈을 게슴츠레 떠보니 구석에 누워 있는 나를 찾아내 침대에다 발길질을 하는 백인 감독관이 보였다. 일어났다. 짜증이 치솟았다.

제서프라는 이름의 감독관은 카랑카랑한 목소리에 더욱 힘을 주며 큰 소리쳤다.

"네놈이랑 붙어 다니던 쓸모없는 그 깜둥이는 어디 갔어? 미쳴 자식 말이야!"

선잠에서 완전히 깨지 못했던 사람들이 한둘씩 깨어났다. 제서프가 재차 물었다.

"어디로 갔냐고?"

나는 옆자리를 보았다. 먼지가 수북한 마룻바닥에 담요만 덜렁 놓여 있었다. 그 옆에 누워 있던 이는 침구더미만 멀뚱멀뚱 쳐다보고, 줄지

　　　　　　　　　　　　　　　　　　청년시절

어 잠을 자던 사람들도 몽롱한 상태로 말없이 부스럭거리기만 할 뿐이었다.

"어?"

제서프가 다그쳤다. 나는 대꾸했다.

"모릅니다. 바람이라도 쐬러 나갔나 보죠."

"야간점호가 끝나고 사라졌잖아. 둘이 붙어 다녔으니, 그 자식이 어디 있는지 네놈이 알 거 아냐?"

나는 말했다.

"저는 미첼 보호자가 아닙니다. 미첼도 다 큰 어른이니 떠나기로 마음먹었다면 나에게 그런 보고를 할 필요는 없지요."

이런 식으로 말대꾸를 하지 말았어야 했다. 나도 안다. 하지만 저 싸가지 없는 인간 때문에 단잠을 깼으니 쉽사리 화가 누그러지지 않았다. 웬일인지 제서프가 백인 감독관치고는 아주 너그러운 태도를 보였다.

"아침부터 주둥아리를 잘도 나불거리는구나. 깜둥이. 오냐, 그 잘난 척한 대가를 제대로 치르게 하마. 이 캠프에 올 때도 둘이 함께 왔으니, 오늘 혼자서 그 자식 몫까지 일 해놔. 그놈이 날이 밝을 때까지 나타나지 않으면, 네 일당은 없어. 그리고 그놈 분량까지 벌목해 놓지 않으면, 그 똑똑한 주둥아리를 보안관에게 넘겨줄 테다. 그렇다고 도망칠 생각은 꿈도 꾸지 마. 내가 끝까지 감시할 테고, 현장 사람들에게도 단단히 일러두겠어. 당장 움직여!"

제서프는 돌아서서 바닥에 줄지어 누워 있는 사람들을 내려다보았다.

"이 깜둥이들아! 모두 다 일어나! 뭘 꾸물거려! 날이 밝았잖아."

감독관은 찬 습기를 막으려고 방수포를 쳐둔 입구로 걸어가다가, 느닷없이 돌아서서 우리에게 손가락질을 했다.

"너희들 중에 한 놈이라도 도와주면 끝장이야! 오늘 저놈은 미첼 자식이 나타나지 않으면 무조건 혼자 일하는 거야!"

감독관이 방수포를 홱 젖히며 나가자 몇몇 사람들이 자리에서 일어섰다. 개중에는 나와 눈이 마주쳤으나 누구도 말을 건네지 않았다. 나 역시 잠자코 바라보았다. 도와주지 말라는 지시를 할 필요는 없었다. 어차피 나를 도와줄 이는 아무도 없었다.

나는 침구로 돌아섰다. 담요에 소지품을 놓고 돌돌 말아서 밧줄로 묶었다. 미첼의 소지품도 마찬가지로 정리한 다음에 긴 내복 위에 바지, 셔츠, 방한복을 차례대로 껴입고 장화까지 챙겨 신었다. 사람들은 삼삼오오 모여 제 일을 하면서 연방 나를 힐끔거렸다. 그들의 시선이 여간 불편하지 않았다. 미시시피 벌목장을 여러 군데 전전했지만 여기는 유별나게 힘들었다. 일꾼들이나 감독관인 제서프나 모두 거칠었다. 듣자니 제서프는 소나무에서 송진을 뽑아내려고 세운 테레빈유(편집자 주 : 송진을 수증기로 증류하여 얻는 정유로 페인트나 구두약 따위를 만드는 데 쓰는 기름) 캠프의 관리자로 일했다는데, 그곳은 관리자들의 성격이 포악하기로 유명했다. 제서프는 테레빈유 캠프에서 관리인들과 일꾼들도 같이 데려온 모양이었다. 여기에 합류하기 전에, 이런 사정을 알았더라면 발을 들이지 않았을 것이다. 우리는 테레빈유 캠프에 대해서 훤했다. 우린 거기에도 있어 봤다.

나는 밖으로 나섰다. 동이 트기 전이었다. 안개가 나무 사이로 흩어지며 어두운 밤을 감쌌다. 이른 봄이라 아직 추웠다. 축축한 공기를 깊게 들이마시며, 씻으러 강으로 내려갔다. 벌목장으로 돌아와 보니 요리사가 냄비마다 치커리 차와 밀죽을 끓이고 있었다. 사람들이 몰려들기 전에 그릇을 들고, 아침을 뚝딱 해치웠다. 일꾼들이 오두막 밖으로 나올 즈음에 나는 도끼를 들고 언덕 위로 올라가 하루를 시작했다.

혼자서 일하다 보면 쉽게 지치기 마련이었다. 보통 사람은 하루에 15그루의 나무를 벌목하는데, 나는 마음만 먹으면 20그루는 너끈히 처리했으니 괜찮은 벌목꾼으로 대접받았다. 미첼도 마찬가지여서 우리는 다른 동료보다 급료를 더 받았다. 수입으로 따지면 웬만한 일보다 훨씬 나았다. 사실, 하루의 벌목량이 각자 정해진 상태이다 보니 일의 결과는 뻔했다. 미첼과 나는 함께 일했는데, 나 혼자서는 둘의 하루치를 다 할 수 없다.

벌목꾼들이 한둘씩 올라와 내가 벌목해 둔 나무를 보며 히죽거렸지만, 그다지 걱정하지 않았다. 미첼은 젊은 아가씨에게 정신이 팔려 있다가도 동이 트는 걸 보면 득달같이 달려오곤 했다. 미첼 때문에 실망한 적은 한번도 없었다.

내가 예상한 대로였다.

미첼은 안개가 걷힐 무렵 나타났다. 말없이 근처 나무에 도끼를 퍽 찍더니 입을 열었다.

"아래에서 듣자니, 내가 사라졌다고 네더러 2인분을 하라고 했다며. 폴 에드워드!"

나는 나무 한쪽에 금을 새기고는 반대쪽에 가서 나무가 쓰러질 때까지 도끼질을 했다. 내가 말했다.

"걱정 안 했다."

도끼를 휘두르기 전에 미첼을 향해 씩 웃어보였다.

"그만큼 멋진 여자였겠지."

미첼도 나를 돌아보고 씩 웃었다. 딱 그 말만 주고받고 나서 내가 이쪽 나무에 쿵 도끼를 찍으면 미첼이 저쪽에서 쿵 하는 식으로 서로 박자를 맞추어 도끼질을 했다. 그렇게 속도를 조절해가며 나무를 쓰러뜨렸다. 두 시간 이상을 쉬지 않고 일했다. 정오가 되어, 요리사가 식사 종을 울릴 쯤에 우리는 이미 남들보다 앞서 있었다. 일을 마칠 시간이 되자, 우리는 하루치를 벌목했다. 그때 감독관이 험상궂은 얼굴을 하며 걸어왔다. 감독관은 비탈을 내려가려는 우리를 향해 고함을 질렀다.

"너희들 어디 가는 거야?"

미첼이 대꾸했다.

"종이 울려서요. 일이 끝났는데요."

제서프는 몰랐다는 듯 능청스럽게 말을 받았다.

"어, 그래! 토요일 저녁의 황금 같은 쉬는 시간이라 이 말이지. 좋아! 가서 다른 애들이랑 품삯을 받아가. 네 친구인 흰 깜둥이는 나하고 이야기 좀 해야 되겠어."

미첼은 감독관을 바라보다가 다시 나를 바라보았다. 나와 눈이 마주치자 그제야 감독관과 나에게서 떨어졌다. 제서프가 말했다.

"그럭저럭 하루치 일을 해치웠나 보군."

내가 대꾸했다.

"늘 그랬으니까요."

제서프는 내 발치에 카악! 하고 침을 뱉었다.

"미첼 덕에 일을 마쳤으니 운이 기막히게 좋았군. 정말로 네놈을 보안관에게 넘길 생각이었거든."

입을 꼭 다문 채, 감독관의 빈정거리는 말을 듣다보니, 그 뒷이야기도 짐작이 갔다. 캠프에 들어온 첫날부터 제서프는 나를 싫어했는데, 이유야 알 만했다. 다른 유색인이 나를 싫어하는 이유와 같았다. 내가 지나치게 하얗게 보인다는 것이었다. 제서프는 그날 밤 미첼이 외출하자, 옳거니 하면서 나를 골탕 먹일 구실을 삼았던 게 분명했다. 제서프는 미첼에게는 외출에 대해서는 한마디도 하지 않았다. 미첼에게는 불만이 없었다. 제서프는 어둑어둑한 비탈길을 올려다보았다.

"야, 폴 로건. 이 벌목장에서 백인처럼 말하고 행동하는 네가 마음에 안 들어."

다시 나를 뒤돌아봤다.

"내가 못 참는 게 딱 하나 있는데, 그게 백인인 양, 뻐기는 깜둥이야. 네 녀석이 딱 그런 놈이야. 백인처럼 고개를 뻣뻣이 쳐들고 걷는단 말이지. 여기에서 다른 놈들은 안 그런데, 그따위로 구는 또 한 놈이 있긴 하지. 미첼이라는 새끼야. 근데 그놈은 입이라도 다물고 다녀. 네 놈처럼 고상한 말은 안 나불거려. 여기에서 백인이 의당 가르쳐야 하는 일을 가르쳐 줘야겠어. 워낙 똑똑하니 뭔 말인지 알겠지. 내일은 자신을 백인이라 생각하고, 산으로 올라가서 하루 일해보시지."

감독관을 물끄러미 쳐다보니, 내일이 일요일이며 벌목장에서 유일하게 쉬는 날이라는 것을 잘 알고 있는 낯짝이었다. 나는 이유를 묻지 않았다. 제서프가 더 으스댈 게 뻔했다.

"그렇다고 일요일 일당을 받으려고 생각하면 안 되지. 그냥 내 취향을 만족시켜주기 위해서 봉사한다고 생각해. 정 못하겠다면, 오늘 아침에 공언한 대로 보안관을 불러 주마. 알아들었나?"

속에서 불이 확 솟구치며 수많은 말들이 부글거렸지만 나는 한마디
도 꺼낼 수가 없었다. 내가 꺼낸 말은 겨우 '알겠습니다.'뿐이었다.

"최선을 다해! 내가 지켜보고 있으니 내일 해가 솟자마자 일을 시작
해. 아, 그리고 1주일치 품삯은 일요일 일이 끝나면 주겠어."

그렇게 말하고 감독관 제서프는 돌아서서 벌목장으로 내려갔다. 뒷
모습을 지켜보다, 그루터기에 주저앉아 눈을 감고 분노를 억눌렀다.
내가 집을 떠난 이후 배우고 또 배운 이 세상의 까칠한 교훈은 내가 15
살 때, 아버지가 채찍을 휘두르며 가르쳐준 것이었다. 그건 바로, 이
세상은 백인의 세상이라는 것과 나는 그런 백인의 세상에서 산다는 것
이었다. 그러자니 화를 참아내는 게 나로서는 늘 숙제였다. 동부 텍사
스에서 기차를 탔을 때, 죽지않고 살기로 결심했다. 산다는 것은 분노
를 누그러뜨리는 것이었다. 쓸데없이 이따위 백인에게 맞을 필요는 없
었다.

"야, 폴, 족제비 제서프가 뭐라던?"

눈을 떴다. 미첼이 걸어오고 있었다.

"나더러 내일도 일하란다."

"일요일에?"

"일요일에."

미첼이 욕을 퍼부었다.

"그 족제비 새끼는 우리가 발을 들여놓을 때부터 그 치사한 짓거리
를 일삼더니 여전하군. 그 이유야 불 보듯 뻔하고."

"어쩔 도리가 없어."

"없다니? 당장이라도 여기를 뜨면 돼."

청년시절

"그렇지 않아. 잘못했다가는 감옥에 처박히거나 더 끔찍한 일을 겪을지 몰라."

"왜? 저 자식의 명령을 거슬렀다고?"

"이현령비현령(편집자 주 : 耳懸鈴鼻懸鈴, 코에 걸면 코걸이, 귀에 귀면 귀걸이이라는 뜻) 아냐."

순간 미첼은 나와 눈길이 부딪혔는데, 분명히 나처럼 테레빈유 캠프를 떠올렸을 것이다.

"나더러 종일 도끼질을 하란다. 싫으면 보안관을 데려온대. 게다가 무임금이래."

미첼은 다시 욕지거리를 입에 담았다. 나도 한바탕 퍼붓고 싶은 심정이었다.

"그럼 어쩔래?"

"고민 중이야."

내가 대답했다.

미첼은 입을 다물고 벌목장으로 이어진 길을 물끄러미 바라보았다.

"저 말이야. 시내에 가서 생각해보는 건 어때? 지금 같이 가면 좋을 텐데. 메리 부인 가게로 갈 생각이거든."

시내는 5킬로미터 떨어져 있고, 시내라고 해 봐야 판잣집 몇 채가 옹기종기 모여 있는 작은 동네가 다다. 주로 벌목장에서 온 사내들이 음악을 듣거나, 집에서 만든 듯한 음식을 맛보거나, 아가씨들을 만나 돈을 뿌려대는 곳이었다. 토요일 저녁마다 다른 사람들은 다들 메리 부인의 가게로 몰려갔지만 나는 주말을 개인적인 시간으로 이용하며 편지를 쓰거나 읽곤 했다. 나는 그렇게 돈을 모았다.

"그런 걸로 시간을 낭비하고 싶지 않아."

"그럼, 뭐할 건데? 냉골 같은 숙소에 틀어박혀, 편지를 읽거나 쓰거나, 것도 아니면 나무 조각으로 뭘 만들기나 할래?"

"그때밖에 그런 일을 할 시간이 없잖아. 가게에 안 가도 특별히 아쉬울 게 없어."

미첼은 언제나처럼 퉁명스럽게 말을 받았다.

"물론 그렇겠지. 그게 너의 유일한 결점인 거 알고는 있지. 만날 따로 노니까, 다들 너 혼자 잘난 맛에 산다고 생각한다니까."

어린 시절이 떠올라서 슬며시 웃었다.

"어디서 많이 듣던 이야기네!"

"내 말대로 좀 어울려 봐. 그러면 사람들의 오해가 풀릴지도 몰라."

나는 가만히 생각해보았다.

"내가 잘할 수 있을 것 같지는 않은데."

"한번 부딪혀 봐. 제서프 따위도 까먹어 버려."

나는 좀 더 생각했다.

"네 말도 틀린 건 아니지."

"당장 깨끗이 씻고 메리 부인의 가게로 가자구!"

****

어쩌자고 미첼의 말을 듣고 메리 부인의 가게로 가게 되었을까. 가게는 비좁고 어두운 데다가, 등불 몇 개만 깜박거리고 떠들썩했다. 한 남자가 벤조(편집자 주 : 미국의 민속 음악이나 재즈에 쓰는 현악기. 기타와 비슷하나 공명동이 작은북처럼 생겼으며 현은 4~5줄이다)를 연주하고 있었고 여자가 노래를 부르고 있긴 했으나, 거의 소음에 가까웠다. 들리는 거라고는 1주일간 쌓인 피로를 떨쳐내느라 남녀가 시끄럽게 희롱하는 소리와 미친 듯이 깔깔대는 웃음소리밖에 없었다. 미첼이 그 한가운데에 자리 잡고 있었는데, 도통 나와 어울리는 곳이 아니다 싶었다. 나는 조용한 게 좋았다. 사람들과 떨어진 한쪽 구석으로 자리를 옮겨 술통을 탁자로 삼고, 상자를 의자 삼아 캐시 누나에게 편지를 썼다.

동부 텍사스에서 기차를 타고 떠나자마자 바로 누나에게 편지를 썼었다. 나와 미첼이 텍사스에서 사라진 일로 아버지와 누나와 형들이 많이 걱정할 것 같았다. 처음에는 차마 편지를 붙이지 못했다. 아버지가 내가 있는 곳을 알아내 쫓아올 게 겁이 났기 때문이다. 한참 뒤, 캐시 누나에게만 편지를 부쳤다. 가까운 기차역으로 가져가서 낮모르는 승객을 붙잡고 승객의 목적지 역에 도착하면 부쳐달라고 부탁하곤 했다. 아버지에게도 편지를 써 아버지도 내가 살아 있다는 것을 알았다. 물론 아버지에게 쓴 편지도 캐시 누나에게 편지를 부치는 방법으로 보냈다. 루이지애나 주에 할 일이 있어 갔을 때 직접 부쳤다. 아버지가 내가 있는 곳을 알아내 찾으러 올까 봐 염려도 되었고 구태여 골치 아픈 일을 만들고 싶지도 않았다. 게다가 레이 서클리프가 나와 미첼을 아직도 추적하고 있는지도 알 수 없는 일이기도 했다.

처음에는 편지봉투에 내 주소를 적지 않아 가족의 답장을 받아볼 길이 없었다. 나중에는 메리디안에 있는 상점의 주인에게 내 우편물을 맡아달라고 부탁했다. 나는 메리디안 근처에 산다고 언급하지는 않았지만, 1년에 몇 번 우편물을 확인하러 갔다. 어느 정도 나이가 들면서, 누나에게 내가 사는 곳을 밝히긴 했으나 그 대신 아버지나 백인 형제들에게는 비밀로 해달라고 당부했다. 미첼의 소식을 미첼의 어머니에게 전해달라는 부탁도 했는데, 내가 알기로는 미첼은 편지를 쓰지 않았다. 누나에게는 숨기는 것 없이 내 생각을 털어놓았다. 벌목장이 마음에 들지 않는다고 솔직히 밝혔다. 벌목장에 만족하는 사람들에게는 그곳이 전부겠지만 나는 다른 세상을 꿈꾸었다. 정처 없이 떠도는 게 싫어 어디든지 뿌리를 내리고 싶었다. 나는 그런 속내를 편지에 적어내려 갔다.

"실례합니다……저, 저기, 이야기 좀 할 수 있나요?"

편지를 쓰다 말고 고개를 들었다. 어린 아가씨가 내 앞에 서 있었다. 좀 전까지 미첼과 이야기를 나누던 걸 봤고, 미첼과 사귀는 아가씨였다. 물론 미첼은 이 아가씨만 사귀는 것은 아니었다.

"저는 이름이 메일린이에요. 그쪽이 미첼의 친구이라면서요."

내가 일어서서 메일린이 앉을 나무 상자를 끌어오자 다소 수줍은 표정으로 앉았다. 뭐라고 말해야 할지 몰랐다. 여태껏 여자랑 말을 한번도 나누지 못했었다.

"내 이름은 폴 로건입니다."

자리에 앉으면서 말했다.

"아, 알아요. 미첼, 그이가 말해주었어요."

나는 고개를 끄덕이고는 다음 말을 기다렸다. 메일린은 잠시 뜸을 들였다.

"그이 말로는 두 분이 어릴 때부터 알고지낸 사이라더군요."

"그런 셈이죠."

"그렇다면……그이를 누구보다 잘 아시겠어요?"

"이 주변 사람들보다는 잘 알죠."

"그, 그럼 그이가 어떤 여자를 좋아하는지 아시겠군요."

나는 나무 상자에서 자세를 고쳐 앉았다. 이런 식의 대화가 달갑지 않았다. 무엇보다 미첼의 개인적인 애정문제에 개입하고 싶지 않았다. 미첼은 여자관계가 자유분방했으나, 나로서는 말릴 문제가 아니었다.

"그게 궁금하시다면 직접 물어보시죠."

"못 하겠어요. 제 말뜻은, 미첼을 아시잖아요. 제가 물으면 미첼은 내가 듣기 원하는 답을 말하겠지요. 감추는 것 없이 말한다고 믿고 싶지만, 저는 그런 입에 발린 말을 원하는 게 아니에요. 그이가 내 남자가 되었으면 좋겠어요. 그이와 함께 살고 싶어요."

헛기침을 몇 번 하고 둘러보니 미첼은 남자 두 명과 저쪽 바 앞에서 담소를 나누고 있었다.

"미첼에게 그런 이야기를 해 봤나요?"

"미첼은 듣더니 그냥 웃더군요."

고개를 떨어뜨린 채 손을 내려다보는 메일린의 표정이 어찌나 쓸쓸하던지 안쓰러울 정도였다. 벌목장 주변의 여자들은 그곳 남자들을 진지하게 사귀지 않았는데, 미혼 남자 대부분이 벌목장을 따라 돌아다니는 떠돌이였기 때문이다.

"아시겠지만, 미첼 역시 다른 사람들처럼 아직 정착할 준비가 안 되었을 겁니다."

"하지만 저는 그이가 필요해요."

나로서는 드릴 말이 없다는 말을 하고 실례를 범하려던 참이었다. 그 순간, 나는 그 곤란한 상황을 면할 수 있었다. 벌목장에서 일하는 덩치 큰 남자가 다가와 불쑥 메일린의 팔을 잡았기 때문이었다. 이름이 조니비라는 사내였다.

"아가씨, 이 흰 깜둥이가 무슨 수작을 부리는 거야?"

조니비는 메일린에게 대답할 틈도 주지 않고 잡아끌었다.

"자기랑 말동무하려는 녀석들이 줄을 서 있잖아."

그러자 메일린은 허리를 꼿꼿이 세웠다.

"놔요! 나는 이 사람과 이야기하고 싶어요."

"아가씨, 흰둥이랑 어울리려면 진짜를 찾아봐야지."

메일린이 조니비의 손을 뿌리쳤다.

"어쨌든 댁하고 볼일이 없어요."

조니비는 더 억세게 메일린을 잡아끌었다. 정말이지 이런 녀석을 상대하는 건 딱 질색이지만, 메일린을 보호해야만 했다. 함께 있었으니 어쩔 수가 없었다.

"숙녀 분께서 그쪽에게 관심이 없군. 그러니 그 팔을 놔주지."

덩치가 호기롭게 웃었다.

"애송이, 탁자 밖으로 나와서 직접 말려보시지!"

조니비가 고함을 지르자 음악소리가 딱 멎었다. 나는 술통을 돌아나와 조니비 앞에 섰다. 실내는 정적이 감돌았고 미첼이 우리 쪽을 바라보았다.

"야, 폴! 거기 무슨 일 생겼냐?"

"여기 이 사람이 나를 붙잡고 있어요."

메일린이 외쳤다.

바에 있던 미첼이 한걸음에 달려왔다.

"정말이야?"

"놓지를 않아요."

미첼이 말했다.

"흠, 우선 손부터 놓지 그래."

조니비가 으름장을 놨다.

"너는 여기에서 빠져, 미첼! 이건 나와 이 흰 깜둥이 사이의 문제야."

미첼이 앞으로 나서며 한마디 했다.

"거기 젊은 숙녀 분도 끼어 있잖아. 숙녀 분의 팔을 움켜쥐고 있는 것 같은데."

조니비가 말을 받아쳤다.

"쓸데없이 참견하는 것 같은데."

조니비는 나를 향해 가볍게 고갯짓을 했다.

"뭐 때문에 이 자식 편을 들어?"

미첼은 조니비 앞에 서서 말했다.

"음, 우리는 형제거든. 정말이야. 쟤랑 나랑 아버지가 다른 걸 딱 보면 알겠지만, 그야 니가 상관할 바는 아니고. 어쨌든 우리는 형제나 다를 바 없어. 쟤는 하얗게 태어났고 나는 검게 나왔을 뿐이야. 뭐 할 말 있나?"

메리 부인의 가게에 다시 한 번 정적이 흘렀다.

조니비가 정적을 깼다.

"저 자식은 우리랑 완전히 다르게 굴잖아!"

다른 벌목꾼이 맞장구를 쳤다.

"맞는 말이야. 저쪽 구석에 따로 앉아 있는 꼬락서니를 보니, 우리 같은 깜둥이랑은 어울리기 싫다는 거지."

나는 그 말을 한 사내를 똑바로 쳐다보며 물었다.

"당신이 여기에 온 이유가 뭐요?"

그 사내는 잠시 당황스러워했다.

"뭐냐고?"

내가 말했다.

"나는 1주일 동안 일했던 벌목장이 지겨워서 여기에 왔소. 당신들도 나와 같을 것 같은데 말이요."

조니비가 말을 받아쳤다.

"좋아, 그런데 너는 구석에 혼자 처박혀 있었어."

나는 조용히 말했다.

"천만에, 혼자 있던 것도 아니야. 메일린 양이 내 곁에 있었지. 나와 말동무를 하면서 말이야."

메일린이 그 말에 쿡 웃음을 터뜨리자, 조니비는 더 열을 냈다. 갑자기 메일린에게 손찌검을 했고 그 바람에 메일린은 편지가 놓인 술통으로 쓰러졌다. 미첼이 조니비의 멱살을 움켜잡고 때려 눕혔다. 메일린을 일으켜 세우고 보니 어떤 남자가 깨진 병을 들고 미첼에게 다가가고 있었다. 내가 그 남자를 덮치자 병이 바닥으로 떨어졌다. 소란스러운 소리에 미첼이 고개를 돌렸고, 그 틈을 타서 조니비가 일어나 달려들었지만, 미첼의 주먹이 다시 한 번 날아갔다. 미첼과 조니비는 격렬하게 치고받았다. 다른 사람들이 나를 툭툭 건들었고, 나는 맞섰다. 벌목장 사람 두 명이 더 싸움에 가담하였고 나머지 사람들은 멀찌감치 떨어져 구경했다. 메리 부인이 이 모든 소동을 한방에 해결했다. 권총 소리가 울려 퍼졌다. 모두들 그 순간 동작을 멈추었고, 메리 부인이 미쳴과 나더러 나가라고 지시했다. 메일린이 따라나섰다. 메리 부인은 나머지 사람들에게 가게에 다시 올 생각이면 쫓아가지 말고 얌전히 자리를 지키라며 경고했다.

밖으로 나오자, 미첼은 메일린을 데리고 따로 갔다. 나는 벌목장에 돌아왔으나 숙소로 곧장 들어가지 않았다. 나무가 우거진 산비탈을 걸었다. 숙소에는 아무도 없겠지만, 갑갑한 실내에 콕 박히기는 싫었다. 몸이 욱신거려 천천히 걸었다. 사방이 뻥 뚫린 공간에서 밤의 냉기와 신선함으로 머릿속을 씻어내고 싶었다. 잠시 뒤에, 나뭇둥치에 앉아 밤공기를 깊이 들이마시며 하늘을 보니 구름이 보름달을 스쳐가고 있었다. 냉기가 온몸을 감쌌지만 계속 그 자리를 지켰다. 필요하다면 밤새도록 그곳에 머물 작정이었다. 생각할 게 많았다.

****

미첼과 더불어 기차를 타고 동부 텍사스를 벗어날 때, 언젠가 서부로 가리라 다짐했다. 미첼은 어디든 상관하지 않았다. 해티 크렌쇼 부인은 기차에서 딸들과 함께 치마폭으로 우리를 가려주었을 뿐만 아니라 일자리와 숙소도 제공해 주었다. 처음에는 돈을 모아 떠나려고 마음먹었다. 하지만 어쩌다 보니 로렐 근방의 크렌쇼 부인 집에서 2년 가까이 머물게 되었다. 나는 주로 부인의 말을 길들이거나 돌보았고, 가끔은 말 경주에 나가기도 했다. 미첼은 집 밖의 허드렛일을 맡았다.

고맙게도 크렌쇼 부인은 항상 온당한 대우를 해주었다. 의심스러운 게 한두 가지가 아니었을 텐데도 말이다. 미첼과 나는 우리 이야기를 크렌쇼 부인뿐만 아니라 그 누구에게도 발설하지 않았다. 그 집에 들어서는 순간, 우리는 과거를 덮어두기로 결심했다. 우리를 쫓는 사람들만 아니라 아버지들 이야기도 함구했다. 우리가 일을 시작하자, 모두들 우리들에 대해 호기심을 드러냈으며, 또 그 호기심은 당연한 것이었지만, 그중에서도 크렌쇼 부인이 가장 궁금증이 심했다. 한번은 이렇게 물은 적도 있었다.

"폴, 자네가 일 해주었던 신사 말일세. 함께 동부 텍사스로 왔던 그 사람 말일세. 그 사람과 오래 지냈나?"

질문이 다소 이상해서 크렌쇼 부인을 바라보았다. 나는 대답했다.

"그분 집에서 태어났습니다."

"그 신사가 자네 교육을 책임진 건가?"

나는 무뚝뚝하게 대답했다.

"그분이 돌봐주셨습니다."

크렌쇼 부인이 자신의 생각을 밝혔다.

"굉장히 너그러운 사람이군. 아버지나 다름없었나보이?"

부인은 더 말하지 않고 나를 살폈는데, 아버지와 나의 관계를 알아차린 느낌이었다. 어쨌든 부인은 우리가 함께 있는 것을 보았고, 나와 아버지는 키만 차이가 있을 뿐 얼굴은 상당히 닮았다. 나는 솔직하게 부탁을 했다.

"그분을 말 박람회나 어느 곳에서 만나더라도 제 이야기는 언급하지 말았으면 합니다. 미첼에 대해서도 부탁드립니다."

크렌쇼 부인은 나에게서 눈길을 돌리지 않았지만, 고개를 천천히 끄덕였다.

"무슨 말인지 알겠으니 염려하지 말게, 폴. 우리 딸들이나 나는 두 사람 이야기를 절대로 입에 올리지 않겠어."

부인은 약속을 지켰으며 그 뒤로도 아버지에 대해 다시는 묻지 않았다. 미첼과 나는 과거에 대해 계속 함묵했지만, 크렌쇼 부인은 언짢은 기색 없이 따뜻하게 대해주었다. 부인은 조언을 아끼지 않았는데, 미첼이 자신의 조언에 대해 반응을 보이지 않자, 주로 나에게 관심을 쏟았다. 내가 책을 가까이 한다는 사실을 알고 부인은 내게 유익하다 싶은 책을 종종 구해주었다. 그러고는 인근에서 유색인의 학습을 지도하는 자리를 주선해주었다. 나에게 목공기술이 있는 걸 알게 된 부인은 그 방면으로도 손을 써주었다. 자신의 공구를 선선히 내 주기에 나는 자그마한 탁상램프 2개를 만들어 주었다. 부인은 고맙게도 나에게 따로 램프값을 지불한 데다 인근의 목공에게 사사하도록 배려해주었다. 부인은 나에게 이런저런 권유를 했다.

"그런 재능을 썩혀선 안 돼, 폴. 마음만 먹는다면 지금이라도 사업을 시작할 수 있어. 듣기로는 요즘은 유색인도 사업을 하다더군. 가구 업종에 관심이 있다면 빅스버그에 사는 루크 소여 씨를 한번 만나보는 게 좋을 거야. 예전에 숙련된 목공을 데리고 일을 했거든. 돈을 좀 벌었는데, 상당히 공정한 사람이네. 그 사람이라면 믿고 일을 시작해도 될 게야. 물론 자네야 다른 가능성도 많아. 공부를 더 하는 것도 바람직하지. 이제는 자네 같은 젊은이에게 기회의 문이 열렸으니까. 미시시피나 북부 유색인학교에 가서 공부하면 어떨까? 훌륭한 교육자가 되어 같은 처지의 유색인을 가르치거나 유색인을 상대하는 법률가나 의사가 될 수도 있지. 자네라면 가능해, 폴. 자네는 기초를 이미 갖추었고 머리도 영특하니 말이야. 어렵지 않을 거야."

어쩌면 그럴 수도 있겠지만, 나는 의사나 법률가, 교육자가 되겠다고 생각해 본 적이 없었다. 크렌쇼 부인의 생각은 고마웠지만 내가 진정으로 원하는 것을 차마 토로할 수는 없었다. 그저 미첼에게만 털어놓았다. 내가 원하는 것은 땅이었다. 아버지처럼 나도 땅을 가지고 싶었다. 그러다 보니 내 마음속에는 땅에 대한 생각이 언제나 가득 찼다. 어린 시절, 두 개의 세상에 대한 실체를 확실히 깨닫기 전에는, 언제까지나 아버지 땅에서 살 줄 알았다. 아버지의 땅이 내 땅이고, 나 또한 그 땅의 일부라고 생각했다. 그렇게 될 수 없다는 걸 깨닫는 순간부터 마음속에 내 땅을 품어왔다. 나는 내가 반드시 가져야 할 게 땅이란 걸 알았다.

미첼과 함께 크렌쇼 부인 댁에 머무는 동안 내 의지는 더욱 굳어졌다. 부인과 딸들은 물론이고 사위들마저도 미첼과 나를 존중해 주었으나 그래 봤자, 다른 사람들이 말하는 것처럼, 나는 그저 시키는 대로 따르는 일꾼에 불과했다. 거기에는 내 미래가 보이지 않았다. 소년일 때 나는 내가 하는 모든 일에 내 혼을 쏟아부었다. 그러나 부인의 농장에서는 그럴 수가 없었다. 아무리 좋다고 해도 크렌쇼 가족은 타인이었기에 그들의 것은 언제까지나 그들의 것이었다. 그들은 나와 어떤 것도 나눌 생각이 전연 없었다.

게다가 크렌쇼 부인의 딸들이 혼기에 이르러 모두 결혼하고 나자, 사위들이 나서서 집안일을 차츰 바꿔나갔다. 사위 한 명이 나와 미첼에게 자기 의견을 말했다.

"자네들이 지금까지 집안일을 맡아왔다고 들었어. 남편과 아들들을 전쟁에 잃어버린 장모님으로서는 이 집안을 꾸려나가려면 남자 손이 필요했겠지. 이제는 사위들을 맞이했으니, 장모님이나 이 집 딸들은 한시름 덜은 셈이야. 앞으로 처리할 사항이 있으면 우리를 찾아오도록 하게. 장모님이나 딸들이 심려하지 않도록 말이야. 한 가지만 더 당부하겠어. 앞으로 저택에 들어오는 걸 삼가게. 문제가 생기면 집 밖에서 만나 상의를 하지. 알아들었나?"

물론 제대로 알아들었다. 미첼과 나는 크렌쇼 부인과 딸들에게 감사했지만 곧 우리는 그 집을 나섰고 주로 길거리에서 지냈다. 나는 서부로 가서 조지 형을 보고 싶었다. 또한 외할아버지와 함께 떠난 카나티 부족도 꼭 만나고 싶었지만, 생각처럼 간단한 일이 아니었다. 미첼과 나는 미시시피와 루이지애나 주에서 일자리를 얻었고 결국 그쪽에서 머물렀다.

우리의 첫 직장은 테레빈유 캠프였다. 캠프의 유색인들은 여자들과 자주 어울려 지냈다. 그러다 보니 외딴 숲 속에 가정을 이루고 사는 경우가 많았다. 남자들은 대부분 거칠었으며, 도망자들이 쉽게 흘러들어오는 곳도 테레빈유 캠프였다. 유죄 선고를 받고 탈출한 이도 있었다. 심지어 살인을 저지른 사람도 있었다. 그러나 감독관들은 그들의 과실에 개의치 않았다. 그들이 원한 것은 일꾼들이었기 때문이다. 게다가 감독관 자신이 살인자거나 유죄선고를 받은 경우도 있었다. 테레빈유 캠프에는 '치퍼'라고 불리는 사람들이 소나무에 구멍을 도려내어 테레빈유나 타르나 의약품에 쓸 송진을 수년에 걸쳐 뽑아냈다. 그렇게 5년쯤 머물다가 빈 껍데기만 남은 나무만을 남겨 두고 캠프를 다른 곳으로 이동했다. 나무를 그런 식으로 처리하는 게 나는 안타까웠다. 난도질을 당한 소나무들은 소중한 것을 모두 빨려 쓸모없는 존재가 되어서서히 죽음을 맞이했다. 목재로도 쓸 수 없는 나무들은 속이 텅 빈 유령 같았다. 금방이라도 부서질 듯 서 있다가 폭풍우로 쓰러지거나 불에 타버렸다.

테레빈유 캠프에 들어왔을 때, 미첼과 나는 19, 18살이었는데, 세상 물정을 웬만큼 안다고 생각했다. 그런데 곧 다른 세상이 있다는 사실을 깨달았다. 백인 감독관이 모든 것을 좌지우지했다. 감독관의 말이 법이었으며 그밖에 다른 법은 존재하지 않았다. 설령 법이 있다 하더라도 아무런 의미가 없었다. 백인 감독관이 무슨 말을 하든, 백인이 만든 법은 무조건 백인 감독관을 따라다녔다.

한번은 유색인끼리 다투다가 그만 살인 사건이 나고 말았다. 감독관은 치퍼들에게 시체를 묻으라는 지시를 내렸고, 살인을 저지른 유색인에게는 당장 제자리로 돌아가서 일하라고 명령함으로써 사건을 종결지었다. 감독관은 유색인의 살인사건을 대수롭지 않게 여겼다. 한번은 우리 또래의 아이가 백인 관리자를 피범벅이 되도록 패고는 달아난 적이 있었다. 감독관들과 사냥개들이 끝까지 추적하여 그 아이를 죽였는데, 그 시체를 굳이 캠프로 질질 끌고와서 그냥 썩어가도록 길거리에 던져놓았다. 시체를 땅에 묻는 것도 허락하지 않았다. 그들은 이 캠프의 지배자가 누구인지 확실하게 상기시키고 싶었던 거다. 미첼과 나는 서둘러 캠프를 벗어났으며 두 번 다시 테레빈유 캠프에 발을 들이지 않았다.

그 뒤에 나는 교사직과 목공일을 맡았으며, 가끔은 말을 훈련시키거나 경마에 참여했다. 그래도 주로 했던 일은 벌목이라서 미첼과 함께 루이지애나 주와 미시시피 벌목장에서 한동안 머물렀다. 나로서는 사실 벌목장에서 일할 필요가 없었다. 하지만 미첼 때문에 어쩔 수 없었다. 미첼은 활기와 모험으로 가득 찬 벌목장을 좋아했다. 미첼이 벌목장으로 가자고 하면 내가 두말하지 않고 나선 까닭은 미첼이야말로 내가 마음을 기댈 수 있는 유일한 가족이기 때문이다. 미첼이 의지하는 사람 역시 나밖에 없었다.

몸집이 왜소한 데다 피부가 흰 나로서는 벌목장에 처음 들어서면 실력을 의심받았으나, 맡은 일에 최선을 다해 의심을 잠재웠다. 일에 관한 한 누구도 집적거리지 않았다. 물론 미첼이야 어려울 게 전혀 없었다. 키가 훤칠하고 다부진 몸매에 외모까지 반듯하면 여자들도 따르지만 남자들 역시 무시하지 못하는 법이다. 미첼이야말로 바로 그런 사람이었다. 하지만 워낙 퉁명스러운 말투와 불 같은 성격 탓에 말썽을 빚는 경우가 부지기수였다. 미첼과 나는 메리 부인의 가게에서처럼 언제나 서로를 도왔다. 그러다 보니 내게는 아무 의미 없거나 상관없는 싸움에 휘말린 나를 발견하기 일쑤였다. 싸움을 싫어하는 나는 메리 부인의 가게 같은 곳을 피하는 게 쓸데없는 문제에 휘말리지 않는 최상의 상책이라고 생각했다. 그런데도 결국 미첼의 말을 듣고 따라 나섰으니 그저 내 자신이 한심스러울 뿐이다.

차가운 밤공기를 맞으며 그루터기에 앉아 생각을 할수록, 싸움에 휘말린 게 쓸데없지만은 않다는 생각이 들었다. 돈 한 푼 받지 못하고 일하는 것보다는 나을지도 모른다. 치밀어 오르는 분노야말로 인생의 항로를 바꾸는 계기로 작용할 수도 있다. 나는 좌절이나 실패에서도 언제나 배워야 할 무언가를 찾으려고 했다. 내게 일어난 모든 일은 모두 내게 무언가를 말하려고 하는 것이다. 그래서 나는 나쁜 일도, 그걸 궁리하다 보면 내게 긍정적인 것을 얻을 수 있었다. 생각하던 끝에 마음을 모았다. 여기에서의 삶은 내가 원했던 게 아니었다. 지금이야말로 떨치고 일어설 시각임을 알았다.

그루터기에서 몸을 일으켰다. 밤새도록 앉아 있다 보니, 몇 가지 계획이 떠올랐다. 우선 장작을 모아 숙소로 가져갔다. 아무도 없었다. 숙소는 캄캄하고 춥고, 희미하게나마 비춰주던 불빛도 꺼져 있었다. 창문이 없어서 달빛도 들어오지 않았다. 나무토막을 바닥에 내려놓고, 입구의 방수포를 젖혀서 달빛이 들어오게 했다. 내 소지품은 침구 안에 보관되어 있었다. 침구를 쫙 펴서 담요를 한 장 꺼냈다. 담요에 나무토막을 놓고 꼼꼼하게 다시 말아 밧줄로 묶으니 마치 소지품이 든 것처럼 보였다. 미첼의 소지품도 그런 식으로 돌돌 말고는 나무토막을 넣은 담요들을 원래의 자리에 갖다놓았다. 소지품들을 숲으로 가져가서 잡목 사이에 감춰두었다. 나는 온기를 전해줄 담요나 황덕불도 없이 축축한 맨바닥에 누워 잠을 청했다.

****

그날 아침, 일어나 보니 머리는 지끈거렸고 턱은 부어 있었다. 그날 역시 안개가 잔뜩 끼었다. 바지 속에 내복을 입고 방한복 안에 두꺼운 셔츠를 두 벌 껴입었지만 몸이 떨려 미칠 것 같았다. 축축한 곳에서 잠을 잔 터라 온몸이 뻣뻣했으나 연장통에서 도끼를 꺼내 들고 산비탈로 향했다. 일요일이라 아침식사가 없었다. 요리사도 쉬는 날이었다. 벌목할 장소로 가보니 미첼이 그루터기에 앉아 나를 기다리고 있었다. 내가 물었다.

"여기에서 뭐하냐?"

"널 기다렸지. 일을 시작해야지."

내가 단호하게 말했다.

"내 일이야. 너와 상관없어."

"상관없어? 제서프는 그날 밤 내가 나간 일로 너를 괴롭히는 거잖아. 그리고 네 일이면 내 일도 돼. 잘 알면서 그래."

누구보다 잘 알았다. 미첼이 올 거라고 예상했으며, 입장이 바뀌었더라도 나도 그랬을 것이다. 나는 고개를 끄덕이며 입을 열었다.

"결심했다, 미첼."

"뭘?"

"여기를 관두기로."

미첼이 벌떡 일어섰다.

"당장 가자! 우리 물건을 챙겨서 빨리 빠져 나가자!"

"지금은 그럴 수 없어. 제서프가 감시하고 있어. 여차하면 보안관을 불러 우리를 쫓아올 거야."

"그럼 어떻게 하냐? 여기에서 하루 내내 공짜로 일해야 돼?"

"그래."

"맙소사!"

"오늘 일을 해주면 제서프는 우리가 오늘 저녁에 도망치리라고는 짐작도 못 할 거야. 도망 칠 생각이 있었다면 지난밤에 갔을 것이라고 예상하겠지. 오늘 저녁에 메리 부인 가게로 간다고 해도 아무도 우릴 의심하지 않을 테고. 그 가게에서 잠자는 이들이 많으니 우리가 벌목장에 안 오더라도 역시 이상하게 여기지 않겠지. 오늘 일을 해주면 우리에게 10시간 이상 여유가 생기는 셈이야."

미첼은 고개를 끄덕이며 한참 궁리를 했다.

"그래도 그 인간에게 하루치 일을 그냥 해 준다는 게 영 찝찝해."

"지금 당장 때려 치면, 제서프의 개가 쫓아 올 테고, 결국 붙잡히고 말겠지."

미첼은 마지못해 내 의견을 받아들였다.

"좋아, 그렇지만 내 물건을 두고는 못 떠나."

"걱정 마. 벌써 다 챙겨서 감춰놓았다. 그 대신 네 담요 한 장은 빼 놓았어. 담요가 한 장씩 필요했거든."

"그 담요가 얼마나 좋은 건데. 왜 두고 왔어?"

"담요 안에 나무토막을 넣어두었어. 소지품이 든 것처럼 보여야 하 거든. 그래야 우리도 남아 있다고 여기겠지."

미첼은 몹시 못마땅하게 여겼다.

"하루치 임금도 모자라서 그 좋은 담요까지 손해 봐야 되나!"

미첼은 도끼로 나무를 사정없이 내려쳤다.

"그 감독관 놈은 내 눈에 띄지 않는 게 좋을 거야. 지금 눈에 뵈는 게 없거든!"

＊＊＊＊

정오가 되자, 메일린이 예기치 않게 찾아왔는데, 메리 부인의 노새 를 타고 식사를 가져왔다. 미첼과 나는 닭튀김, 햄, 야채 요리, 옥수수 빵과 호두 파이까지 곁들인 진수성찬을 보고 깜짝 놀랐다. 메일린은 뜨거운 커피도 가져왔는데, 캠프에서 마시던 치커리 차가 아니라 진짜 커피였다. 정말이지, 일요일 만찬이었다! 나는 메일린에게 고맙다는 말을 건네며 닭다리와 옥수수 빵을 집어 들었다.

"메일린, 닭튀김이 어디에서 난 거야?"

미첼이 물었다. 메일린이 수줍게 대답했다.

"메리 부인이요. 메리 부인에게 로건 씨가 오늘 일하게 된 사정과 당신이 친구를 혼자 둘 수 없다며 도와주러 간 사연을 말씀드렸어요. 여기 캠프는 일요일에 식사를 주지 않는다고 이야기했더니 이 닭고기를 주시더라고요."

미첼이 싱긋 웃었다.

"그래? 정말? 메리 부인이 그렇게 마음이 너그러운 마님인 줄은 미처 몰랐네."

메일린이 말했다.

"건네 드릴 것도 있고요."

"뭔데?"

"별다른 건 아니고요. 이거예요."

메일린은 나를 바라보며 들고 있던 자루에 손을 넣었다.

"쪽지를……. 로건 씨 거예요. 마룻바닥에 떨어져 있더라고요."

누나에게 썼던 편지지였다.

"고맙습니다."

내가 인사했다.

메일린은 나와 첫인사를 나눌 때처럼 수줍게 웃었다. 그러고는 다시 한 번 음식을 권했다.

"두 분 모두 많이 드세요. 제 음식솜씨도 괜찮은 편이거든요."

메일린이 떠나려하자 미첼이 끌어당기더니 팔을 메일린의 허리에 둘렀다.

"우리랑 같이 먹지 그래?"

"안 돼요. 가 봐야 해요."

"그러지 말고."

미첼이 웃음을 짓자 메일린의 뺨이 달아올랐다. 내가 두 연인 사이에 끼어들었다.

"미첼, 나랑 잠깐만 이야기 하자."

"지금?"

"지금, 메일린 양이 가기 전에."

나는 손에 닭고기와 옥수수 빵을 든 채로 저만큼 걸어갔다. 이내 미첼이 따라왔다.

"뭔데, 폴?"

미첼이 다가와서 물었다. 슬쩍 건너보니 메일린은 음식을 펼쳐 놓은 바닥에 무릎을 꿇고 앉아 있었다.

"노새를 보고 방금 생각난 건데, 메일린이 지금 우리 소지품을 가져가면 좋을 것 같아. 이따가 마음을 졸이면서 소지품을 들고 갈 필요가 없어지잖아. 메일린이 그렇게 해 줄까?"

미첼은 어깨 너머로 메일린을 흘낏 보았다.

"무슨 일인지 물어 볼 텐데?"

"그럼, 말해줘."

"메일린을 이 일에 끌어들이란 말이야?"

"도움이 필요해."

미첼은 고개를 저었다.

"우리 엄마만 빼고 여자는 믿을 수 없어."

"좋아. 그럼 네 마음대로 해."

내가 돌아서자 미첼이 말했다.

"네 말이 맞아. 소지품을 들고 가다가 붙잡히면 목숨이 간당간당해지겠지."

나는 잠자코 서서, 미첼이 결정을 내릴 때까지 기다렸다. 미첼은 메일린을 다시 한 번 돌아보았다.

"물건은 어디 있는데?"

"오늘 맨 나중에 자르기로 한 소나무 세 그루 있지? 그 소나무 옆의 잡목들 사이에 두었어."

미첼이 말했다.

"좋아, 메일린에게 말해 볼게. 나 혼자 이야기하는 게 낫겠어."

미첼은 돌아갔다. 메일린의 손을 잡아끌고는 저쪽으로 데려갔다. 나는 자리에 앉아 음식을 먹으며 한참을 기다렸다. 미첼이 다시 나타났다. 메일린은 곁에 없었다.

"메일린이 우리 물건을 가져갔어."

미첼이 말했다.

"뭐라고 말했냐?"

미첼은 바닥에 앉아서 닭 날개를 집어 들었다.

"믿고 맡긴다는 말만 했어."

"그 말만?"

미첼이 손에 닭 날개를 든 채 말했다.

"그 정도면 충분하지."

****

미첼과 나는 메일린이 주고 간 음식을 다 먹지 않고 남겨두었다. 저녁에 필요할 것 같았다. 한참 벌목하고 있으려니, 제서프가 보낸 사람이 살피고 갔다. 얼마 지나자 또 한 명이 다녀갔으며, 일과를 마칠 즈음에 제서프가 직접 나타났다. 제서프는 미첼을 보며 말했다.

"네놈이 도와주었군. 친구가 있다는 건 좋은 일이야."

미첼이 무뚝뚝하게 대꾸했다.

"종이 안 울렸는데요. 끝났나요?"

감독관이 말을 받았다.

"곧 어두워지거든. 일요일에는 종을 울리는 사람이 없어."

제서프는 우리가 잘라 놓은 목재를 바라보았다.

"보아하니 앞으로도 계속해야 되겠어. 일은 제대로 하는군. 다음 일요일에도 또 시켜야겠는걸."

제서프가 낄낄 웃더니 나에게 1주일치 품삯을 건네주었다. 물론 일요일치 품삯은 없었다. 우리는 말없이 도끼를 접어 넣고는, 제서프에게서 몸을 돌려 산비탈을 내려갔다. 아래로 내려가는데, 제서프가 뒤에서 소리쳤다.

"다른 놈들처럼 메리 부인 가게로 가는 모양이지? 가기 전에 그 도끼들은 연장 창고에 갖다 놔. 혹시 녹이라도 슬게 하면 비용을 네놈들 품삯에서 까버릴 테다."

감독관이 자기 도끼랍시고 떠들어 대는 꼬락서니에 비위가 뒤틀렸는지, 미첼이 몸을 돌리려는 찰나에 내가 말렸다.

"그냥 놔 둬."

미첼은 퉁퉁 부은 표정으로 나를 노려보고는 그냥 걸어갔다.

"메리 부인 가게에서 잘 놀아라."

감독관은 소리를 지르고는 낄낄댔다.

그게 바로 우리가 제서프에게 들은 마지막 말이었다. 우리는 도끼를 연장 창고에 넣고는 곧 캠프를 떠났다. 메리 부인 가게를 향해 4킬로 미터쯤 걸었을 때, 메일린과 마주쳤다. 메일린은 어깨에 자그마한 가죽배낭을 메고 있었다. 나는 미첼에게 시선을 돌렸다. 메일린이 우리를 따라 나선다고 할까 봐 걱정스러웠다. 메일린은 미첼을 한번 껴안고는 이내 우리를 숲으로 데리고 갔다.

"두 분이 감춰두었던 물건을 가져왔어요."

메일린이 말했다. 소지품을 돌려받으며 고맙다고 말했다.

"우리를 도와준 것 때문에 민폐가 없어야 할 텐데요."

"아니에요. 걱정하지 마세요. 아무도 본 사람이 없어요."

"정말 감사드립니다."

메일린의 초콜릿색 뺨이 발갛게 달아올랐다.

"음식을 좀 싸왔어요."

메일린은 미첼에게 가죽배낭을 내밀었다.

"닭튀김이랑 옥수수 빵도 더 담았어요."

미첼이 배낭을 받으면서 짓궂게 놀렸다.

"저런! 야채가 없네."

"어머머! 세상에!"

메일린은 상그레 웃으면서 장난치듯 미첼을 툭 밀었다. 나는 소지품을 들고 돌아섰다.

"이제 가야겠어요. 다시 한 번 감사드립니다, 메일린 양."

메일린은 살짝 웃으며 나에게 목례를 하고는 미첼에게 돌아섰다. 둘이서만 작별인사를 나누도록, 내가 자리를 피하려는데 메일린의 말이 귀에 들어왔다.

"당신이 가지 않았으면 좋겠어요."

메일린이 울음을 터뜨렸다.

미첼이 위로하는 소리까지는 듣지 못했다.

＊＊＊＊

"이제 어디로 가나?"

다시 길을 나서는데 미첼이 물었다.

"북쪽에 있는 빅스버그를 생각하고 있어."

"거기 벌목장으로?"

"빅스버그 남부에 벌목장이 있다고는 하는데, 미첼! 나는 당분간 벌목장에는 가지 않으련다."

"그럼 뭐 할 건데?"

"크렌쇼 부인이 소개한 루크 소여라는 사람이 빅스버그에 살아. 장사를 한다나 봐. 크렌쇼 부인의 말로는 아주 정직한 사람이래. 그 사람과 함께 일을 해 볼까 생각 중이야."

"무슨 일을 하려고?"

"내가 가구를 만들면 그 사람이 파는 거지."

"네가 직접 가구를 만들 텐데. 뭐하러 그 사람이랑 같이 일하냐?"

"좋은 물건을 만들려면 공구가 필요한데, 굳이 내 돈을 공구사는 데에 투자하고 싶지 않아. 루크 소여가 그 정도는 투자할 거야."

"네 돈으로는 뭐 할 건데? 네가 돈을 쓰는 꼴을 본 기억이 없어."

미첼은 다 안다는 표정으로 나를 보며 웃었다. 돈 이야기가 나오면 내가 입을 꾹 다물고, 심지어 미첼 자신에게도 입을 다무는 것을 알기에, 미첼은 가끔 짓궂은 농을 걸었다. 물론 미첼은 내가 돈을 차곡차곡 모아 뉴올리언스 은행에 넣어두는 것을 알고 있었다. 미첼은 나를 놀려도 나를 비난하지는 않았다. 미첼은 '지금 이 순간'이 가장 중요하기에 돈이 얼마든, 벌기만 하면 무조건 써버리고 현재를 즐겨야 한다고 생각했다.

"돈을 꼭 쓸 데가 있어서 그래."

나는 변명이라도 하듯이 대꾸했다.

"어디에?"

"땅."

미첼이 파안일소했다.

"또 그 땅 타령이냐? 어?"

"땅은 언제나 내 마음 속에 있어."

미첼은 그저 고개만 설레설레 저을 뿐이었다.

미첼과 함께 길을 나설 때는 이미 땅거미가 진 상태였다. 우리는 밤새 걸었다. 주로 산길을 따라갔으며, 인기척이 난다 싶으면 숲으로 들어가 잠시 몸을 숨겼다. 하지만 워낙 숲이 나무들로 빽빽하고 캄캄한 밤인지라 오래 머물 필요는 없었다. 아침이 밝아오자, 이번에는 다시 숲으로 들어갔다. 눈에 띄지 않게 조심조심 북쪽으로 향했다. 달리지 않고 천천히 걸었다. 누구라도 우리가 뛰어가는 모습을 보면 바로 우리가 왜 뛰는지 궁금하게 여길 터였다. 유색인이 특별한 이유도 없이 허둥지둥 달려가는 일만큼 위험한 일은 없었다. 가는 길에 몇 번 쉬었는데, 우리는 오래 쉬지 않고 곧 일어섰다. 테레빈유 캠프에서 죽은 소년이 눈앞에서 자꾸 어른거리는 데다, 무엇보다 땅거미가 다시 몰려오기 전에 한걸음이라도 제서프의 캠프에서 더 멀리 벗어나고 싶었다. 우리는 계속 이동했으며 둘 다 아무 불평도 하지 않았다. 한낮이 되어 어느 정도 멀리 왔다 싶어, 메일린의 닭튀김과 옥수수 빵을 먹었다. 미첼은 닭 뼈에서 살점을 깨끗이 발라먹으며 한마디 던졌다.

"메일린이 한 가지는 확실하네. 정말이지 음식솜씨가 제대로군."

나도 거들었다.

"마음씨도 착해 보이더라."

"맞아, 어차피 지난 일이지만 메일린은 나와 결혼하길 원했어."

"너는 여자들하고 그런 일이 많았지. 메일린과 같이 살려고 생각했었나?"

"아니. 여자들은 내게 쉽게 마음을 내주는 것 같아."

내 생각을 밝혔다.

"그리고 마음도 쉽게 다치지."

미첼은 투덜거렸다.

"어쨌든 나는 아무것도 약속하지 않았어. 끝에 가서 울든 말든 그야 그 여자들 사정이지."

나는 대꾸하지 않았다. 옥수수 빵을 우적우적 씹다 물을 들이켰다.

친구를 보며 슬쩍 물어보았다.

"정착할 생각은 아예 없는 거야?"

미첼은 웃음을 참지 못했다.

"내가? 야! 폴! 너야 땅에 뿌리를 내리고 싶겠지만, 나는 아니야. 나는 지금처럼 사는 게 가장 좋다."

미첼을 가만히 살펴보았다.

"그렇게 살면 뭐가 좋은데?"

"내 마음대로 이리저리 떠도는 거지, 뭐. 나는 그거면 족해."

"다른 건 없어? 뭔가 다른 걸 생각해 봐. 꿈을 가지란 말이야! 꿈! 미첼!"

미첼이 코웃음을 쳤다.

"너처럼 서부로 가는 거? 아니면 너처럼 땅을 가지는 거? 이런 젠장! 무슨 꿈이 그러냐? 그래 봤자, 너도 백인 땅에 사는 유색인이니, 네 몸뚱이 하나 건사하는 것 말고는 딴 자유는 없어. 너야 그렇게 애를 쓰며 아등바등 하다가 죽겠지. 나는 그날까지 자유를 누리며 유유히 살 테고."

식사를 마치고 다시 길을 나섰다. 땅거미가 졌고 우리는 지쳤다. 그래서 숲 속 빈터에서 눈을 붙이기로 했다.

"우리가 얼마나 온 걸까?"

미첼이 땅바닥에 풀썩 주저앉으며 물었다.

"하루만 더 가면 빅스버그에 도착할 듯 싶은데."

미첼은 장화를 힘껏 잡아당겼다.

"그럴 것 같다만, 내 발 꼬락서니를 보니 빅스버그까지 열 번도 넘게 다녀온 것 같아."

나도 동감을 표시하고는 등에 지고 있던 꾸러미를 내려놓았다. 몸을 따뜻하게 녹일 불을 피웠다. 그러나 너무 피곤해서 메일린의 맛있는 음식도 생각나질 않았다. 미첼은 불 저쪽 편에 자리를 피면서, 손쉽게 총을 꺼낼 수 있도록 담요 밑에 넣어두었다. 나는 칼만 한 자루 지닌 채 담요를 깔았다. 미첼이 툴툴거렸다.

"담요를 갖고 와서야 하는데, 그게 얼마나 좋은 건데."

미첼이 이리저리 몸을 뒤척이며 툴툴거리더니 곧 드르렁드르렁 코를 골았다. 나도 눈을 감자마자 잠에 빠졌다.

****

"너희들! 당장 일어나!"

나는 잠에서 깨어 벌떡 일어나 앉았다. 남자들이 권총을 들고 죽어가는 불 옆에 서 있었다. 권총은 미첼과 나를 겨누고 있었다. 등 뒤에서 바스락거리는 소리가 들려 돌아보니 뒤에도 두 명이 더 있었다. 미첼도 천천히 일어나 앉았다. 나는 미첼을 보면서 조심조심 일어났다. 미첼은 숨소리마저 죽였다.

"무슨 일이요?"

나는 사그라지는 불빛에 얼굴을 드러내며 물었다.

그 사람이 나를 보았다. 나는 그 남자의 표정에서 자신들이 바라는 것이 아니라는 실망감이 설핏 지나가는 걸 볼 수 있었다. 총구를 나에게 겨눈 채 한 남자가 물었다.

"당신은 누구요?"

나는 이 사람들 앞에서 당당하게 굴자고 마음먹으며 대답했다.

"여행하는 사람이요."

그 남자는 권총을 미첼에게 돌렸다.

"저 깜둥이랑 함께요?"

나는 미첼을 흘깃 보았다. 미첼은 돌처럼 꼼짝 않고 앉아 있었지만 담요 밑에 이미 손이 들어가 있었다. 여차하면 권총을 빼들 것이다.

"함께 조지아에서 왔소."

나는 침착하게 대답했다.

"이 자는 우리 아버지 밑에서 일하는 사람이요. 둘이서 서쪽으로 가는 중이요."

이 사람들이 왜 이러는지 이유가 궁금했다.

"내 일에 왜 댁들이 상관하는지 모르겠소? 그 권총을 왜 우리에게 겨누는지 말해 보시오."

"닭 서리꾼을 쫓고 있어! 빌어먹을 깜둥이들이 우리 닭을 훔쳐갔단 말이야!"

어둠 속에서 한 사람이 버럭 소리를 질렀다.

"그래요? 우리는 그 일과 아무 상관이 없소."

"그걸 우리가 어떻게 알아?"

내 뒤쪽에서 질문이 날아들었다. 천천히 몸을 돌렸다. 어렴풋이 윤곽만 드러난 그 사람에게서 술 냄새가 솔솔 풍겨왔다.

"저 깜둥이에게 훔치도록 시키고 너는 뒤로 빠져 있었겠지!"

"여기에 닭이 있습니까?"

내가 물었다. 앞쪽에서 다른 목소리가 들렸다.

"벌써 팔아치웠는지도 모르지. 팔았든 먹어치웠든 훔친 건 매한가지야!"

"가장 최근에 도난당한 게 언제요?"

내가 물었는데, 내 자신도 깜짝 놀랄 정도로 목소리가 차분했다.

"바로 오늘 밤이야! 두 마리!"

뒤쪽에서 고함소리가 터져 나왔다.

"그럼, 우리가 그 닭을 가지고 있소?"

모닥불을 가리키며 물었다.

"닭을 구운 흔적이 있습니까? 닭털이나 뼈가 보입니까?"

남자들은 잠시 침묵에 빠졌고, 한 사람이 나서서 깜깜한 곳을 향해 몸짓을 했다.

"조사해."

내 뒤에 있던 사람이 가까이 오더니 바닥을 살폈다. 미첼과 내가 피곤한 나머지 아무것도 먹지 않고 잠들은 게 천만다행이다 싶었다. 그렇지 않았으면 모닥불 속에 닭 뼈가 있었을 것이다. 혹여 우리 소지품을 조사하다 메일린의 닭튀김을 발견하지 않기를 바랄 뿐이었다. 아무리 요리된 상태라도 우리가 닭을 훔쳐 다른 곳에서 구웠다고 몰아세울 게 뻔했다. 미첼의 눈과 마주친 순간, 미첼도 나와 같은 생각이라는 것을 알았다. 우리 둘은 가죽배낭에서 시선을 뗐다.

"어때?"

모닥불 저편에서 물었다. 조사하던 사람은 머리를 내저었다.

"여기에는 아무것도 없는데요."

그 사람이 돌아서는 순간, 그 사람은 키는 어른의 것이었지만 어린 소년이라는 사실을 알았다. 소년은 나를 보면서 잠시 멈칫했지만 곧 어둠 속으로 물러났다. 그 아이 표정에 개의치 않기로 했다. 나는 계속 백인 행세를 했다.

"닭을 최근에 잃어버린 곳이 어디요?"

내 자신이 자유로운 백인인 양, 아주 당당한 자세로 다른 백인을 향해 질문을 던졌다.

"아까 우리 집이라고 말했잖아!"

뒤에서 누군가 소리를 버럭 질렀다.

"말했다시피 여행하는 중이라 거기가 어딘지 모르겠습니다."

그 남자는 천둥치는 목소리로 대답했다.

"동쪽으로 여기에서 3킬로미터도 안 되는 곳이야!"

"그렇다면 닭 2마리를 훔친 두 사람이 3킬로미터도 채 안 되는 곳에서 노숙한다는 게 말이나 됩니까? 여기에는 닭털도 없고 뼈도 없는 걸 보면 알 만하지 않소? 우리가 닭을 잡아서 먹어치웠다면 그런 게 있겠지요. 이 근방 사람들에게 닭을 팔지 않았나, 생각하나 본데 이 근처 사람들끼리는 서로 잘 아는 사이가 아닙니까? 닭 도둑이 있다는 사실을 안다면, 누가 처음 보는 이에게서 닭을 사겠습니까?"

다들 아무 대답도 하지 않았다. 몇몇은 서로 쳐다보더니 권총 든 손을 내렸다. 하지만 미첼 뒤에 서 있던 사람이 말했다.

"혹시 유색인들에게 팔았는지 모르지."

돌아보지도 않고 나는 말했다.

"우리는 닭을 가져가지 않았습니다."

나는 단호하게 또박또박 말했다.

"그래? 우리가 어떻게 그 말을 믿어? 우리는 너희를 처음 보는데?"

나는 잠깐 숨을 고르다가 돌아서서 그 남자가 눈에 보이기라도 하듯이 어둠 속을 뚫어져라 바라보았다. 그러고는 신분이 낮은 사람에게 쓰던 아버지의 어투를 그대로 따라해 보았다.

"내 말을 의심하는 거요?"

정적이 감돌았다. 나는 꼼짝도 하지 않았다. 미첼도 쳐다보지 않았다. 미첼은 곧 벌어질 일을 대비하고 있을 터였다. 그 남자는 아무 대꾸도 하지 못했다. 무리를 이끄는 사람이 총을 아래로 내리며 물었다.

"아침이 되면 떠날 텐가?"

나는 그 사람을 향해 돌아서서 끄덕거렸다.

"그럴 생각입니다."

그 사람은 경고를 했다.

"그 말을 꼭 지키도록 해. 여기는 낯선 사람을 쉽게 받아들이지 않거든."

그 말만 남기고 그 사람과 다른 이들은 자리를 떴다. 미첼과 나는 그 자리에서 꼼짝 않고 멀어지는 발소리와 숲에서 들리는 소리에 귀 기울였다. 몇 분이 지나서야 제대로 숨을 쉴 수 있었다. 미첼이 일어섰다. 손에 총을 들고 있었다.

"아슬아슬했어."

내가 대꾸했다.

"정말 아슬아슬했어."

닭 서리꾼을 추적하는 사람들이 가고나자 미첼이 말했다.

"벌목꾼들이 쫓아온 줄 알았어."

나는 아무 말도 하지 않았다. 쫓는 사람이 백인이라면 닭 서리꾼으로 몰리든, 도망친 일꾼으로 몰리든 결과는 마찬가지였다. 돌아서서 담요를 개켰다.

"지금 뭐하냐?"

"여기를 당장 뜨려고."

"이렇게 피곤한 데도?"

"갑자기 힘이 불끈 솟는다."

미첼은 바지의 허리춤에 총을 찔러 넣었다.

"나도 그런 것 같아."

소지품을 다 꾸리고 미첼이 말했다.

"야, 폴! 우리 헤어지는 게 좋겠다."

나는 미첼을 보면서 무슨 말을 하려나 싶어 표정을 살폈다. 내가 먼저 입을 열었다.

"왜 그러는데?"

"이유야 너도 알겠지. 이번에야 깜깜해서 네가 백인처럼 보여 무사할 수 있었지. 밝은 대낮에 백인 비슷한 사람과 유색인이 함께 다니는 걸 그 사람들이 본다면 당장 우리를 도둑으로 몰아세울 거야. 우리가 따로 떨어져 다니면 그자들도 쉽게 기억할 수 없겠지. 벌목꾼이 쫓아와도 마찬가지고. 함께 다니다 보면 사람들 눈에 쉽게 띄어."

미첼 말이 옳았다. 나도 그런 생각을 하긴 했었다.

"그래도 곤란한 상황에 빠지면 내가 있어야 도와줄 텐데."

"네가 나무에 대롱대롱 매달리게 되면 너도 나를 돕지 못해."

나는 한숨을 쉬었다.

"폴, 그자들이 네가 백인이 아니란 걸 알아차린다면 무슨 일이 벌어
질지 훤하다. 나보다 먼저 나무에 매달릴걸."

나로서는 부정하고 싶었지만, 그건 어쩔 수 없는 현실이었다.

"너는 벌목장으로 갈 거냐?"

"음, 그럴 생각이야."

"나는 루크 소여 가게로 가련다."

"거기에서 만나면 되겠다. 그러니까 한 달쯤 뒤에?"

나는 고개를 끄덕였고, 그렇게 결론이 났다. 내가 말했다.

"그 전에 미리 소식을 보내줘. 나도 그렇게 할게."

미첼이 동의했다. 상대방이 제서프에게 잡히거나 닭 서리꾼으로 몰
리지 않고 안전하다는 것을 알아야 서로 마음이 놓일 터였다.

우리는 모닥불 옆에서 머무르며 닭 서리꾼 추적자들이 멀리 갈 때까
지 기다렸다. 아침이 밝기 전에, 우리는 다시 산길로 들어섰고 북쪽으
로 향했다. 동이 트고 두어 시간쯤 지나, 우리는 헤어져서 제 갈 길로
갔다.

＊＊＊＊

나는 곧 쓰러질 만큼 지쳤다. 그래도 계속 걸었다. 정오가 지나자,
앞서 미첼과 나눠가진 메일린이 준 음식 중에서 닭고기를 마저 꺼내어
먹었다. 옥수수 빵은 저녁식사로 남겨두었다. 저녁 어스름이 내려앉아
편안하게 머리를 둘 만한 장소를 찾아보았다. 달이 떠올랐지만 그런
곳은 눈에 띄지 않았다. 보름달을 따라 어둠이 몰려왔다. 갑자기 눈앞
이 탁 트이며 초원이 보이기에 오솔길을 벗어나 그쪽으로 들어섰고,

걷다보니 언덕의 비탈길을 오르게 되었다. 나무만 몇 그루 있을 뿐 울창한 숲은 없었다. 비탈 너머로, 숲이 교교한 달빛을 받으며 윤곽을 드러냈다. 사람이 켜 놓은 불빛이라곤 하나 보이지 않은지라, 저절로 마음이 평온해졌다. 적당한 크기의 바위가 보여서 그 옆의 땅바닥에 소지품을 내려놓으며 미첼이 얼마나 멀리 갔을까 라는 생각을 하며 누웠다. 그러다 바위 옆에 방울뱀 등이 있는지 살피는 것은 고사하고, 담요를 펴지도 못한 채 그만 잠에 떨어지고 말았다.

****

다음 날 아침, 깨어나 보니 해는 높이 솟아 감긴 두 눈에 햇살을 뿌리고 있었다. 며칠 동안 수면을 제대로 취하지 못하다 보니, 그만 달콤한 잠에 흠뻑 취해 버렸다. 내가 알지도 못하는 곳에서, 미첼이 나를 지키지도 않는 곳에서, 그만 깊은 잠에 빠져 버렸다. 내리 쬐는 햇볕을 한 손으로 가리고 눈을 비비며 환한 세상을 내다보았다.

보는 순간 숨이 멎는 것 같았다.

주변이 온통 초록으로 반짝거리는 데다 저 높은 곳 하느님이 만드신 새파란 하늘에 두세 점의 구름이 마치 폭신폭신한 베개 마냥 둥실둥실 떠 있었다. 온 사방이 초원이었고 드문드문 떡갈나무와 호두나무가 섞인 왕솔나무 숲이 그 주변을 에워쌌다. 비탈길의 바위 옆에 앉아서 가만히 쳐다보고 있으려니, 하느님도 여기에 앉아 기뻐하시지 않았을까 라는 생각이 절로 들었다.

일어나서 그 땅을 걸어보았다. 비탈길을 따라 내려와 초원을 한 바퀴 돌다보니 소가 거름을 싣고 간 흔적이 있었다. 흔적을 따라가자 숲

속 빈터가 나왔고 한가운데 못이 보였다. 못 옆에 쓰러져 있는 나무에 걸터앉고 보니 아침햇살이 나무 사이사이로 부서져 내려와 모든 것을 황금빛으로 물들이고 있었다. 아버지의 땅을 떠나 처음으로 가슴이 벅차올랐고, 저 높고 높은 산을 넘어, 하느님의 걸작인 구름까지 마냥 올라 간 듯 한 느낌이 들면서 황홀한 기분에 휩싸였다.

****

"어이, 자네! 예서 뭐하남?"

깜짝 놀라 돌아보고는 벌떡 일어났다. 얼마나 오래 있었던지 벌써 해가 내 머리 꼭대기에 떠 있었다.

"예서 뭐하냐고 물었네만?"

노인은 손에 든 지팡이에 몸을 지탱하고 내 앞에 서 있었다. 유색인이었다.

"그냥 앉아 있었습니다."

"자네는 이 근방 사람이 아니지? 본 적이 없는 것 같아."

"맞습니다. 오늘 아침에 잠깐 들른 겁니다. 지난밤에 저쪽 비탈길에서 잠을 잤습니다."

노인은 눈을 가늘게 뜨면서 가까이 다가왔다.

"누군가? 이름을 뭐라고 하나?"

"폴 로건입니다."

노인이 고향사람이라도 되는 듯 친근하게 느껴졌다.

"조지아에서 왔습니다."

"게서 예까지 왔단 말인가? 여기가 미시시피인 걸 알고 있는 게야?"

"예, 저도 압니다."

노인은 나를 찬찬히 보더니 나무에 걸터앉았다. 나도 그 옆에 자리를 잡았다.

"이 미시시피에는 뭐 하러 왔남?"

노인이 물었다.

"빅스버그로 가는 중입니다."

"뭐 땜에?"

꼬치꼬치 캐묻는 노인을 향해 웃음을 지었다.

"일자리를 구할까 해서요."

"흠!"

노인 특유의 미덥지 않다는 표정이 스쳐갔다.

"여기는 정말 멋진 곳이네요."

"거야 그렇지."

"혹시 여기 주인을 아십니까?"

"알다마다. 원래는 내가 뫼시던 모리스 그레인저 어르신의 땅이었는데, 나중에 팔았지. 그레인저 어르신은 세금이니 뭐니 돈이 필요했던 게야. 전쟁이 끝나고 현금이 부족했거든. 나는 어릴 때부터 여기에서 살았어. 어르신은 나더러 아브라함은 70세가 넘어 자기 고향을 떠나 하느님이 지시하는 곳을 향하여 떠났다는 소리를 하곤 했지. 그레인저 가문도 아닌 사람이 이 땅에 터를 잡으리라고는 상상도 못했지. 지금 집안을 꾸려 나가는 분은 젊은 필모어 주인님이야. 예전 어르신은 조물주에게 불려가셨고 나만 여기에 살고 있지."

나는 이해하겠다는 듯 고개를 끄덕였다.

"지금 이 땅의 주인은 누구입니까?"

"제이티 홀렌벡 씨라고 하더군. 자세히는 모르네만 북부 출신으로 전쟁이 끝나자마자 이 땅을 샀지. 이 근방 땅을 모조리 산 셈이야."

"그분이 이 땅을 파실까요?"

노인은 몸을 돌려 희뿌연 눈동자로 나를 빤히 보았다.

"내가 어찌 그런 일을 알겠나? 알고 싶으면 직접 물어보게."

나는 몸을 일으켰다.

"알겠습니다. 어디로 가면 제이티 홀렌벡 씨를 뵐 수 있을까요?"

"오던 길을 따라 초원으로 되돌아가서 곧장 북쪽으로 가보게. 동쪽으로 꺾어지는 곳에 강과 갈림길이 보일거야. 갈림길에서 오른쪽으로 가면 홀렌벡 씨를 만날 걸세."

"정말 감사합니다."

노인이 고개를 끄덕였다.

나는 걸어가다가 멈춰서 다시 노인을 바라보았다.

"성함이라도 알 수 있을까요?"

"엘리아. 그분이 그렇게 나를 불렀지. 돌아가신 어르신이 부르던 이름일세. 엘리아. 그게 전부야."

나는 다시 한 번 인사를 올리고 길을 떠났다. 노인은 못가에 그대로 앉아 있었다.

비탈길을 올라가서 소지품을 챙겨 돌아 나왔다. 엘리아 노인의 설명대로 길을 가다보니 강이 보이기에 씻으려고 발길을 멈췄다. 얼굴과 몸을 깨끗이 씻은 뒤에, 가지고 다니던 여벌 셔츠와 바지로 갈아입었다. 소합향 수지로 이도 닦고 머리도 깔끔하게 빗었다. 그러고는 홀렌벡을 만나러 갔다. 외출복을 입은 건 아니지만, 그래도 단정해보였다.

****

홀렌벡에게 내 소개를 하면서 내가 유색인이라는 사실을 먼저 밝혔다. 그 땅을 두고 거래를 하는 한, 작은 오해도 받고 싶지 않았다. 거래를 하다 보면, 내가 굳이 말하지 않더라도 어차피 알려질 내용이었다. 께름칙한 상태로 땅을 사는 짓은 절대 하지 않을 작정이었다. 막상 이야기를 하고 나니 홀렌벡은 내 피부색과 상관없이 땅을 팔 생각이 없었다.

"정 땅을 사고 싶거든 필모어 그레인저 씨를 만나보게. 지난 몇 년에 걸쳐 땅을 조금씩 거래했거든. 내가 겪어보니 그레인저와 거래하는 게 여간 까다롭지 않아. 자네가 유색인이라고 했으니 말하는 건데, 과연 그자가 유색인과 손을 잡을지 모르겠군. 그래도 이 지역에서 땅을 사려면 그 사람과 이야기 하는 수밖에 없어. 내가 보냈다는 말을 한번 해보게. 과연 도움이 될지는 모르네만……."

홀렌벡은 입가에 웃음을 지으며 말했다.

"필모어 그레인저 씨가 백인 양키와 자유로운 깜둥이 중에서 어느 쪽을 더 우습게 여길지 궁금하군."

나는 몹시 실망했지만 겉으로 내 감정을 드러내지는 않았다.

"충고해주셔서 감사합니다. 큰 도움이 되었습니다. 혹시 땅을 팔게 되면 저를 기억해주십시오."

홀렌벡은 내 말의 진위를 가늠하려는 듯 나를 훑어보았다.

"만의 하나라도 땅을 판다면 현찰로 받을 생각이야. 지불할 능력은 되나?"

"그야 가격에 따라 달라집니다."

"공정하게 거래한다 해도 그리 싼 가격은 아닐 거야. 유색인이 지불하기는 벅찰 텐데. 자네는 돈을 어디에서 구할 건가?"

"그 문제는 걱정하지 마십시오, 홀렌벡 씨! 원하시는 금액에 맞추겠습니다."

홀렌벡은 다시 웃었다.

"잘 기억해 놓지, 폴 로건."

홀렌벡은 헤어지면서 그레인저 저택으로 가는 길을 알려주었으나 나는 빅스버그 쪽 산길로 접어들었다. 다른 땅을 보고 싶은 생각이 들지 않았다. 그동안 꿈에 그리던 땅을 발견하고 나니 내 마음이 온통 거기에만 쏠렸다.

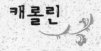

캐롤린

　빅스버그에 도착하여 루크 소여의 가게로 찾아갔다. 가게 안으로 들어가 루크 소여에게 로렐 근교에 사는 해티 크렌쇼 부인의 소개로 왔다고 밝혔다. 내가 목공기술자라는 사실과 일자리를 찾고 있다고 알렸다. 나무가구라면 웬만한 것은 다 만들 수 있다며 슬쩍 자신감도 내비쳤다. 그러고는 크렌쇼 부인의 집을 떠날 때, 부인이 써 준 노란색 편지의 소개서를 건넸다. 소개서에는 내가 유색인이라는 내용도 포함되어 있었다. 루크 소여는 진지한 표정으로 읽더니 안경 너머로 나를 올려다보았다.

　"어떻게 해티 부인을 아나?"

　드디어 소여가 입을 열었다.

　"몇 년 동안 부인 밑에서 일했습니다."

　"목공 일을 했나?"

"그 일도 가끔 했습니다."

"부인의 집에서 목공 일을 배운 게야?"

"아닙니다. 조지아에서 수습생활을 시작했고 로렐 근교에서 마저 배웠습니다."

"공구는 있어?"

"그저 몇 개만 들고 다닙니다. 전부 있는 건 아니고요."

"도구도 제대로 없는데 어떻게 가구를 만들 텐가?"

"크렌쇼 부인 말씀으로는 사장님 가게에 장식장 제작 기술자를 둔 적이 있어, 웬만한 공구는 다 있을 거라고 하시더군요. 부족한 공구는 제가 직접 만들 수도 있습니다."

"그럼 내게서 공구를 사겠다는 거야?"

나는 소여의 눈을 맞추며 솔직하게 대답했다.

"제가 원하는 건 일자리입니다. 목공구를 제공해주시면 제가 가구를 만들겠습니다."

소여는 나를 가만히 바라보았다.

"자네의 능력을 어떻게 믿지?"

"만들고 싶은 물건이 있으신가요?"

소여는 입을 꼭 다물고 나를 응시하다가 계산대 밑에서 책자를 꺼냈다. 그러고는 몸을 돌리며 따라오라는 손짓을 했다. 소여를 따라 가게와 조금 떨어진 창고에 갔다. 소여는 자물쇠를 따고는 안을 보여주었다. 벽에 다양한 목공구가 걸려 있었고, 구석에는 난로가 있었으며 마루 한가운데는 선반이 있었다. 한쪽에는 나무판자들이 세워져 있었는데 먼지가 창고 여기저기에 수북이 쌓여 있었다.

청년시절

"여기를 비워 놓은 지 오래되었어."

먼지를 들이마셨는지 소여는 연방 콜록거렸다. 먼지를 손으로 닦으며 책자를 펴더니 침실용 탁자 사진을 집게손가락으로 톡톡 쳤다.

"이걸 만들 수 있나?"

사진을 한참 들여다보고서, 벽에 걸린 소여의 목공구를 둘러보았다.

"이 정도의 연장이라면, 충분히 만들 수 있습니다."

"내가 잘 아는 부인이 떡갈나무로 만든 이 침실용 탁자와 장식장이 서로 맞춤이라며 탐을 낸단 말이지. 하지만 자네가 장식장을 만들다가 망치면 이만저만 낭패가 아니니, 우선 탁자를 만들도록 하게. 자네의 솜씨를 부인이 마음에 들어 하면, 그때 가서 함께 일하는 것도 고려해 보겠네. 물론 탁자를 만든 수고비는 지불할 걸세. 물건을 조잡하게 만들거나 목재와 연장을 망치면 장작패기나 허드렛일을 시켜서라도 변상을 받아내겠어. 그렇게 해볼 텐가?"

나는 대답했다.

"그러겠습니다. 미리 말씀드리는데, 장작을 패는 일은 없을 겁니다."

"시간은 얼마나 걸리겠어?"

나는 사진을 다시 보았다.

"오늘 시작해서 넉넉잡고 1주일이면 됩니다. 그다음에 바로 마무리칠을 시작하지요. 아마유(편집자 주 : 아마의 씨에서 짠 기름)를 사용한다면 몇 주 후에는 제대로 윤기가 날 겁니다. 쉘락 광택제를 쓴다면 이삼 일 걸리고요."

"쉘락으로 하게. 머물 곳은 구했나?"

"아직 못 구했습니다."

"그러면 밤에 여기 묵어도 되네. 춥다 싶으면 난로를 쓰게. 대신 홀랑 태워 먹지는 말고."

"창고야 말짱할 겁니다."

내가 대답했다. 소여는 혼자 구시렁거리다가 자리를 떴다.

****

루크 소여의 가게에 들어섰을 때는 오후 느지막한 때였다.

나는 먼지를 털어내고 탁자를 제작하기 시작했다. 저녁부터 밤까지 손을 놓지 않았다. 잠깐 눈을 붙였다가 동이 트기 전에 일어나 다시 일에 매달렸다. 목공 일에서 손을 뗀 지가 한참 지났건만 예전의 나무 냄새와 촉감을 접하니 마음이 흐뭇해졌다. 아침을 거르고, 창고 뒤의 펌프에서 물을 퍼 올려 마셨다. 정오가 되어서야 작업대를 벗어나 밖으로 나왔다.

바람이 살랑 부는 데다 햇볕이 따사롭기 그지없었다. 창고 밖에서 그날 처음으로 음식을 입에 넣었다. 소여 가게에서 샀던 빵과 치즈를 창고 문 옆의 의자에 앉아 먹었다. 배가 어느 정도 차자, 남은 치즈와 빵은 저녁에 먹을 양으로 싸 두었다. 그런 다음 기지개를 폈다.

소여의 가게는 삼거리의 한가운데 있어서 모두 길과 접해 있었다. 목이 좋았다. 사람들은 편하게 가게를 찾았고, 찾기 쉬웠다. 가게의 옆쪽으로 나 있는 길을 따라가다 잠깐 서서 주변을 구경했다. 빅스버그는 온통 초록빛 바다였다. 나는 그 싱그러움을 들이마시며 봄날의 햇살을 즐겼다. 가게 앞에서 시끌벅적한 소리가 들리기에 뭔 일인가 싶어 걸음을 옮겼다. 가게 앞까지 가지는 않고 커다란 떡갈나무 그늘 아래에서 멈추었다.

길바닥에 10살가량의 소년들 다섯이 보였는데, 넷이 백인이고 하나는 유색인이었다. 백인 소년 넷이 유색인 아이를 에워싼 채로 상스러운 말을 마구 내뱉었다. 아이는 고개를 떨어뜨리고 훌쩍거릴 뿐 한마디도 대꾸하지 못했다. 다른 사람의 일에 간섭하지 말자는 게 내 주의였으나 여럿이 한 아이를 괴롭히는 모습을 보고는 차마 지나칠 수 없어서 그늘 밖으로 움직였다. 바로 그 순간, 누군가 소년들에게 고함을 질렀고 나는 멈칫했다. 소리가 나는 쪽으로 고개를 돌려보니 앳된 숙녀 두 명이었다.

"걔한테 그러지 마! 당장 그만 두란 말이야!"

숙녀가 소리를 지르자 백인 아이들은 꿀 먹은 벙어리가 되었다. 고함소리에 주춤했던 아이들은 소리 나는 곳을 보고는 배를 잡으며 웃어댔다.

아가씨들은 큰 걸음으로 성큼성큼 왔다. 한쪽은 연한 파랑색 옷을 입었다. 다른 쪽도 비슷한 차림인데 옷 색깔만 회색으로 달랐다. 사실 아가씨라기보다는 소녀에 가까웠으며 기껏해야 10대 중반으로 보였다. 어느 쪽이 나이가 더 많은지는 구분하기 어려웠다. 둘 다 키가 크고 자못 우아한 기풍에 예쁘장한 얼굴이었으며, 피부는 호두처럼 붉은 기가 살짝 감도는 갈색이었다. 머리도 똑같이 길게 땋아 늘어뜨린 모습이었다. 뚜껑이 덮인 바구니를 각자 하나씩 들었고, 바구니 하나는 둘이 나눠들고 있었다. 자매이겠거니 했다. 둘은 웃음기 없는 얼굴로 소년들에게 다가섰다. 소년 한 명이 건방지게 나섰다.

"왜 그러셔? 아무 상관도 없는 일에."

파란 옷을 입은 소녀가 말했다.

"너희들이 이 아이를 괴롭히니까 그러지."

"계집들은 이런 데서 빠지는 게 좋을 텐데."

"누구더러 계집애라고 하는 거지? 빨리 도망치라고 했을 텐데."

"주둥아리 조심해!"

숙녀는 조금도 물러서지 않고 경고했다.

"너나 주둥아리 조심해. 분명히 말하는데, 이 아이를 건들지 마. 이쪽으로 와! 헨리!"

다른 소년이 거들먹거리며 유색인 아이를 가로막았다.

"우리가 허락하기 전에는 아무 데도 못 가."

앳된 숙녀는 잠시 먼 곳으로 시선을 돌렸는데, 이런 유치한 짓거리를 도저히 참을 수 없다는 표정이었다. 바구니 두 개를 모두 내려놓고 다시 아이들을 바라보았다.

"야, 이것 봐. 나는 너희들 엄마를 다 알아."

숙녀는 소년 한 명씩 마주 보았다.

"로이드 제임스, 너희 소가 새끼 낳을 때 우리 아버지가 도와주었지. 거기 뒤에 있는 해롤드 토머스, 너희 엄마는 우리 집에서 여러 해 동안 파이를 사갔어. 제미 스트러쎄와 콘라드, 내가 너희 엄마들과 아는 사이란 걸 모르진 않겠지. 네 엄마들을 누구보다 잘 아는데, 이런 데서 이 아이를 괴롭혔다는 걸 알면 가만히 계시지 않을걸."

숙녀는 자신의 입술에 기다란 손가락을 갖다 댔다.

"엄마들에게 이르지 않을 테니, 어서 가라."

"그 여자애가 네놈들 엄마에게 말을 하지 않으면, 나라도 꼭 이를 테다."

누군가 가게의 현관에서 호통을 쳤다. 루크 소여였다. 험악한 표정을 지으며 피 묻은 푸줏간 칼을 잡고 서 있었다. 소년들은 겁먹은 표정으로 서로를 쳐다보았다. 숙녀가 한마디 했다.

"나라면 그만 '걸음아! 날 살려라.' 하고 뛰어 가겠는걸!"

소년들은 후다닥 달려갔다. 숙녀가 도망치는 아이들의 뒷모습을 흐뭇한 표정으로 지켜보는 동안 소여도 그 자리에 서 있었다. 소여가 말을 걸었다.

"아가씨들! 그 바구니는 우리 집에 가져오는 건가?"

둘이서 합창을 했다.

"예, 맞아요."

소여가 빙그레 웃었다.

"맛 좋은 파이와 케이크를 너희 엄마가 보내신 게로군. 어서 가지고 오너라."

"예, 잠깐만요. 이 아이랑 이야기 좀 하고요."

지금껏 소년들을 상대로 실랑이를 벌이던 숙녀가 대답을 했다. 숙녀는 헨리라는 아이의 어깨에 팔을 둘렀다.

"그러려무나."

소여는 가게로 들어가려다 멈추고 다시 돌아보았다.

"아버지는 어디 있냐? 함께 시내로 나왔냐?"

그 숙녀가 다시 대답했다.

"예, 오셨어요. 크레인 쿠퍼 씨 댁에 들르셨어요."

"늙은 노새를 살피러 왔나 보군."

"예."

"흠, 쿠퍼 씨는 그 노새를 총으로 쏴서 끝장내려고 했을 텐데. 너희 아버지가 노새를 돌본다니 그 짓은 안 해도 되겠군."

자매는 웃음을 터뜨렸고 한 명이 맞장구를 쳤다.

"그럴 거예요."

"그럼 조금 있다 들어와라."

소여는 가게 안으로 들어갔다. 어린 숙녀는 울고 있는 아이에게 돌아섰다.

"쉿! 헨리! 그렇게 돼먹지 못한 녀석들 때문에 울 것 없어. 그깟 말 그냥 무시해버려. 그 녀석들이 널 하찮게 여기더라도 네가 마음을 크게 가지면 넌 하찮은 사람이 아니야. 너를 우습게 본다고, 우스워지는 건 아니니까. 그만 울고, 어서 식구들에게 가 봐. 앞으로 그 못된 놈들에게 놀림거리가 되기 싫으면 이 가게 주변에서 기웃거리지 말고. 알겠지?"

아이는 고개를 끄덕이고는 소맷부리로 눈가를 훔쳤다. 천천히 돌아섰으나 여전히 팔로 얼굴을 가린 상태였다. 아이는 터벅터벅 길을 걸어갔다.

"잠깐만 기다려, 헨리!"

어린 숙녀가 아이를 불러 세웠다. 바구니에서 큼지막한 쿠키를 꺼냈다.

"이거 너 먹어, 헨리. 그리고 파이를 떨어뜨리지 않고 가져갈 수 있겠니?"

아이가 처음으로 말문을 열었다.

“파이?”

“그래. 파이.”

다른 숙녀가 입을 뗐다.

“캐롤린, 이 파이는 손대면 안 돼.”

“가만히 있어, 언니!”

캐롤린이 말끝을 잡아챘다. 그러고는 자상한 목소리로 말했다.

“이 고구마 파이를 엄마에게 전해드리고 네 파이라고 말씀드려. 하지만 엄마랑 누이들이랑 같이 나눠먹기로 약속하기다. 알았니?”

“알았어요.”

헨리가 내 쪽으로 몸을 돌렸다. 아이 얼굴이 똑똑히 보였다. 심한 언청이였는데 그것 때문에 아이들의 놀림감이 된 모양이었다. 하지만 아이는 그 일을 벌써 잊어버렸는지 입술 끝을 비틀며 활짝 웃었다.

“고맙습니다.”

“고맙긴. 파이를 조심해서 들고 가야 해. 엄마보고 일요일 교회로 오실 때 빈 통을 갖다달라고 말씀드려.”

“예, 그렇게 말할게요.”

아이가 길을 내려가자 숙녀들은 바구니를 들고 가게 입구로 걸어갔다.

“아이, 어떡해. 그 파이를 주었으니 너는 엄마한테 영락없이 두들겨 맞을 거야. 가게에 팔려고 가져온 거잖아!”

“있잖아, 캘리 언니. 나는 상관없어! 고구마 파이 하나로 아이 기분이 풀린다면 또 줄 수도 있어. 엄마가 꼭 때리시겠다면 맞지, 뭐.”

“엄마는 꼭 때리실걸!”

캐롤린이 어깨를 으쓱하며 말을 받았다.

"그거 몰라? 언니! 그동안 한두 번 맞은 게 아니거든. 그까짓 거 한 번 더 맞으면 어때."

그렇게 말하며 캐롤린이 가게로 들어가자 그 언니도 따라 들어갔다. 나는 입가에 웃음을 지으며 창고로 돌아갔다.

****

나는 다시 작업에 몰두했다. 그날 오후 내내 탁자를 만들었고 그 후로도 며칠, 계속 사포질을 하며 모서리를 둥글려서 완성시켰다. 다 만들고 나니 근사해 보였다. 쉘락을 얻으려고 가게로 갔더니, 소여는 눈을 치켜떴다.

"벌써 다 했어?"

"가구에 칠만 하면 됩니다."

나는 대답하고 창고로 돌아왔다.

가구 솔로 쉘락을 한 번 발라준 다음에, 다시 바르려고 마를 때를 기다렸다. 소여가 창고로 들어왔다. 내가 말했다.

"아직 덜 말랐어요."

소여는 머리를 끄덕이며, 탁자를 한 바퀴 돌았다. 선반에 올려둔 서랍들도 꼼꼼히 들여다보았는데 아주 흡족해하는 눈치였다.

"서랍만 저 탁자에 딱 들어맞는다면, 장작을 팰 일은 없겠군."

"정확하게 맞을 겁니다."

나는 확신했다.

쉘락은 이틀 뒤에 모두 말랐으며 서랍도 부드럽게 들어갔다. 소여는 나와 함께 가게로 탁자를 옮겼다. 곧바로 심부름꾼 아이를 보내, 도시의 은행가인 틸만 부인에게 마음에 들어 하던 책자의 탁자와 똑같은 물건을 만들어 놨으니 와서 보라며 전갈을 보냈다. 틸만 부인은 그날 가게가 문을 닫으려던 늦은 시간에 남편인 비알 틸만과 함께 왔다. 소여는 창고에 있던 나를 불러냈고 나는 틸만 부부가 탁자를 구경하는 동안 그 옆에 서 있었다.

"네가 그 유색인 아이구나."

비알 틸만이 말을 걸었다. 나는 아무 말 없이 바라보았다.

"그러냐?"

틸만은 확인하려는 듯 물었다.

"유색인 남자입니다."

나는 틸만이 한 말을 조용히 고쳐 말했다. 나는 소년이 아니었다. 틸만이 끄덕였다.

"여기 소여 씨로부터 자네의 목공 솜씨가 뛰어나다는 이야기를 들었지. 아주 탁월하다더군. 그런데 자네가 만든 물건을 보니, 그 말이 사실이네."

틸만은 탁자 주변을 돌면서 이리저리 살펴보았다.

"이걸 지난 한 주 만에 만들었다는 게야?"

"맞습니다."

"오호!"

비알 틸만은 감탄을 금치 못하며 계속 살펴보았다. 틸만 부인은 벌써 탁자에 마음을 빼앗겼다.

"여보! 이 침실용 탁자를 꼭 살래요! 그동안 이 근방에서 본 물건 중 최고예요. 같은 디자인으로 된 장식장도 갖고 싶어요. 어서요!"

틸만은 조금 망설였다.

"부인, 그야 여기 소여 씨가 가격을 얼마나 부르느냐에 달려 있지 않겠어?"

"저 분은 양심적이에요."

틸만 부인이 말했다.

"그래도 여보……."

"그렇죠, 소여 씨?"

부인이 물었다.

"예, 부인. 저야 늘 그러려고 애씁니다."

틸만이 말했다.

"그렇다면야 특별히 문제될 게 없겠군요. 얼마를 원하는지요?"

가격을 결정하는 데에는 한 시간 넘게 걸렸지만 양쪽 다 즐거운 분위기에서 흥정이 오갔다. 마침내 거래가 성사되었다. 소여가 나에게 귀띔했던 가격으로 틸만은 지불하였다. 틸만은 장식장 역시 부인 마음에 든다면 소여가 제안한 금액에 흔쾌히 동의하겠다고 했다. 틸만은 기분이 좋았고, 특히 그 부인이 흡족해했다. 소여는 가게 문을 닫고 나에게 돌아섰다.

"이 돈을 어떻게 나눌지 상의해보세. 자네를 여기에 부른 이유는 자네가 판매금액을 정확히 알아야 했기 때문이야. 그래야 거래가 공정하게 이루어지지 않겠나!"

"알고 있습니다."

"이번 목공 일에 내 경비가 많이 들어간 걸 자네도 알겠지. 목재 구입과 목공구를 내가 부담했으며, 자네가 일하고 머무는 창고도, 잊지 말게. 게다가 내 고객까지 상대했으니 내 비중이 더 큰 셈일세. 보아하니 교육을 받은 것 같은데, 퍼센트에 대해 알고 있나?"

나는 고개를 끄덕였다.

"잘됐군. 자네 노동의 대가로 25퍼센트를 지불하고, 총비용 및 수익을 감안해서 75퍼센트를 내 몫으로 하고 싶네."

소여를 물끄러미 바라보았다. 소여가 유색인이었다면 나는 어이가 없어서 웃음을 터뜨렸을 테고, 소여 역시 계면쩍게 웃고 말 일이었다. 하지만 나는 침울한 표정으로 머리를 흔들 수밖에 없었다.

"그런 조건은 받아들이기 어렵습니다. 소여 씨, 저는 숙련된 장인으로 이미 여러 해 동안 경력을 쌓았습니다. 제 기술이 없었다면 틸만 씨 부부가 그만한 가격으로 탁자를 구입하거나 옷장을 주문하지 않았을 테니, 제 기술과 시간 투자도 소여 씨의 목재나 목공구 투자만큼 가치를 했다고 생각됩니다. 사실 저는 어떤 가구든 재료비를 어느 정도 짐작할 수 있습니다. 창고에서 지내도록 편의를 봐주시니 감사드립니다만, 소여 씨도 득이 있을 겁니다. 저는 제 말에 대해 끝까지 책임지는 사람입니다. 제가 창고에서 지내기 때문에 일이 언제 끝날지 알려드리기 쉽고, 필요하면 밤도 새울 수 있습니다. 창고 비용을 내라시면 그렇게 하겠으며, 다른 데서 살라고 한다면 그렇게 하겠으나, 50프로 이하로는 절대 거래하지 않겠습니다."

소여는 희끄무레한 불빛 아래에서 나를 찬찬히 훑어보았다.

"같은 지분을 원한다는 말이군? 음!"

물어보는 어투였으나 굳이 답을 듣자는 질문은 아니었다.

"내 고객은 어쩌고? 사람들이 여기로 오지 않으면 자네는 어떠한 주문도 받지 못해. 그 사람들은 나를 신뢰하고 거래하러 오는 것이네. 일은 자네가 하지만 그 뒤를 봐주는 건 나야. 그건 중요한 일일세."

나는 고개를 끄덕였다.

"그 점은 감사를 드립니다. 하지만 제가 물건을 공들여 만들어야 손님들이 만족할 테고, 또 그 손님들이 다른 손님들을 불러올 것이고, 그럼 또 주문이 들어 올 겁니다. 그러니 50퍼센트야말로 가장 적당하다고 생각됩니다."

"음……."

루크 소여는 잠시 생각에 잠겼다.

"혹시 나를 통하지 않고 직접 손님과 거래해 버리면 결국 자네만 좋은 꼴이 될 텐데."

"소여 씨, 혹시 그 점이 걱정되신다면 분명히 말씀드리겠습니다. 계약기간까지는 소여 씨를 통해 들어온 일만 하겠습니다. 대신 일하는 시간은 제가 결정하겠습니다."

"자네 마음대로 일하겠다고? 주문 들어온 물건이 기한 내에 완성될지 내가 어떻게 믿는단 말인가?"

"물건은 기한에 맞춰 만들겠습니다."

"기한 내에 완성하지 못하면 책임을 묻겠어. 일이 늦어지면 하루에 5퍼센트씩 물도록 하게."

나는 동의했고 한 가지 덧붙였다.

"물론 주문을 받기 전에 무슨 물건인지 미리 알려 주시면, 기간이 얼마나 걸릴지 말씀드리지요."

"기간은 적당해야 하네. 어느 정도 걸리는지 나도 아니까."

나는 다시 동의했다. 소여가 무뚝뚝하게 물었다.

"그럼 자네 마음대로 시간을 쓰는 것과 주문을 맡기 전에 상의한다는 조건 외에 원하는 게 있나?"

"없습니다만 한 가지 드릴 말씀이 있습니다. 저는 땅을 구입할 계획을 갖고 있습니다. 그걸 위해 지금 일하고 있는 겁니다. 괜찮으시다면 1년 만 계약을 맺고 싶습니다."

지그시 바라보는 소여의 표정만으로는 무슨 생각을 하는지 짐작이 가질 않았다. 소여가 느닷없이 호탕한 웃음을 터뜨렸다.

"이곳에서 장사꾼은 나 혼자인 줄 알았는데! 좋아! 폴 로건! 당분간 함께 일하기로 하지. 한 가지 짚고 넘어가야겠네. 내가 손해를 본다거나 자네가 계약 목적에 합당하게 따르지 않을 때는 이 거래는 끝일세. 받아들이겠나?"

"받아들이겠습니다."

내가 대답했다.

"자네 몫일세."

소여는 엄숙한 표정으로 돈을 건네주고 손을 내밀었다. 나는 그 손을 잡고 악수를 나누었다. 그게 좀처럼 지워지지 않는 기억이 되었다. 고향을 떠난 이후로 백인과 악수를 나눈 것은 그때가 처음이었으니까.

＊＊＊＊

미첼이 나타난 건 루크 소여와 일을 시작한 지 2달쯤 지난 어느 토요일 저녁이었다. 연장을 정리하고 책을 읽고 있는데, 미첼이 창고 문을 두들겼다. 무사히 도착했다는 소식만 서로에게 전했을 뿐 그 뒤로는 연락을 주고받지 못한 상태였다. 미첼이 언젠가는 올 거라고 확신했으면서도, 갑작스런 그의 출현은 나를 놀라게 했다.

내가 먼저 입을 열었다.

"지금쯤 네가 나타나지 싶었다. 너를 찾아볼까도 했었는데."

"이렇게 얼굴을 보게 되니 정말 반갑네. 헤어지곤 처음이군."

"그래, 어디에서 일하냐? 내가 편지를 보냈던 벌목장에 아직 있어?"

"아니야. 너랑 헤어져 며칠 뒤에 일자리를 구했지. 근데 지금은 다른 벌목장에서 일하고 있어. 머드크리크 벌목장이야."

나도 들은 적이 있는 곳이었다.

"무슨 일로? 왜 옮겼는데?"

"이유야 늘 똑같지. 이런저런 이유로 나를 귀찮게 하는 사람들 때문이지."

"또 싸웠어?"

"싸움이랄 것도 없어. 1분도 안 돼서 끝났거든. 그 자식은 주먹도 제대로 못 쥐더군. 그런데 그 뒤에도 어찌나 법석을 떨던지 차라리 다른 곳으로 옮기는 게 속 편하겠더라고."

나는 웃지 않으려고 입술을 깨물었다.

"무슨 일로 법석을 떨었는데? 여자 땜에?"

미첼이 나를 보았다.

"다른 게 있겠나?"

미첼이 갑자기 킥킥대 나도 그만 웃고 말았다. 미첼을 다시 보니 기분이 좋았다.

나는 평소 특별히 저녁 식사를 하지 않고 있었다. 그저 남은 케일과

청년시절

양파, 햄밖에 없었다. 그래서 부랴부랴 가게에서 베이컨과 달걀과 감자를 가져와 반가운 마음으로 음식을 조리했다. 미첼도 엉성하게나마 옥수수 빵을 구웠다. 우리는 작업의자에 나란히 앉아 게걸스럽게 먹어 치웠다. 아버지 집에서 즐기던 크리스마스 만찬 못지않았다.

"여기에서 반나절 거리에서 일한다는 말이지?"

미첼은 먹는 데 정신이 팔려서 고개만 끄덕거렸다.

"거기에서는 별일 없냐?"

미첼은 나를 보더니 꿀꺽 음식을 삼키고서 우유를 벌컥벌컥 들이켰다.

"별일 있을 이유가 있냐?"

"우리가 헤어질 때만 해도 미시시피 벌목꾼들이 쫓아오고 있었고, 닭 서리꾼으로 모는 이상한 사람들도 있었잖아."

미첼이 웃었다.

"그자들은 아직도 찾아 헤매겠지."

내가 빙그레 웃자 미첼이 덧붙였다.

"그 뒤에 따로 들은 이야기는 없고, 나도 굳이 알아보지 않았어. 하는 일은 나쁘지 않아. 품삯은 어디나 비슷하잖아. 흰둥이 감독관도 그전 놈들이랑 똑같지. 내 뒤를 캐는 사람이 없다는 점만 빼고는 달라진 게 없어."

미첼이 나를 물끄러미 바라보았는데 그 심정이 이해되었다.

나는 이제 상황이 달라졌다. 이제는 캠프에서처럼 나를 삐딱하게 보는 사람들에 대해서는 걱정을 하지 않아도 되었다. 어깨 너머로 눈치를 살피지 않고, 그저 내 일에만 집중하면 되었다.

"너야말로 잘 지내는 것 같구나."

미첼은 아직 완성되지 않은 탁자와 창고 한쪽의 장식장을 눈여겨보았다. 나는 대꾸했다.

"지금까지는."

"소여 씨와 일은 어떻게 하고 있는데?"

"50대50, 동업으로 일하고 있어. 그 사람이 공구, 창고, 목재를 제공하고 나는 소여의 고객이 주문하는 가구를 만들지."

"차라리 너 혼자 하지 그래, 폴. 백인 놈들하고 뭐하러 손을 잡아? 혼자 하더라도 잘해낼 텐데."

"공구를 사는 데 돈을 쓰기는 싫어. 목공구를 빌려줄 사람도 필요했고, 일도 내가 알아서 하면 되고. 괜찮아."

미첼이 중얼거렸다.

"그래…… 소여는 좀 다른 모양이군."

나는 어깨를 으쓱했다.

"어쨌든 잠깐만 있을 거니까. 내가 정말 하고 싶은 게 뭔지 알잖아?"

"모를 리 있겠나? 동부 텍사스를 떠나온 뒤로는 늘 그 타령이잖아."

나는 크게 씩 웃었다.

"그런데 그걸 찾아냈어."

"땅?"

"땅. 우리가 헤어지던 그날에 그걸 발견했지. 그날 밤, 늦게까지 걷느라 얼마나 피곤한지, 내가 어디에 있는지도 모르겠더라. 그냥 여기면 안전하겠구나 싶어서 언덕에 머리를 눕혔는데, 그냥 꿈나라로 가더구먼. 근데 다음 날 아침이 되어 눈을 떠보니 입이 딱 벌어지대. 미첼, 나는 그렇게 아름다운 곳은 처음이야. 내가 그곳을 표현할 말을 못 찾겠어. 그 풍광과 딱 맞는 말이 없어. 아무튼 초원이 있고 사람의 발길이 닿지 않은 숲도 있고 또 못도 있었어. 그걸 보는 순간, 내 눈이 믿기지 않았지. 일어나서 그 주변을 돌아보았어. 뭐라고 해야 할까? 그 땅이 나를 끌어당기는 게, 원래부터 계속 살았던 느낌이 드는 거야. 미첼, 마치 집에 돌아간 것 같았어."

미첼은 작업대 너머로 나를 찬찬히 들여다보았다.

"그래서 어쨌는데?"

"어쨌을 것 같아? 살 수 있는지 알아 봤지."

미첼이 코웃음을 쳤다.

"백인 놈들에게?"

"백인 땅인 걸 어떻게 알았냐?"

미첼이 소리 내어 웃었다.

"네가 설명한 그런 땅을 갖고 있을 유색인이 이 세상에 존재하기는 하겠냐?"

나는 미첼이 웃음을 멈출 때까지 기다렸다가 말했다.

"그 땅에는 뭔가 있어. 미첼. 나는 그 땅을 반드시 갖고 말겠어."

"과연 팔려고 할까?"

"아니라고 말하긴 했지만……어쨌든 지금은 아니란다. 하지만 나는 기다릴 거야."

"얼마나 오래? 1년? 10년? 백인 놈이 자신의 보물을 내놓을 때까지 기다리겠다니! 그거야 말로 바보짓이다."

나도 인정했다.

"맞아, 그럴지도 몰라. 그래서 다른 땅을 대신 사놓고, 기다리는 동안 일을 하는 거야."

"목공일은 어쩌고?"

"평생 이 일을 하면서 살 생각은 없어. 너도 알잖아. 루크 소여와 계약을 맺을 때에도 그 이야기를 했어. 내가 원하는 것은 땅이지, 목공품 상점이 아니야."

미첼은 고개를 끄덕였다.

"다른 땅은 언제 구할 거냐?"

"루크 소여와 1년간 계약을 맺었으니, 그 약속을 지켜야 하니까 그동안은 기다려야지."

"소여는 양심적이냐?"

"그렇게 보여."

"너무 믿지는 마라."

미첼은 내 눈을 응시했고 나는 그 말을 이해했다. 어쨌든, 소여는 백인이며, 설령 유색인이더라도 미첼과 나처럼 끈끈한 신의로 맺어지기는 어려웠다. 우리 둘은 우리 둘밖에 믿을 사람이 없다는 것을 알고 있었다. 내가 말했다.

"내가 땅을 구하면 너도 같이 사는 거야."

미첼이 다시 웃었다.

"전에도 말했지만 나는 땅 파먹고 살 생각이 없어, 폴. 남자가 땅을 갖게 되면 정착하게 되고 그러다 보면 부인과 자식까지 생겨, 결국 한평생 묶여 살아야겠지."

미첼은 장난 어린 눈초리로 나를 떠보았다.

"마음에 둔 사람이라도 있나?"

나는 고개를 저었다.

"너무 바빠서 말이야."

"그래도 생각은 하고 있어야지."

나도 수긍을 했다.

"맞는 말이야. 이제 가정을 꾸려야겠다는 생각이 들어."

"한가할 때는 뭐하며 지내는데? 아가씨들이랑 만나기는 해?"

"말을 붙여 볼 시간이 없다니까."

"너에게 이야기 거는 사람은 있고?"

나는 입가에 웃음을 지었다.

"그래……누구야?"

미첼이 캐물었다.

"식사에 초대한 여자들이 한두 명 있기는 해."

"뭔가 좋은 일이 있기는 한 것 같은데. 가봤나?"

"너무 바빠서."

미첼이 투덜거렸다. 내가 물었다.

"그럼 너는 어때? 너야말로 만나는 사람이 있겠지. 항상 그랬잖아."

"그렇지……. 하지만 여자들은 나에게 다 똑같아. 1주일 전쯤에 얼굴도 예쁘고 참한 아가씨 두 명을 만났지. 엄마를 따라 벌목장에 오는 아가씨들인데, 일부러 작업을 안 걸었어."

"왜 안 했는데?"

다 알면서 뭐하러 물어보냐는 눈빛으로 미첼이 나를 보았다.

"그야 참한 아가씨들은 남자가 자리 잡길 원하지만, 나는 그러기 싫거든. 나는 가정을 갖고 싶지 않아."

"절대로 아니야?"

"음……죽을 때까지."

우리는 밤을 새며 이야기를 나누었다. 다음날 아침 식사를 마치자마자, 미첼은 벌목장을 향해 서둘러 길을 나섰다. 자신을 좋아하는 벌목장 여자를 만나러 가는 길이었다. 미첼을 배웅하고 다시 일을 시작했다. 안식일에도 나는 오래전부터 일을 했다. 성경이야 읽었어도, 교회 예배에는 참석하지 않았다. 가게는 일요일에 문을 닫으므로 조용했다. 소여의 집도 적막했는데, 소여와 식구들은 하루 종일 시내 저쪽의 백인 교회에서 지냈다. 나를 부르는 사람도 없고 시간을 내달라고 청하는 이도 없었다. 나로서는 일요일은 일하기 좋은 날이었다.

****

"그래, 나한테 끝까지 비밀로 할 셈이었나? 응?"

깜짝 놀라 작업대에서 고개를 들어보니 소여가 창고 입구에 서 있었다. 월요일 오후 느지막한 시각이었다. 하얀색의 기다란 푸줏간 앞치마를 두른 가게 옷차림이었다. 육중한 체구에 차림새까지 그런지라 사람들에게 위압감을 주었다. 나도 모르게 경계를 하게 되고, 더구나 그날 소여의 톤은 사람들의 긴장감을 더 높이고 있었다. 내가 되물었다.

"뭐라고요?"

소여는 편지를 흔들며 창고 안으로 들어왔다.

"이게 뭔지 알아? 자네 편지야."

나는 송판을 한쪽으로 치우고 일어서며 소여가 퍼부을 비난에 어떻게 대처할지 궁리하였다.

"정말이야! 여기에 몽땅 적혀 있어!"

바로 내 앞에서 소여는 강조라도 하듯 편지를 높이 쳐들었다.

"자네는 말 이야기를 왜 안 했나?"

"예?"

나는 다시 물었다.

"이건 해티 크렌쇼 부인이 보낸 편지야. 자네가 처음 왔을 때 부인에게 편지를 보냈지. 나와 거래를 맺은 사람이 정확히 누군지 알고 싶었거든. 부인은 집을 잠깐 떠나 있었는지 근래에 내 편지를 받은 모양이더군. 어쨌든 답장을 받아보니 부인은 자네가 목공 일도 잘 하지만 아울러 최고의 말 조련사라고 칭찬을 늘어놓았어. 말도 아주 잘 타고 훈련도 잘 시키는 데다 말을 잘 길들인다지. 야생마까지도."

나는 몸을 돌려 선반에서 끌을 꺼냈다. 내 얼굴에 드러난 안도의 표정을 들키고 싶지 않았다.

"크렌쇼 부인은 어떠신가요?"

내가 물었다.

"부인은 아주 잘 지내네."

"참 다행이네요."

"그래, 어떻게 된 건가?"

나는 끌을 들고 소여에게 돌아섰다. 소여는 흥분이 가시지 않았다.

"말은 어떻게 된 거야? 부인이 한 이야기가 사실이야? 자네가 그렇게 뛰어나?"

"말에 관한 일을 상당히 오래 했습니다."

나는 인정했다.

"자네의 말 실력이 워낙 뛰어나서, 이웃에서 말을 길들일 때면 자네가 도와주었다던데. 게다가 경주에 참가도 했다며. 자네가 탄 말은 언제나 승리를 하고 말일세. 이제 보니 자네는 지나치게 겸손하군. 폴."

나는 엷은 웃음을 보였다.

"말을 워낙 좋아하거든요."

나는 다시 의자에 앉아서 송판을 집어 들었다.

"그런데 내가 왜 그런 이야기를 해티 부인에게서 들어야 하나? 직접 말하지 않은 이유가 뭔가?"

나는 올려다보았다.

"가구를 만들러 왔지, 말 타러 온 게 아니니까요."

소여는 나를 찬찬히 봤다.

"따라오게."

그러고는 소여는 무뚝뚝하게 돌아서서 창고를 나섰다. 소여는 앞장섰고 나는 따라갔다. 가게 뒤쪽 마구간은 말을 대신 맡아주거나, 빌려주는 곳인데, 소여는 거기를 그냥 지나쳐서 드넓은 목장으로 갔다. 목장의 끄트머리 쪽 울타리에는 말이 여럿 모여 있었다. 울타리에 이르자 소여는 출입문에 기대어 말을 손으로 가리켰다.

"어때 보이나?"

소여가 물었다.

나는 말을 살펴보았다. 대부분 무스탕 종이었다. 그중에 워낙 특이하여 내 눈을 확 잡아끄는 말이 있었다. 종마였다. 그 말은 영양 부족이었고, 가죽에는 피가 말라붙어서 마치 전쟁터라도 다녀온 것 같았다. 제대로 씻기지도 않았고, 다른 말과 떨어져 있었다. 팔로미노 종이

청년시절

었다. 그 말과 또 검은색 종마 한 마리가 울타리 양쪽 끝에 묶여 있었다. 내가 물었다.

"서부 출신인가요?"

소여는 고개를 끄덕였다.

"어떤 사람이 며칠 전에 짐배에 싣고 미시시피 강을 건너 데리고 왔어. 원래, 카우보이에게 맡겼나본데, 보다시피 저 모양이야. 말의 꼴로 짐작해보니, 작업이 호락호락하지 않았나 봐. 그런데도 말 주인은 꽤 많은 돈을 받을 수 있다고 기대하지 뭔가. 말을 구입할 사람이 말을 구경할 수 있도록 잠시 맡겨놓은 걸세. 내가 사겠다면 먼저 선택할 기회를 주겠다는군."

소여를 바라보았다.

"생각이 있으신지요?"

"아직 결정을 못 내렸어. 그 사람과 거래했었는데, 그때는 인근 사람들에게 임대할 요량으로 평범한 말 두어 마리 샀었어. 나는 그자로부터 품종이 좋은 말을 사본 적이 없는데, 그자는 말들이 대부분 우수하다고 장담하거든."

나는 말들에게 다시 고개를 돌렸다.

"터무니없는 소리는 아닙니다. 무스탕 종은 속도가 빠르니까요."

"자꾸 눈길이 가는 말이 있긴 하지. 저쪽 끝에 묶어놓은 검은색 종마 좀 보게. 우수한 품종인지는 모르겠지만 아주 근사해 보이거든."

나도 끄덕거리며 동의했다.

"저 말을 잘 살펴본 다음에 자네 생각을 말해보게."

다시 한 번 나는 끄덕거렸다.

"이왕 내친김에, 저 중에서 6마리만 골라주면 좋겠는데."

"시간이 걸릴 텐데요."

내가 대꾸했다.

"그렇겠지. 어쨌거나 말을 훑어보고 이틀 뒤에 말 좀 해 주게. 그다음 날부터 사람들이 말을 사러 온 다니까."

나는 얼굴을 찡그렸다.

"이런 일을 맡아서 해주던 사람이 있을 거 아닙니까?"

"아니, 그런 사람이 필요 없었지. 내가 알아서 해왔거든. 그런데 이번엔 경우가 달라. 잘만 하면 우수한 품종의 말을 싸게 구입하겠어. 좋은 녀석들로 골라 놓았다가 나중에 값을 톡톡히 받고 팔 거야. 사실 크렌쇼 부인의 답장을 받기 전에는 이런 생각을 못 했지. 부인 말대로 자네가 말에 대해 잘 알면, 믿고 구입해 볼까 하네."

나는 소여에게서 눈을 떼지 않았다.

"제 판단을 믿고요?"

소여도 나에게 눈을 고정시켰다.

"크렌쇼 부인의 판단을 믿는 거지."

잠시 동안 울타리 안을 바라보다가 소여에게 돌아섰다. 이윽고 내가 입을 열었다.

"제가 시간을 내서 말을 살피다보면, 계약해 놓은 가구를 제때 만들지 못할지도 모릅니다."

"그건 내가 처리하지. 나는 손님과 계약할 때 조금씩 여유를 두는 편이야. 지금 주문받은 물건에 있어서는 이틀 더 기간을 주겠어."

"소여 씨, 그렇다고 해도 저로서는 품삯을 못 버는 셈인데요."

"그렇진 않지. 이틀은 마구간 소년의 삯으로 계산해 주겠어."

웃어버리고 싶었지만 물론 그러지 못했다. 냉정을 유지했다.

"그냥 좋은 말 6마리를 고르기만 하면 되는 겁니까?"

"그렇지."

"6마리가 못 되면 어쩌죠?"

"우선 자네 마음대로 골라놓게. 내가 결정하지."

"알겠습니다. 그런데 아까 말씀하실 때 모두 야생마라고 하셨는데요. 나중에 팔려면 미리 길들여야겠군요."

"내 생각에도 그렇게 해야만 값을 많이 쳐 줄 것 같기는 하네만."

"야생마를 길들일 사람은 미리 골라 두셨는지요? 전에 이런 말을 훈련시킨 사람인가요?"

소여는 계면쩍은 눈빛으로 나를 보았다. 내가 왜 그런 말을 꺼내는지 짐작하는 모양이었다. 뭔가를 흥정할 때의 표정을 지었다. 전에도 몇 번 그런 표정을 보았기 때문에 알았다.

"사람들이야 이 근처에 좀 있지."

"제가 말을 고를 때 그 사람들이 와서 보면 좋을 텐데요."

소여가 입술을 앙 물었다.

"그럴까도 했어. 그런데 자네가 원한다면 한두 마리 정도를 맡겨볼까 하는데."

나는 고개를 저었다.

"감사합니다만, 저야 가구를 만들기로 계약했으니까요. 마구간 아이의 품삯으로 말을 길들이다보면 수입이 당연히 줄어들겠죠. 꼼꼼히 살펴 본 뒤에, 우수한 말들을 골라 놓겠습니다. 그리고 그다음엔 저는 작업대로 돌아가는 게 옳다고 봅니다."

"마음대로 하게."

루크 소여는 툭 내뱉고는 돌아섰다.

"언제 일을 시작할까요?"

"지금."

나는 그대로 따랐다. 소여가 자리를 뜨자, 울타리에 올라 앉아 먼발 치에서 말 한 마리 한 마리를 주시했다. 모두 15마리였다. 각자 움직 이는 모습과 서로 어울리는 태도를 눈여겨보았다. 어떤 말이 함께 다 니며, 어떤 말이 떨어져 다니는지 살폈다. 일부러 여러 차례 날카로운 소리를 질러보고, 깡통을 두드리기도 했다. 개중에는 불안해하며 날뛰 는 말들이 있었다. 혹은 더 예민하게 반응하여 귀를 쫑긋 세우기는 해 도, 동요하지 않는 말도 있었다. 울타리에서 내려설 즈음에는 말을 고 를 방법이 떠올랐다.

우선 말 한 마리가 들어갈 만한 크기의 임시 마구간을 만들었다. 마 구간 아이들에게 일당을 약속하고 말에 올가미를 씌워 임시 마구간에 데려오라고 시켰다. 그다지 어렵지 않게 끌려오는 말도 있었으나 팔로 미노 종을 포함한 대부분의 말들은 애를 먹였다. 그래도 한 마리 한 마 리 가까이 볼 수 있어서, 앞뒤로 꼼꼼하게 살필 수 있었다. 귀, 눈, 배, 다리와 말굽을 검사했다. 이빨도 검사하고 싶었지만 물릴까 봐 다 소 허약한 말만 입 안을 들여다보았다.

밤에도 울타리 밖에서 말들에게 이야기를 건네거나 노래를 불러주며 같이 보냈다. 다음 날도 말들을 살피며 시간을 보냈고, 다음 날 밤에도 똑같이 보냈다. 그다음 날 7마리를 골랐는데 그중에는 소여가 눈독을 들이던 검은색 종마도 들어 있었다. 그 종마에 대한 소여의 생각은 옳았다. 그 말은 근사한 외모에 못지않게 종자도 우수했다. 나는 한 마리씩 올가미 줄을 잡고 목장을 여러 차례 돌게 했다. 어떤 말도 타지는 않았다. 일을 끝마칠 즈음에 소여가 다가왔다.

"그래, 골랐나?"

소여가 물었다.

"우수한 녀석으로 7마리를 골랐습니다."

"7마리? 6마리라고 했을 텐데?"

"물론 압니다만, 제가 한 마리를 사려고요."

소여는 놀란 모양이었다.

"자네가 말 사는데 관심이 있을 줄은 전혀 몰랐네."

"아시다시피, 상당히 우수한 말들이라서 그렇습니다."

"어느 말을 원하나?"

잠시 주저했지만 소여를 보는 내 눈이 틀리지 않기를 바랄 뿐이었다.

"저에게 좋은 말 6마리를 고르라고 하셨습니다. 저는 7마리를 골랐습니다. 소여 씨가 먼저 6마리를 고르고 나시면 나머지 한 마리를 제가 사겠습니다."

소여는 곁눈질로 나를 보았다.

"골라 놓은 말은 다 훌륭한가?"

"저 중에서는 좋은 말입니다."

소여는 말들 쪽으로 고개를 돌렸다.

"그렇다면 좀 더 가까이 가서 봐야겠군."

나와 마구간 아이는 소여를 도와 말들을 한 마리씩 임시 마구간으로 데려왔고, 소여는 한 마리씩 찬찬히 살펴보았다. 나만큼 철저하게 검사하지는 않았다. 이와 다리, 말굽을 검사하며 일일이 물어보았다. 마지막 말을 검사할 때 소여는 나를 돌아보며 물었다.

"다시 한 번 묻겠는데, 어떤 걸 마음에 두고 있나?"

"저는 말씀 드렸지만……."

"그 말은 아까 들었어. 갖고 싶은 걸 말해 봐. 검은 말은 빼고. 검은 말은 내 거야."

나는 말을 내다보았다.

"우선권을 주신다면 저쪽 팔로미노로 고르겠습니다. 저 누런색 말이 좋아 보여서요."

"팔로미노를? 저건 내가 가지려 했는데."

나는 얼굴색을 바꾸지 않았다. 소여가 이렇게 나올 줄 알았다.

"말씀드렸듯이 말 7마리는 모두 우수합니다. 먼저 고르시면 됩니다."

"크렌쇼 부인은 자네가 목공 일만큼이나 말에 대해서도 잘 안다더군. 사실인가?"

"그렇게 생각합니다."

"자네가 목공 일을 잘 하는 것은 인정하네. 그렇다면 말을 조련하는 기술도 그만큼 훌륭하겠지. 말을 사서 훈련을 자네에게 맡기면 어떨까 싶네?"

나는 그 말에 고개를 저었다.

"과연 제대로 할 수 있을까요? 가구 계약 때문에……."

"마구간 아이의 품삯으로는 일할 수 없다는 건 알겠고. 어떻게 하면 일을 할 텐가? 저 말을 원하는 게야?"

"저는 말을 살 생각입니다."

"그래? 내 생각은 다른데. 자네가 품삯 대신 말을 원할 거라고 짐작하네. 나는 그러고 싶네. 단 조건 하나만 들어 준다면 말을 그냥 주겠어."

"뭔가요?"

"오늘 말을 사자마자 각 말의 가격을 정할 거야. 자네가 이 말들을 잘 훈련시켜서 그 가격을 사람들이 흔쾌히 받아들이게 해준다면 저 팔로미노를 넘겨주지."

"팔로미노를요? 설마요? 그 말을 안 가질 건가요?"

"아니야, 말이 좀 여위어 보이는군. 게다가 팔로미노를 넘겨받을 생각에, 최선을 다해 말을 훈련시키지 않겠나? 찬성하지?"

"그렇습니다."

"이렇게 하지, 폴. 우리가 계약했던 1년 동안 자네가 말 훈련을 맡는 거야. 그리고 한 가지 더 명심할 게 있는데, 그 기간 동안 계약했던 가구도 그대로 만들어야 되네."

나는 찬성했다.

"계약을 지키는 한 저는 최선을 다하겠습니다."

소여가 대꾸했다.

"그래야지."

소여가 자리를 뜨자 슬며시 나도 모르게 웃음이 나왔다. 나는 자신이 있었지만 소여는 그렇지 않았다.

****

미시시피 강을 건너온 말 주인은 말 7마리를 팔기는 했으나, 자신이 마음먹었던 금액은 받지 못했다. 내가 소여에게 말의 결점을 미리 귀띔해둔 터였다. 장사꾼 역시 그런 결점을 알고 있었던 것 같았다. 다른 곳으로 넘긴다고, 다른 고객을 기다리겠다고 큰소리치긴 했으나 결국 소여가 제시한 금액을 받아들였다. 그 장사꾼으로서는 오랫동안 거래하던 단골 거래처를 놓치기 싫었을 거라고 소여가 나중에 설명해주었다. 그 장사꾼은 그나마 다른 말을 높은 가격으로 팔아서 어느 정도 수지타산을 맞추었는데, 그렇게 구입한 사람들은 조만간 땅을 치며 후회했을 것이다.

소여가 말을 사자마자 나는 한 마리씩 차례로 길들였다. 나는 1대1로 말을 훈련시켰고, 훈련시키는 말은 다른 말과 격리시켰다. 훈련이 끝나면 소여가 내다 팔았는데 값을 늘 후하게 받았다. 소여는 만족스러워했고 나도 마찬가지였다. 소여의 말을 길들이는 내내, 팔로미노도 훈련시켰다. 잘 먹였다. 좋은 곡류만 골라 먹이다보니, 체중이 늘었고 가죽도 말끔히 나았다. 팔로미노는 위풍당당한 모습으로 바뀌었다. 다른 말을 소홀히 하지 않았으나, 팔로미노에게는 특별히 더 애정을 쏟았다. 처음부터 내 말로 여겼기에 경주마로 훈련시켰다. 팔로미노는 빨랐다. 날쌘 데다 힘이 넘치는 팔로미노를 타고 있노라면 고스트 윈드를 타고 있는 착각이 들었다. 이름을 '천둥'이라고 지었다. 그러나 천둥에게는 고스트 윈드나 애팔루사에게 가졌던 친밀감을 느끼지 않도록 조심했는데, 언젠가는 천둥을 팔아야 한다는 것을 알았기 때문이었다. 사랑하는 것을 다시는 포기하고 싶지 않았다.

"자네에게 저 말을 양보하다니 내가 잠시 정신을 놓은 게야."

내가 천둥을 타고 달리는 모습을 보고 나더니 소여는 농을 걸었다.

"천둥은 정말 훌륭합니다."

나도 수긍을 했다. 소여는 울타리에 기대어 팔로미노를 쳐다보았다.

"천둥을 경주에 내보내지?"

"경주요? 어디에서요?"

"빅스버그에 내가 아는 신사분들이 좀 있지. 내가 이 말의 후원자를 맡고. 아직은 내 말이기도 하니까. 자네가 말을 타게. 이기면 돈을 똑같이 나누는 거야. 어떤가?"

나는 이리저리 따져보았다.

"자네로서는 별도의 수입이 생기는 셈이지."

나는 말했다.

"좋습니다. 천둥이 준비가 되면 그때 말씀드리지요."

겨울이 다가올 무렵, 천둥을 타고 경주를 했다. 천둥은 완벽하게 준비했고, 경주에서 이겼다. 상금을 받은 소여는 서클리프와 달리 약속을 지켰다. 그 자리에서 상금을 반으로 나누었고, 나는 그 돈을 저축했다. 경주는 그 뒤에도 계속되었으며 짭짤한 수입도 이어졌다.

****

크리스마스 때 미첼을 다시 만날 수 있었다. 미첼은 크리스마스에 와서 하룻밤 머물고 이내 떠났다. 그 뒤로도 몇 달에 한 번씩 봤으나, 그렇다고 자주 만나기를 바라지는 않았다. 미첼은 내가 어디에 있는지 알았고, 나도 미첼이 어디에 있는지 알았다. 우리는 각자 다른 일이 있었고 추구하는 목표도 달랐다. 하지만, 둘 중 누구라도 다른 사람의 도움이 필요하면 상대가 달려올 거라고 믿고 있었다. 미첼이 그립기는 했지만, 외롭지는 않았다. 일이 밤낮으로 꽉 찼다. 사람을 사귀고 싶어도 그럴 시간이 없었다. 말을 훈련시키는 와중에도 가구 주문이 끊이지 않았고, 손님들은 내 가구에 흡족해했다. 틸만 부부도 마찬가지였다. 내가 만든 장식장을 보고 틸만 부부는 굉장히 기뻐했다. 소여도 두말할 것 없었다. 우리 두 사람의 일은 술술 풀려나갔다. 소여는 새로운 서비스를 제공하게 되어 사업이 확장된 셈이었다. 나로 말하자면 비를 가려주는 지붕이 있었고, 먹을 음식이 있었다. 무엇보다 돈을 모을 수 있었다. 겨울은 눈 깜짝할 사이에 지나갔다.

봄이 왔나 싶더니 곧 여름이 올 채비를 서둘렀다. 그 즈음에 샘 페리라는 이름의 남자가 찾아 왔다. 소여가 그 남자를 창고로 데리고 왔다. 샘 페리는 자식 2명과 함께였다. 12살 가량의 네이던이라는 소년과 이름이 캐롤린이라는 숙녀였다. 그 아가씨를 보니 웃음이 절로 나왔다. 그 아가씨는 빅스버그에 도착한 다음 날, 언청이 소년을 도와 준 숙녀였다. 나는 작업대에서 일어나 그 사람들을 맞이했다. 우람한 체격의 페리는 키가 크고 근육질이었으며 검은색 피부에 콧수염이 더부룩했다. 나는 페리와는 악수를 나누었고, 네이던과 캐롤린에게는 목례를 했다. 캐롤린이 이번에는 머리를 땋지 않고 리본으로 묶어서 머리를 등 뒤로 길게 늘어뜨린 것이 눈에 띄었다. 캐롤린이 내 인사에 답을 할 때 나는 처음으로 눈을 들여다볼 수 있었다. 진한 갈색 눈이었는데, 생글거리며 웃는 것 같았다. 소개가 끝나자 소여가 말했다.

"샘은 가구가 필요해서 자네를 보러 왔어."

샘 페리가 말했다.

"그렇소. 이야기를 들었소. 상품도 구경했고. 아주 훌륭하더군요."

"감사합니다."

내가 말했다. 소여가 끼어들었다.

"샘은 부인에게 선사할 흔들의자를 자네에게 부탁하려는 걸세."

캐롤린이 아버지에게 팔짱을 끼었다.

"엄마는 근사한 흔들의자를 그동안 너무 갖고 싶어 했어요. 그렇죠? 아빠?"

"그랬지."

페리는 딸을 사랑스러운 눈초리로 바라보면서 수긍을 했다.

"정말 그렇다오. 몇 년 전만 해도 낡은 흔들의자가 있어서 늘 고쳐 주곤 했는데…… 더는 고칠 수 없는 상태가 되어 땔감으로 쓰고 말았소. 조건만 맞는다면 딸내미 에미에게도 하나 만들어 주고 싶소."

캐롤린이 하나씩 일일이 설명했다.

"그러니까 자그마하고 예쁜 꽃을 의자의 머리판에 그려 넣으려고요. 전에 그런 흔들의자를 보았는데, 아주 예쁘더라고요."

나는 캐롤린을 바라보았다.

"그림 작업을 해 본 적이 없어 어떨까 싶네요."

"그럼, 제가 할게요."

캐롤린의 거리낌 없는 점은 마음에 들었으나, 나도 모르게 인상이 찌푸려졌다.

"직접 그린다고요?"

"예, 가구가 완성이 되면 제가 그 일을 하지요."

나는 입을 다물었다.

"어떻게 장식을 할 것인지 이야기하기 전에 가격부터 결정하지요."

역시 사업가인지라 소여가 먼저 나섰다. 소여와 페리는 목재 종류와 의자의 모양새까지 일일이 의논했다. 소여는 나에게 어느 정도 기간이면 의자를 만들 수 있냐고 물었다. 내가 대답을 하자 두 사람은 본격적으로 가격을 흥정했다. 소여는 언제나 적정한 가격보다 다소 높은 금액을 불렀다. 흥정을 바라는 손님들의 마음을 알기 때문이었다. 사람들은 정해진 가격보다는 흥정을 통해 가격을 직접 결정하고 싶어 했으며 그래야 공정한 거래라고 여겼다. 그런 식으로 합의를 하고 나면 가격에도 만족을 했고 자신들의 뜻대로 성사되었다며 흐뭇해했다.

나는 흥정이 오갈 때는 한걸음 빗겨나 있었다. 예전에 아버지에게 배웠듯이 나는 가만히 듣고 있을 뿐이었다. 가격흥정은 처음부터 소여의 몫이라고 계약을 맺었기 때문이다. 그런데 캐롤린은 흥정이 벌어지자 눈을 반짝이면서 자신의 입장을 아버지에게 밝혔고, 페리는 그걸 감안하여 흥정에 임했다. 캐롤린은 자기 아버지 옆에 서서 소여가 제시한 금액에 고개를 흔드는가 하면 아버지가 소여의 불합리한 가격을 지적하면 고개를 끄덕였다.

나는 웃음을 지으며 흥미롭게 지켜보다가 몸을 돌려서 작업대로 갔다. 탁자 다리에 사포질을 하며 일을 시작했다.

"뭐하는 거예요?"

고개를 들었다. 네이던이었다. 소년은 호기심 어린 눈으로 탁자 다리를 쳐다보았다.

"탁자 다리를 매끄럽게 하려고 사포질을 하는 거야. 다른 쪽 다리도 똑같이 마무리하면 저쪽에 있는 탁자상판의 밑면에 붙일 거야."

네이던은 손으로 목재를 만졌다.

"정말 매끄러워요. 어떻게 한 거예요?"

"사포로 닦으면 그렇게 돼. 이건 꼭 모래처럼 까끌까끌하지. 어떤 사람들은 사포 대신 모래를 쓰기도 하는데 나는 이걸 좋아해. 써 본 적이 있어?"

네이던이 고개를 저었다.

"그럼 한번 해 봐."

네이던에게 사포를 건넸다. 네이던은 배시시 웃으며 사포를 받았다. 손가락으로 사포로 문지르면서 다시 웃었다. 나도 따라 웃었다.

"저기 선반에 있는 탁자 다리를 가져와서 의자에 앉으렴."

다리를 들고 온 네이던은 자리에 앉아서 더 시킬 일은 없냐는 듯 눈을 반짝거리며 나를 바라보았다.

"나처럼 사포로 문지르면 돼."

나는 들고 있는 탁자 다리에 사포질을 했다.

"나무의 결을 살리면서, 앞뒤로, 억세게 힘을 주어서는 안 돼."

네이던은 나를 보더니 이내 조심스럽게 사포질을 했다. 앞뒤로 잠시 문지르고 나서 '이렇게요?' 하는 눈빛으로 나를 바라보았다.

"그렇지."

그렇게 말하고 나는 사포질을 계속했다.

몇 분 뒤에 가격 협상이 끝나자 소여는 가게로 돌아갔다. 페리와 캐롤린이 작업대로 왔다. 페리는 무툼한 손을 허리에 올리고서 껄껄 웃었다.

"네 맘대로 조수 자리를 꿰찼구나."

나는 네이턴을 흘깃 보며 미소를 지었다.

"그런 것 같은데요."

"나도 보여줘."

캐롤린이 허리를 구부리고 아이의 어깨 너머로 지켜보았다. 네이턴이 말했다.

"만져 봐. 바로 여기."

캐롤린이 기다란 손가락으로 사포질이 된 목재를 어루만졌다.

"이걸로 했어."

소년은 뽐내듯이 한마디 하고는 사포를 내밀었다. 캐롤린이 중얼거렸다.

"음……나무가 미끌미끌하네."

그러고는 사포를 만졌다.

"나도 한번 해보자."

캐롤린이 청했지만 네이턴은 누나를 어깨로 밀고는 사포질을 계속했다. 캐롤린이 장난스럽게 네이턴의 뒤통수를 쥐어박더니 나에게 돌아섰다.

"저도 하고 싶은데, 한 장 더 있나요? 폴 로건 씨?"

나는 고개를 끄덕였으며, 캐롤린이 내 이름을 정식으로 불러주는 바람에 속으로 깜짝 놀랐다. 사포를 한 장 꺼내려 하자 페리가 말했다.

"오늘은 안 되겠다. 얘야. 가게에 가서 엄마가 부탁한 물건을 사야지. 가자구나. 너도 마찬가지란다. 아들아."

"하지만 아빠……."

네이턴이 투정을 부렸다.

"아들아, 너무 오래 있었어. 로건 씨도 일을 해야지. 게다가 늦었구나. 어서 가자."

"빨리."

캐롤린이 동생의 팔을 끌어당기자 네이던은 억지로 일어섰다.

"감사하다고 말씀드려야지."

캐롤린이 말했다. 네이던은 못내 아쉬운 표정으로 말했다.

"감사합니다."

캐롤린도 나를 보았다.

"폴 로건 씨가 흔들의자를 만들게 되어서 기쁘네요. 워낙 잘 만드시잖아요."

"감사합니다."

내가 대꾸했다.

"다 완성한 다음에는 제가 꽃을 그리기로 한 걸 기억해주세요."

"그러겠습니다."

페리는 손을 내밀었고 나는 일어서서 다시 악수를 나눴다.

"나도 딸애처럼 기분이 좋군요. 솜씨가 대단한 분이니 우리 흔들의자도 기대하겠습니다. 로건 씨."

"부인의 마음에 들도록 열심히 만들겠습니다."

나는 돌아섰다. 페리는 네이던과 캐롤린을 앞장세워 창고 밖으로 나가다가 돌아서더니 말했다. 입구가 페리의 몸으로 꽉 찼다.

"소여 씨 이야기로는 유색인이라면서요?"

나는 페리와 눈이 마주쳤다. 질문하듯 말을 건넸으나 말투는 거리낌 없고 호탕했다.

"맞습니다."

"이번 일요일, 엘람 언덕의 교회에서 예배도 드리고 우리 가족과 함께 식사를 하면 어떻겠소? 우리 집사람 음식은 먹을 만하다오. 양도 늘 넉넉한 편이라오."

페리의 초대에 뭐라고 대답해야 할지 몰라서 잠시 머뭇거렸다.

"감사합니다만, 워낙 혼자만 있다 보니……."

페리는 내 거절을 그다지 놀라워하거나 불쾌해하지 않았다.

"무슨 말인지 알겠소. 혹시라도 마음이 바뀌면 아무 일요일에나 편할 때 들르시오. 그저 얼굴만 내비치면 됩니다. 무조건 환영이오."

그 말과 더불어 밖으로 나갔다. 의자에 앉아 페리의 초대와 페리 가족, 그중에서도 특히 캐롤린에 대해 잠시 생각했다. 다시 작업대로 돌아가 하던 사포질을 다시 시작했다.

****

날짜가 가까워질수록 페리의 초대가 머릿속을 어지럽게 했고, 결정을 못 내리고 갈팡질팡하다가 결국 일요일 아침에 해가 높이 떠서야 밖으로 나섰다. 가족과 함께 교회로 떠나려는 소여에게 팔로미노를 타도 되는지 물었다. 소여는 천둥을 타도 된다고 하며 임대료는 거절하겠노라고 했다. 어쨌든 실질적으로 그 말은 내 말이었다. 하지만 나는 돈을 지불하겠다고 고집을 피웠다. 소여에게 말하지는 않았지만 둘 사이는 사업적인 관계 그 이상도, 그 이하로도 만들고 싶지 않았다. 그래서 신세를 지고 싶지 않았다. 소여가 원하는 대로 하라기에, 나는 50센트를 지불했다.

엘람 언덕의 교회가 걸어갈 수 있는 곳이라면, 당연히 걸어갔을 것이다. 그런데 수 킬로미터 떨어진 데다가, 시간도 줄여야 해 말을 타고 출발했다. 하지만 워낙 멀리 있어서 예상과는 달리 더 오래 걸렸다. 게다가 길이 좋지 못해 천둥을 빨리 몰지 못하고 속도를 늦췄더니 예정보다 훨씬 늦게 엘람 언덕에 도착했다. 예배가 이미 시작한 뒤라 교회 안으로 들어가지 못했다. 가는 첫날부터 예배를 방해할 수도 없었고, 구구절절 변명을 늘어놓고 싶지도 않았다. 대신 말에서 내려, 열려 있는 창문 아래에 서서 설교를 들었다. 예배가 끝날 즈음에 천둥을 끌고 숲으로 자리를 피했다. 교인들이 떠나기를 기다렸다가 빅스버그로 돌아갈 생각이었다. 내가 교회에 왔다는 사실도 페리에게 알리지 않을 심산이었다. 숲 사이로 흐르는 개울이 있었다. 천둥과 나는 개울로 가서 목을 축였다. 천둥이 풀을 뜯는 동안 나는 둑에 앉아 있었다. 근처에서 두런두런 말소리가 들렸다. 고개를 돌려 둘러보았다. 젊은 여자 두 명이 숲으로 들어서며 말다툼을 벌이고 있었다. 그중에 한 명이 캐롤린 페리였다. 캐롤린이 말했다.

"있잖아, 바알. 나는 네가 좋아하는 땅꼬마 깜둥이에게는 눈곱만큼도 생각이 없거든. 너 역시 생각이 있다면 그런 남자에게서 관심을 끊는 게 좋을 거야."

바알이라고 불리는 여자가 으르딱거렸다.

"그 남자가 너를 쳐다본단 말이야!"

캐롤린이 야멸치게 쏘아붙였다.

"그 인간이 제 눈으로 하는 짓을 난들 어쩌라고."

"다 알아, 캐롤린 페리! 내 남자를 뺏어가려는 수작이잖아!"

"무슨 소리야!"

"사실이면서 뭘 그래!"

바알이 추궁했다.

"이 계집애, 그런 멍청한 말……."

"네 멋대로 그이를 차지하진 못해."

"입 닥쳐, 철부지야. 나는 그런 남자는 딱 질색이야!"

"너야말로 입 닥쳐!"

바알은 소리를 버럭 질렀고, 화를 내면서 캐롤린의 긴 머리카락으로 달려들었다. 캐롤린이 긴장을 늦추지 않았는지 얼른 바알의 팔을 잡아챘다.

"바알, 이 따위로 굴지 마!"

캐롤린이 경고하며 뒤로 밀었다. 바알은 캐롤린의 경고를 깡그리 무시했다.

"네가 먼저 그 따위로 놀아났으니 나도 똑같이 갚아주겠어."

바알은 확언하고는 다시 캐롤린에게 달려들었다. 캐롤린이 뒤로 물러서나 싶더니 남자의 주먹질과 비슷하게 주먹을 휘둘렀다. 주먹은 바알의 턱을 정타로 맞혔고, 바알은 완전히 대자로 뻗었다.

"일어나!"

캐롤린이 명령했다. 허리에 손을 척 올려놓았다.

"바보짓은 이제 그만해!"

캐롤린아 잠자코 기다렸다. 하지만 바알은 일어나지 않았다. 꼼짝도 않았다. 내가 있던 자리에서는 바알이 눈을 떴는지 못 떴는지 보이지 않았지만, 캐롤린의 얼굴에 나타난 표정으로 알 수 있었다.

　　　　　　　　　　　　　　　　　　　　　　청년시절

"바알?"

캐롤린의 목소리가 순식간에 바뀌었다. 캐롤린이 얻어맞은 친구 위로 몸을 수그렸다.

"얘, 바알……바알! 괜찮아? 바알!"

혹시 도움이 될까 싶어 두 사람에게 다가갔다. 캐롤린은 내가 다가가자 돌아봤지만, 말이 없었다. 나를 우두망찰 바라만 보았다. 나는 바알을 내려다보았다. 눈이 감겨 있었다. 손가락으로 목 부분을 짚어 보니 맥박이 활발하게 뛰고 있었다. 심하게 다친 건 아니었다. 그냥 기절했을 뿐이었다. 나는 뒤로 물러서서 캐롤린에게 말했다.

"목숨에는 지장이 없겠는데요."

놀리려고 그런 말을 한 것은 아니었으나, 그 당시의 캐롤린의 표정 때문에 그랬는지 아니면 주먹을 휘두르다 들킨 걸 캐롤린이 걱정할까 봐 그랬는지는 모르겠으나, 나도 모르게 이런 말을 내놓고 말았다.

"그쪽이 입을 열지 않는 한 나도 말하지 않겠습니다."

캐롤린이 나를 보며 놀리는 말이 아니란 걸 느끼고는, 움직임이 없는 바알에게 몸을 돌렸다. 캐롤린이 여자애의 뺨을 톡톡 두들겼다.

"자! 바알! 일어나. 바알! 다치게 할 생각은 없었어. 그러니 어서 정신을 차려."

그건 명령이었다. 사뭇 다그치듯 복종을 강요하는 듯했다. 하지만 바알은 아무런 움직임이 없었다. 내가 제안을 했다.

"차가운 물을 적셔오는 게 좋겠군요."

나는 손수건을 꺼내어 개울로 내려가 물을 적셨다. 물기를 짜낸 다음 수건을 캐롤린에게 가져다주었다.

"감사합니다."

캐롤린은 나는 돌아보지도 않고 친구의 상태만 근심스레 살폈다. 여자애의 얼굴에 손수건을 살짝살짝 두들겼다. 바알이 이내 신음소리를 냈다. 손으로 턱을 감싸며 천천히 일어나더니 캐롤린을 무서운 눈초리로 노려보았다.

"나에게 어떻게 한 거야?"

"네가 먼저 달려들었잖아."

캐롤린이 조금도 후회하는 빛 없이 당당하게 말했다.

"자, 어서 일어나. 교회까지 데려다줄게."

바알은 비틀거리며 일어섰으나, 내가 있는 것도 인식하지 못할 정도라서 캐롤린이 부축했다. 그러더니 캐롤린이 나를 향해 말했다.

"아버지께 로건 씨가 여기 있다고 말씀드릴게요. 식사에 초대하려고 기다리셨거든요."

"아니요, 저는 갈 생각이 없어……."

캐롤린이 다시 말했다.

"아버지가 기다리셨어요. 말씀드릴게요."

"감사합니다."

그 말을 하면서 살짝 웃었다. 캐롤린은 웃음을 보이지 않았다. 바알과 함께 돌아서서 교회 쪽으로 갔다. 나는 두 사람이 가는 모습을 지켜보았다.

****

샘 페리를 만나서 캐롤린에게 했던 말을 다시 했다. 지금 빅스버그로 돌아가야 하므로 점심식사에 참석하지 못하겠다고 했다. 하지만 페리는 막무가내였다.

"손님이 내 집을, 그렇게 먼 길을 휘이휘이 왔는데 일요일 오찬도 못 먹고 그냥 가게는 할 수 없지. 안 될 말이네! 함께 집으로 가세."

나는 거절했지만 페리는 끝까지 고집을 부렸다. 정말 떠날 생각이었다면 그리 쉽게 마음을 돌리지 않았겠지만, 나는 가족의 따뜻함이 그리웠다. 오랜 시간을 가족과 함께 지내지 못했다. 페리는 집안일로 식구들이 먼저 돌아갔지만, 자신은 교회에 할 일이 남았다며 잠시 기다려달라고 했다. 오히려 마음이 놓였는데, 오랜만에 여러 사람들과 함께 식사한다고 하자, 나도 모르게 다소 긴장되었기 때문이다.

교회 일은 한 시간 만에 끝났다. 페리가 걸어가기에 나도 팔로미노의 고삐를 쥐고 함께 걸었다. 페리는 천둥을 보자 이리저리 살펴보며 칭찬을 아끼지 않았다.

"이 말의 소문이야 익히 들었고, 경주에서 이긴 것도 안다네. 듣던 대로 멋진 말일세. 동물에 대해서는 나도 보는 눈이 있는데 이 말은 정말 나무랄 데가 없군."

그렇게 칭찬을 들으니 기분이 무지 좋아졌다. 걸어가는 동안 나는 페리와의 대화를 즐기고 있는 나를 발견했다. 페리는 타고난 이야기꾼으로 입담이 구수했다. 눈 깜짝할 사이에 시간이 흘러버려, 정신을 차려보니 페리 농장 앞이었다. 집이 자그마한 게 어디서나 볼 수 있는 소작인 판잣집이었다. 마구간의 한쪽 면은 집과 연결되었는데, 두 건물은 지붕이 달린 통로로 연결되어 있었다. 비교적 자그마한 마구간이 부엌으로 사용되는 것 같았다. 다리가 기다란 아이들이 통로에 앉아 있었다. 페리가 말했다.

"우리 아이 네이던은 알 테고. 저기 두 녀석은 엘리엇과 요나라오. 얘들아, 이분은 폴 로건 씨다."

내가 가벼운 목례를 하자 아이들도 그대로 따라했다.

"다들 내려와서 로건 씨의 멋진 말을 목장으로 데려가렴. 물이랑 여물도 주고."

아이들은 아버지의 말을 따랐다. 나는 고맙다고 말하고서 아이들이 천둥을 끌고 가는 모습을 지켜보았다.

"걱정 마시게. 말은 잘 있을 걸세. 목장에 울타리가 있거든. 어디로 가진 못할 거야. 아이들이 잘 돌볼 거네."

페리를 따라 현관으로 이어지는 오솔길로 들어섰다. 길의 한쪽에는 갖가지 꽃들이 만발했다. 페튜니아를 비롯하여 금잔화와 금어초와 팬지와 장미까지. 나는 멈추어서 그 황홀한 모습을 감상했다. 페리가 말했다.

"정말 대단하지 않나? 내 집사람 작품일세. 화초를 제법 잘 기른다네. 잡초가 있는 꼴을 못 보지. 잡초가 보였다 하면 그 즉시 뽑아버리니 잡초는 세상구경도 제대로 못 하는 셈일세."

페리는 너털웃음을 터뜨리며 현관 쪽으로 손짓을 했다.

"저쪽에서 잠깐 바람 좀 쐬도록 하게. 집 안보다 훨씬 시원할 거야. 들어가서 마실 것도 내오고, 우리 레이첼에게 자네 이야기도 함세."

내가 말했다.

"감사합니다. 그런데 부인이 기르신 꽃을 좀 더 구경하고 싶은데요."

"얼마든지 그렇게 하게."

페리는 다시 한 번 웃음을 터뜨렸다. 페리가 안으로 들어가자 오솔길을 따라 걸으면서 정원의 아름다움에 흠뻑 빠졌다. 마치 예술가가 꾸며 놓은 듯했다.

"꽃을 좋아하는군요? 폴 로건 씨."

나는 돌아섰다. 캐롤린이 집의 모퉁이에서 물통을 들고 있었다. 나는 미소를 띠며 모자를 살짝 벗었다가 썼다.

"예, 그렇습니다."

캐롤린이 말했다.

"잘됐군요. 우리 집에 꽃은 정말 많거든요. 다른 건 많지 않아도 꽃만큼은 어디에도 뒤지지 않아요."

캐롤린이 현관을 바라보았다.

"아빠와 함께 오신 거죠?"

"예. 부인께 집에 왔다는 걸 알린다며 안으로 들어가셨죠."

"그럼, 금방 돌아오시겠네요."

캐롤린이 말했다. 물통이 무거운지 다른 손으로 바꿔들었다.

"이 물통을 집 뒤로 가져가야 하거든요."

내가 캐롤린에게 다가갔다.

"대신 들어드리지요."

"그러지 않으셔도 돼요. 부엌에서 쓸 물인데, 엄마는 부엌이 북적거리는 걸 싫어하세요."

그러더니 집을 향해 소리쳤다.

"아빠! 아빠! 안 나오세요?"

아무 대답이 없자 다시 나를 보았다.

"여기는 햇볕이 뜨거우니 저쪽 현관에 올라가서 기다리세요. 아빠도 금방 오실 거예요."

캐롤린은 나이가 어린 데도 그렇게 지시하는 어투로 말할 때에는 제법 어른스러웠다. 살짝 모자를 만지고 나오는데 때마침 페리가 양철 컵을 두 개 들고 현관문에서 나왔다. 캐롤린이 나에게 웃음 짓더니, 집 모퉁이를 돌아 사라졌다. 나는 현관으로 올라가서 컵을 받아 들며 페리가 권하는 의자에 앉았다. 페리도 옆에 앉았다. 그 순간, 페리의 아이들이 현관으로 올라왔다. 가장 어린 5, 6살 가량의 아이들 2명이 페리의 무릎 위로 냉큼 올라앉았으며, 조금 나이든 아이들은 맨발차림으로 기둥에 기대어 나를 살펴보았다. 페리는 목청껏 웃었다.

"집 안이 꽉 차지 않겠나? 그런데 여기 있는 아이가 전부는 아닐세. 집 안에 기어 다니는 아기도 있고, 저기 실베스터와 캘빈보다 나이 많은 사내 녀석이 하나 더 있는 데다 여자애로는 캘리와 캐롤린이 있네. 모두 이 집에 살지. 장남인 휴와 딸 중에서 리슨은 결혼하여 분가했네. 자식만 11명일세! 손자 손녀는 3명 있는데 바로 얘가 그 손자 중 하나라네."

페리는 무릎에 올라앉은 남자아이의 목을 간지럼 태웠다.

"이쪽에 커다란 눈으로 생글거리는 이 여자애는 손녀고."

꼬마 여자애는 킥킥대더니 손으로 얼굴을 감추었다. 페리는 파안대소했다. 식사하라는 소리가 들리자, 페리가 나를 집 안으로 안내했다.

나는 페리 맞은편에 앉아 있었는데 내 생각을 읽은 모양이었다.

"눈도 즐겁겠지만 맛을 보면 깜짝 놀랄 걸세."

곧 이어 목청껏 소리를 질렀다.

"레이첼! 레이첼! 뭘 하고 있소? 빨리 오시오! 여보! 어서 신께 감사를 드리고, 이 좋은 음식에 대해서도 감사를 올립시다!"

페리는 거기 모인 식구를 둘러보았다.

"어른들은 손님과 함께 식탁에 앉자구나. 나머지 꼬맹이들은 기도할 때 뒤에 서 있다가 엄마랑 누나들을 따라가서 식사를 하렴."

캐롤린과 캘리에 이어 네이던과 네이던의 형들이 자리에 앉았으며 두 명의 기혼 자녀가 자신의 배우자와 함께 자리했다. 부인을 향해 페리는 다시 한 번 소리쳤다. 그래도 나타날 기미가 없자 페리는 네이던에게 고개를 돌렸다.

"애야, 엄마한테 가서 다들 기다린다고 전해라! 식사 시간 동안 부엌에만 있을 참이냐고 여쭤보렴. 이 자리에 엄마가 빠져서는 안 되잖니."

네이던이 아버지의 전갈을 전하러 부랴부랴 갔다. 이내 네이던과 함께 나온 페리 부인이 나머지 음식을 식탁에 내려놓았다. 그러고는 손을 허리에 올려붙인 채, 덩치가 커다란 남편에게 눈을 흘겼다.

"도대체 무슨 일로 소리를 고래고래 지르나요? 음식을 다 만들어야 나오지요. 잘 알면서 그러는군요!"

페리가 조곤조곤 설명을 했다.

"오늘 오신 손님과 인사를 나누라고 부른 거요, 부인. 이분은 빅스버그에서 오신 폴 로건 씨요. 아까 이야기했던 분이라오."

페리 부인이 처음으로 나를 보는 듯해서 일어섰다. 나는 인사를 했다.

"초대해주셔서 감사합니다. 이런 진수성찬은 처음 봅니다."

페리 부인은 아무 대답이 없었다. 내가 대답을 기다리며 멋쩍게 서 있는데도, 부인은 멀뚱하니 바라만 보았다. 페리 부인은 남편과 달리

아담한 체구였다. 편안한 인상이었지만 다소 핏기가 없는 게 지쳐 보였다. 얼굴에는 웃음기라곤 찾아 볼 수 없었다.

"엄마?"

캐롤린이 채근하자 부인은 그제야 고개를 뻣뻣하게 끄덕이며 내 인사에 답했다. 부인의 태도는 차가웠으나 페리는 별다른 변명을 하지 않았다.

"이제 자리에 앉으시오, 로건 씨. 다 같이 기도를 합시다."

페리가 양쪽에 앉은 자식들의 손을 잡자 나머지 가족도 옆 사람의 손을 잡았다. 나도 따랐다. 축복기도가 끝나자 캐롤린을 포함한 여자들이 모두 식탁에서 일어나 아이들을 부엌으로 데려갔다. 잠시 뒤에 캐롤린과 캘리와 리슨이 그 집 며느리와 함께 자리로 돌아왔다. 아이들은 현관에서 식사를 하는 모양이었다. 페리 부인도 돌아오긴 했지만 자리에 앉지는 않았다. 식사를 하는 동안 접시에 음식이 빌 때마다 연방 담아주었는데, 내 쪽으로는 한번도 눈길을 돌리지 않았다.

쌀쌀맞은 부인의 태도가 마음에 걸리긴 했어도 식사는 즐거웠다. 페리의 말대로 부인의 음식 솜씨는 일품이었다. 나는 따뜻한 분위기에 흠뻑 취했다. 마침내 페리 부인이 큰 소리로 지시를 내렸다.

"다들 식사를 마친 듯 하니 이제 남은 음식을 치우자구나. 캐롤린과 캘리와 리슨은 좀 도와다오."

페리 집 여자들과 며느리는 모두 일어서서 페리 부인을 도왔다. 페리는 밖으로 나가자고 권했다.

"식탁을 정리하도록 자리를 비켜주세!"

남자들과 아이들은 모두 밖으로 나갔고 현관에서 페리는 나에게 담배를 권했다. 나는 담배를 받아 담뱃대에 채운 뒤에 페리와 나란히 앉아 연기를 즐겼다. 내가 유일하게 돈을 낭비하는 것이 바로 벌목장에서 배운 담배였다. 나는 담배의 향이 좋았다. 그 냄새를 맡으면 아버지가 생각났다. 페리의 유쾌한 이야기를 한참 듣다보니, 이제 그만 일어서야겠다는 생각이 들었다. 더 머무르면 실례일 것 같고, 시간도 늦었기에 담뱃불을 끄고 떠날 차비를 했다. 페리는 반대하고 나섰다.

"아니, 그렇게 서두르지 말게나. 가축에게 먹이 줄 시간이라네. 나와 같이 가보는 게 어떻겠나? 내가 잠깐 들어가서 바지만 갈아입고 장화를 신고 나오겠네."

나는 그 제안을 받아들였고 잠시 뒤, 옷을 갈아입은 페리와 함께 목장으로 갔다.

"사실 궁색한 살림치고는 가축이 많은 편일세. 지나친 자랑은 죄라지만 이 정도야 하느님도 용서하시겠지. 내가 큰소리를 땅땅 치는 게 3가지인데, 우리 집사람과 자식과 가축이라네."

페리는 그렇게 자랑할 만했다. 페리의 가족은 무척 화목했다. 또한 닭과 뿔닭이 여러 마리 있었고 소를 몇 마리 키웠으며, 돼지가 우리에 그득했고 노새도 2마리나 있었다.

"나 같은 이가 어찌 이리 가축이 많은지 궁금할 거네. 식탁에서 튀긴 닭과 돼지갈비를 보고도 이상하게 여겼을 게야. 나에게는 치료하는 재능이 있다네. 어린 시절부터 의술을 익혀서 노예로 지낼 때 백인의 가축을 고쳐주었지. 이웃에서 가축이 아프면 나를 부르지. 백인이나 유색인이나 할 것 없이 부자도 가난한 이도 다들 찾아온다네. 개중에는 한배에서 나온 새끼 중 가장 작은 놈을 치료비로 낼 때가 있어. 나는 하느님과 함께 그 보잘것없는 녀석들을 돌보아서 결국 튼실한 놈으로 만든다네. 그러니 내가 이리 잘난 척하는 것도 어찌 보면 하느님 덕분일세. 그분이 이 모든 것을 나에게 주셨으니 말이야."

페리는 너털웃음을 터뜨렸다. 그러고는 네이턴과 다른 아들들을 향해 음식찌꺼기 통을 가져오라고 외쳤다. 아이들이 돼지먹이를 가지러 가자 페리는 돼지우리 안으로 들어갔다.

돼지우리 안에서 페리가 나에게 말했다.

"철망 옆에서 기다리시게. 로건 군. 이 돼지들이 성깔을 부리기도 하거든. 자칫 나들이옷을 버릴까 봐 그러네."

마당 저쪽에서 소란스러운 소리가 나자 페리가 눈길을 돌렸다. 캐롤린이 팔에 양동이를 걸고 양계장 문 앞에서 깡깡거리는 게 보였다. 페리가 소리쳤다.

"애야, 세게 잡아 당겨봐라!"

그러곤 중얼거렸다.

"조만간에 손 좀 봐야겠군. 저놈의 문이 항상 말썽이란 말이야."

페리는 다시 한 번 소리 질렀다.

"문을 단단히 잡고서 확 당겨!"

"제가 가서 돕겠습니다."

내가 자청하고 나섰다.

"그래 준다면 고맙겠네. 돼지우리에 들어온 터라……."

"도움이 된다면 좋겠네요."

나는 마당을 가로질러갔다. 가까이 갈 때까지, 캐롤린은 문을 붙잡고 씨름하는 중이었다.

"제가 한번 해볼까요?"

내가 나섰다. 캐롤린이 통을 내려놓으며 주먹으로 문을 한 대 쳤다.

"아빠가 전부터 고친다고 했는데 짬이 안 나나 봐요. 나들이웃만 아니라면 당장 뛰어 넘겠는데."

나는 캐롤린을 바라보았다. 그런 모습이 머릿속에 쉽게 그려졌다.

"제가 한번 보죠."

캐롤린이 옆으로 물러서자 녹이 슨 빗장을 찬찬히 들여다보았다.

"빗장 나사가 빠지는 바람에 어긋나서 잘 들어맞지 않았어요."

나는 바닥 주변에서 나사를 찾아보았다. 캐롤린이 말했다.

"나사는 없어도 괜찮아요. 내일 고치면 돼요. 달걀만 꺼내오면 되거든요. 달걀 좋아하세요? 로건 씨?"

"예, 그런데……."

"문 열었냐?"

페리가 마당 저편에서 소리쳤다. 나는 빗장을 손으로 수평을 맞췄다. 그러고는 빗장의 끝 부분을 살며시 빼자, 문이 열렸다.

"됐어요. 아빠!"

캐롤린이 대답하자 페리는 알았다는 듯 손을 흔들고는 다시 돼지를 살폈다. 캐롤린이 바구니를 집어 들면서 말했다.

"고마워요. 폴 로건 씨."

내가 말했다.

"별로 ……그런데 한 가지 궁금하군요."

"뭐가요?"

"저한테 성까지 붙여서 부르네요?"

캐롤린이 조금도 쑥스러운 기색 없이 나를 보며 말했다.

"그 소리가 좋아서요. 원래 폴이라는 이름을 좋아했어요. 부드럽게 들리지 않나요?"

캐롤린이 대답을 기다리지도 않고 양계장으로 들어섰다.

"저를 따라 오면 갓 낳은 달걀을 보실 거예요. 저 문을 닫아 놓아야 닭들이 도망가지 않아요. 모이는 아이들이 다 주었고 지금은 닭이 잠잘 시각인데, 뒤늦게 알을 낳는 경우도 있어서 그걸 가지러 온 거예요."

나는 시키는 대로 문을 닫고 캐롤린을 따라 닭장으로 들어갔다.

"이제는 우리 집에 올 마음이 싹 달아났겠어요."

캐롤린이 암탉 밑에서 알을 찾으며 농담 삼아 말했다.

"아이들이 너무 많아서요."

"아닙니다. 여기에 있으니 시간가는 줄 모르겠네요. 오랫동안 가족과 떨어져 지내다가 이렇게 보내니 참 즐겁습니다. 그런데 한 가지 마음에 걸리는군요. 어머님께서는 제가 싫으신 모양입니다."

캐롤린이 손을 내저으며 내 말을 털어냈다.

"아, 우리 엄마에게 너무 마음 쓰지 마세요. 나쁜 뜻은 없어요. 예전에 힘든 일을 겪었는데 그게 아직 가슴에 맺혔나 봐요. 그쪽 때문이 아니랍니다."

"제가 어땠기에 그런 기억이 나셨을까요?"

캐롤린은 내 생각보다 훨씬 마음이 열려 있었다. 내 눈을 마주 보며 대답했다.

"백인처럼 생겼다는 사실 때문이지요."

나는 묵묵히 캐롤린을 응시했다.

"그저 그것뿐이에요."

캐롤린이 그렇게 말하고는 돌아서서 다시 달걀을 모았다.

"그러면 댁의 아버님이 제 이야기를 안 하셨을까요? 제가 식사하러 온다고요."

"아버지야 엄마에게 이야기했지요. 그런데 폴 로건 씨를 초대했다는 말씀만 한 것이겠지요. 생김새가 어떤지는 말하지 않으셨죠. 백인과 비슷하다는 말을 안 하신 거예요. 엄마에게 미리 귀띔했어야 했는데 아버지가 실수하신 거죠. 엄마는 조금도 예상하지 못했기에 놀라셨고요. 그쪽을 보는 순간 지난 일들이 떠올랐을 거예요."

"지난 일들이요?"

캐롤린이 부지런히 달걀을 모았다.

"엄마가 태어났을 무렵의 일이죠. 엄마의 어린 시절과 노예시절에 겪었던 일도 함께요."

"그 일과 내 모습이 무슨 관계가 있지요? 나처럼 생긴 사람을 처음 본 건 아닐 텐데요?"

"엄마의 식탁에 앉은 사람은 처음이겠죠."

캐롤린이 대꾸했다. 말을 멈추고는 짙은 갈색 눈으로 나를 응시했다.

"엄마에게 그쪽이 백인처럼 보였을 거예요. 그렇게 생각이 들자 엄마로서도 어쩔 수가 없었던 거예요."

내가 말했다.

"나는 백인이 아닙니다."

"일부분만 백인이죠. 그건 누구나 알 수 있어요. 하지만 중요한 건 그게 아니에요. 그쪽에게는 일부지만 엄마에게는 전부로 보이는걸요."

캐롤린이 나에게서 시선을 거두지 않았다.

"엄마의 눈에 그렇게 보였으니 다른 설명은 필요치 않죠. 그쪽을 보는 순간 엄마가 주인님이라고 불렀던 사람이 떠올랐을 테고 그 아내인 백인 여자가 떠오른 거죠."

캐롤린이 돌아서서 걸어갔다. 나는 조용히 말했다.

"흠, 나는 그 사람들이 아닌데요."

캐롤린이 돌아보았다.

"물론 아니죠. 하지만 엄마는 그런 생각이 안 들죠. 엄마는 백인들이 자신의 이름을 가져갔다고 생각해요."

캐롤린이 말을 이어가며 달걀을 모았다.

"엄마는 태어나서 1주일 만에 이름이 없어졌죠."

"이름이 없어져요? 어쩌다?"

나는 캐롤린의 말을 따라했다.

"백인이 뺏어갔죠."

캐롤린이 담담하게 대답했다.

"뺏어가요? 이름을?"

"맞아요. 엄마의 이름을 뺏어갔어요. 일이 그렇게 된 거죠. 엄마는 민스라는 이름을 지닌 사람의 노예였어요. 우리 로즈 할머니는 엄마가 태어나기 전에 이름을 골라두었는데 그 이름이 레이첼이었죠. 할머니는 그 이름에 자부심을 느꼈던 게 할머니의 엄마가 쓰시던 이름이었거든요. 그래서 할머니는 갓 태어난 엄마에게 레이첼이라는 이름을 붙였고 다들 그렇게 불렀죠."

캐롤린이 빨간 닭에게서 달걀을 뺏다시피 꺼내어 바구니에 담았다.

그러고는 다시 나를 바라보았다.

"하지만 엄마는 그 이름을 오래 갖지 못했어요. 엄마에게 출생증명서를 발급해준 백인의 아내가 있었대요. 그 백인 여자는 엄마보다 1주일 뒤에 태어난 자기의 아기에게 그 이름을 붙이고는 그 동네에서 자신의 아이만 레이첼이라는 이름을 써야 한다고 고집했죠. 자기 아이에게 유색인 아이의 이름을 붙일 수 없다는 게 이유였어요. 그래도 할머니는 주변에 백인이 없을 때는 엄마를 레이첼이라고 불렀죠. 몇 년 뒤에 그 백인 여자는 로즈 할머니가 엄마를 레이첼로 부르는 걸 알아차리고 미친 듯이 날뛰었어요. 할머니에게 다시는 그렇게 부르지 말라고 강요했죠. 할머니는 그 여자에게 아무도 엄마의 이름을 뺏어갈 수는 없다고 했지요. 그 몹쓸 여자는 자신에게 그럴 권리가 있다며, 할머니를 마당으로 끌고 가서 채찍질을 했어요. 그래도 소용이 없자 엄마를 협박했어요. 할머니는 어쩔 수 없었죠. 그들 앞에서 할머니는 엄마를 '딸'이나 '아가' 등 아무렇게나 부른 거예요. 하지만 할머니에게 엄마의 이름은 오직 하나였어요. 둘만 있을 때에는 레이첼이라고 불렀어요. 그건 엄마의 이름이었으니까요. 태어나면서 그게 이름이었죠. 지금도 그 이름뿐이고요."

캐롤린이 나를 날카로운 눈매로 바라보았다.

"그러니 폴 로건 씨. 엄마는 그쪽을 보면서 그게 떠오른 거예요. 단지 그것뿐이에요."

캐롤린이 이야기를 마무리 지었다.

"엄마로서는 이성적으로는 아니라고 해도 감정적으로는 어쩔 수 없었으니 너무 속상해하지 마세요."

"아니요……아닙니다, 그렇지 않습니다. 어머님의 기분을 조금은 이해할 만합니다. 이름은 소중하죠. 우리 어머니는 내 이름 때문에 그렇게까지는 고생하지 않았지만 남 몰래 나에게 불러주는 이름이 있었습니다. 아버지의 이름이었죠. 아버지가 허락하지 않았기 때문에 다른 사람들 앞에서는 부르지 못했습니다."

"왜요?"

"나 말고도 아들이 3명이 있었는데, 아무도 아버지의 이름을 붙이지 않았거든요."

나는 주저하다 말을 덧붙였다.

"그 아들들은 백인이었습니다."

캐롤린이 이제 알겠다는 듯 고개를 끄덕였다.

"무슨 이름이었는데요?"

"아버지의 이름은 에드워드였어요. 나와 누나가 있을 때면 어머니는 내 이름에 에드워드를 붙여서 불러줬죠. 아버지도 가끔 나와 단둘이 있을 때는 그렇게 불러주었고요."

"기분이 어땠나요?"

"무슨 뜻이지요?"

"다른 사람들 앞에서는 절대 부를 수 없는 이름을 가진 심정이 어땠냐고요?"

"비밀스런 기분이 들었죠. 그렇지만 나는 비밀스런 존재가 아니었습니다. 모두들 내가 아버지의 아들이라는 사실을 알았죠. 아마 아버지는 이름 때문에 내 백인형제의 기분이 상할까 봐 조심스러웠을 테고, 한편으로는 주변의 백인들에게 꼬투리 잡힐 일을 삼가고 싶었겠죠. 그래도 아버지가 당신의 이름으로 불러줄 때마다 난 기분이 으쓱해졌죠."

캐롤린이 더 말하지 않고 짙은 눈동자로 나를 살폈다. 그러더니 바구니를 내려놓고는 무언가를 찾는 듯 주변을 둘러보았다. 곧 구석으로 가서 자그마한 삼베자루를 가져왔다. 자루에 짚을 채우고 달걀을 6개 넣었다. 그러고는 자루를 내밀었다.

"이거 가져가세요. 드리려고 넣었어요."

"예?"

"달걀 좋아한다고 했죠?"

"그야……그런데……."

"암탉을 키우세요?"

"아니요……하지만 달걀을 가져가면 안 되죠."

"괜찮아요."

"그럼 뭐로 갚아드리죠?"

캐롤린이 활짝 웃었다.

"우리 엄마에게 근사한 흔들의자를 만들어주세요. 잘 들고 가세요."

역시 명령조였다. 나는 자루를 받아들며 고맙다고 인사했다. 내가 물었다.

"늘 이렇게 친절합니까?"

"무슨 뜻인가요?"

캐롤린이 묻고서 다시 달걀이 들은 바구니를 들어보였다.

"보다시피 이렇게 많은데요. 그만한 일로 친절하달 수는 없죠."

나는 캐롤린이 언청이 소년에게 고구마 파이를 준 일이 떠올랐다.

"우연히 소여 씨의 가게 앞에 있었는데, 마침 당신과 당신 언니가 파이를 팔러 왔더군요. 당신이 어린 아이를 달래면서 아이 기분이 좀 나아지도록 뭐라도 하나 주어야겠다고 말하더군요. 나는 아이의 얼굴에 피어오르는 웃음을 보며, 그 파이야말로 아이에게 가장 필요한 것이라고 생각했죠."

캐롤린이 멈칫하다가 깔깔거렸다.

"거기 계셨어요? 그걸 보았어요?"

말투는 당황한 듯 들렸지만 그런 기색은 금세 사라졌다.

"아, 헨리, 걔는 그 파이를 받고 아주 좋아했죠."

"그런데 어떻게 됐나요? 집에 오니, 어머니가 파이에 대해 뭐라고 말씀하시던가요?"

"설마 집에서 있었던 일까지 듣진 않았겠죠? 나랑 언니가 엄마에게 매를 맞을 게 틀림없다고 걱정하던 이야기를 들었군요?"

나는 고개를 끄덕였다.

"누구든 옆에 있으면 다 들었을 겁니다."

캐롤린이 다시 까르르 웃었다.

"그 말이 맞아요. 사실 집으로 돌아가는 내내 엄마 때문에 걱정이 좀 되긴 했어요. 하지만 집에 와보니 그 정도는 아니었어요. 물론 엄마는 한바탕 야단을 쳤죠. 내가 아빠랑 닮아서 늘 물건을 남에게 퍼주기 일쑤인 데다, 둘 다 가난이 뭔지 몰라서 앞으로도 마냥 그렇게 살 거라면서. 늘 듣던 잔소리를 퍼부어댔죠."

캐롤린이 나를 닭장 밖으로 안내하면서도 웃음을 멈추지 않았다. 마구간의 서쪽 편에 위치한 목장에서 보니 가축이 떼 지어 지나가고 있었다.

"이 집을 가난하다고는 못할 것 같은데요."

"수고한 것에 비해 들어오는 돈은 많지 않아요. 그래도 가진 것에 감사할 뿐이에요. 저기 초원에 보이는 것은 아버지의 의술 덕분이랍니다."

나는 고개를 끄덕였다. 페리에게 아까 들었던 이야기였다.

"사실 아버지는 노예시절에 자칫 목이 매달릴 뻔했는데 의술을 가진 덕에 목숨을 건졌죠."

"어쩌다 그런 일이 생겼는데요?"

"아버지는 주인이라 부르던 사람에게서 달아났거든요. 예전에 '어떤 사람'이라고 부르는 사람들 밑에서 일하던 어린 시절에도 2번이나 달아났어요. 그런데 페리라는 사람의 노예로 지낼 때는 예전처럼 그럴 생각이 없었어요. 페리라는 분은 아버지의 의술을 인정해주었고 다른 농장에서 노예로 지내던 엄마와 사귀도록 허락도 하셨어요. 그런데 어느 날 아버지는 엄마를 만나러 가다가 다시 도망을 친 거예요. 아버지는 자신이 자유로운 몸이 되어야 엄마도 자유로워질 거라고 생각했죠. 결국 백인들에게 붙잡혀 목이 매달리려는 참에 페리라는 주인이 막았어요. 페리라는 분은 '나는 이 사람이 필요해. 아주 중요한 일을 한단 말이야. 치료하는 능력이 있거든.'이라고 말했어요. 그래서 백인들은 아버지에게 매질만 하고 목을 매달지는 않았대요."

솔직하게 마음을 터놓는 캐롤린 앞에서는 뭐라 달리 대답할 말이 없었다. 양계장 문을 열면서 그냥 피식 웃고 말았다.

페리의 농장을 떠날 때 이미 해가 뉘엿뉘엿 지고 있었다. 캐롤린이 준 달걀에다 그날 저녁과 다음 날 아침에 먹을 음식까지 잔뜩 받아서 천둥에 올라탔다. 페리 가족이 나를 배웅하러 나올 때 부인도 따라 나왔다. 부인이 요리하신 아주 훌륭한 음식을 맛보게 해주고, 이렇게 바리바리 싸 주어서 고맙다는 인사말을 부인에게 건넸다. 부인은 고개만 한번 끄덕였다. 나는 말을 재촉하여 길을 나섰다. 페리 집에서 머무른 동안 부인은 나에게 한마디도 건네지 않았다는 걸 깨달았다.

****

다음 달이 되자, 캐롤린이 흔들의자에 꽃을 그리러 페리를 따라 창고로 왔다. 네이턴도 왔다. 페리는 시내에서 멀리 떨어진 곳에 병든 말을 돌보러 가야 해 금방 자리를 떴다.

"세상에, 폴 로건 씨, 굉장히 멋있어요!"

캐롤린이 의자에 손가락을 대고 매끄러운 나뭇결을 쓸어내리자 의자가 흔들렸다.

"어머, 너무 너무 근사해요!"

"진짜 최고예요."

네이턴이 동의했다. 내가 캐롤린에게 말을 건넸다.

"잘 되는지 한번 시험해 봐요. 의자에 앉아서 흔들어 봐도 돼요."

캐롤린이 고개를 저었다.

"말씀은 고맙지만 사양할래요."

"그렇다면 내가 해 봐야지."

네이턴이 장난스럽게 나섰다. 하지만 채 앉기도 전에 캐롤린이 밀어냈다.

"얘, 안 돼, 앉지 마. 엄마보다 먼저 이 흔들의자에 앉아서는 안 돼. 무조건 엄마가 처음 앉아야 해."

"에이, 누나……"

"이 의자는 엄마 거고, 규칙은 규칙이야."

어깨를 으쓱하며 웃음 짓던 네이턴은 바닥에 꿇어앉아 흔들의자를 가까이 살폈다. 곡선을 따라 만져보다가 물었다.

"로건 씨, 이 부분에 쓰이는 목재는 어떻게 만들어요?"

나는 창고의 구석에 있는 기다란 목재 통을 가리켰다. 네이턴은 나를 따라서 그 스팀박스로 다가섰다. 내가 주전자 위에 놓인 스팀박스의 목재 투입구를 여는 순간 수증기가 솟아올랐고, 네이턴은 놀라서 뒷걸음질쳤다. 캐롤린이 흔들의자 옆에서 까르르 웃자 네이턴도 입가에 웃음을 지었다.

"미리 알려줄 걸 그랬구나."

잠시 수증기가 걷히기를 기다렸다. 수증기가 사라지자, 나는 그 안에 있는 송판 2개를 가리켰다. 막대 위에 올린 송판은 수증기를 골고루 쐴 수 있었다. 뚜껑을 닫고 상자의 뒷면으로 가서 네이턴에게 통기 구멍을 보여 주었다.

"수증기가 나무를 전체적으로 휘감은 다음에 이쪽으로 나온단다. 이 스팀박스에 들어간 목재는 구부릴 수 있을 만큼 탄력이 생기지."

네이턴은 경이로움에 가득 찬 눈으로 스팀박스를 바라보았다.

"폴 로건 씨. 지금 일을 시작해도 될까요?"

내가 캐롤린에게 고개를 돌렸다. 꾹 참고 기다렸던 모양이었다.

"방해하는 게 아닌지 모르겠네요."

"그렇진 않아요."

내가 대꾸했다.

"다행이네요."

캐롤린이 흔들의자의 등판을 두드렸다.

"꽃을 바로 여기에 그려놓으면 엄마는 머리를 기댈 때마다 꽃밭에 눕는 셈이에요."

캐롤린이 입가에 미소를 지었다. 나도 따라 웃었다. 캐롤린은 바구니에서 자그마한 통을 꺼내더니 작업대 위에 늘어놓았다.

"이건 내 물감이에요. 가게에서 샀지요. 그동안 파이를 만들어 돈을 모았거든요."

나는 작업용 걸상을 가져와서 캐롤린이 앉도록 흔들의자 옆에 두었다. 캐롤린이 고맙다는 웃음을 짓고, 바로 앉아 일을 시작했다. 나는 서서 지켜보았다. 네이던이 나를 불렀다.

"로건 씨, 좀 알려주실 수 있나요? 어떻게 목재를 구부리지요?"

네이던을 향해 고개를 끄덕이고, 슬쩍 캐롤린을 보니 꽃의 밑그림을 그리는 중이었다. 나는 네이던에게 갔다. 네이던이 보는 데서, 스팀 박스에서 송판을 하나 꺼내어 천천히 구부렸다. 네이던은 완전히 매료당했다. 나는 작업 중이던 진열장으로 돌아갔다. 네이던이 몹시 배우고 싶어 해 내 일을 돕도록 했다. 서랍용 나무판에 은못(편집자 주 : 목재를 연결할 때 끼우는 나무로 된 못)을 어떻게 맞추는지 가르치면서도, 시선은 나도 모르게 캐롤린으로 향했다. 캐롤린은 저쪽에서 밝은 색감으로 엄마의 정원에 피어난 화사한 꽃과 풀을 그리고 있었다. 처음에는 묵묵히 그림을 그렸지만 정원의 꽃이 한 송이씩 피어나자 콧노래를 흥얼거렸다. 나는 그 노랫소리가 조금도 귀에 거슬리지 않았다. 나는 언제나 생각에 빠진 채 고요한 가운데 혼자 일을 해왔다. 그런데 캐롤린이 등장하자 나의 아침이 유쾌해졌다. 캐롤린이 일어서자 나는 캐롤린이 일

청년시절

을 다 마쳤다는 것을 알았다. 그 순간 나는 무척이나 아쉬웠다.

캐롤린이 활짝 웃으면서 물었다.

"어떻게 생각해요? 맘에 들지 않는다면, 속으로만 말해주세요."

네이던은 흔들의자로 다가가 몸을 숙여 들여다보았다. 그러고는 자기 누나를 보며 놀렸다.

"그럭저럭 괜찮아. 그런데 도대체 누가 누나더러 그림을 그리라고 했어?"

캐롤린이 깔깔 웃으며 장난스럽게 네이던의 팔을 찰싹 때렸다.

"맘속으로만 이야기하랬잖아."

네이던도 웃음을 터뜨렸다.

"아, 그럴게. 어쨌든 엄마가 좋아하시겠다."

"음, 엄마가 좋아하시겠지?"

캐롤린이 눈을 반짝거리며 동생의 팔에 기대었고, 둘이서 그림이 그려진 흔들의자에 찬사를 보냈다. 캐롤린이 어깨 너머로 나를 보았다.

"제가 그린 꽃을 보고도 한 말씀도 안 하시네요."

네이던이 끼어들었다.

"나랑 생각이 같으신가 봐. 그래서 차마 입 밖으로 못 꺼내는 거야."

캐롤린이 네이던에게 돌아섰다.

"너한테 물어 봤냐?"

네이던이 킥킥 웃었다. 나도 그만 웃고 말았다.

"꽃 때문에 의자가 환해질 거라던 당신의 말이 기억나네요. 정말 그렇군요."

좀 더 가까이 보려고 다가갔다. 꽃밭이 의자의 머리 판에 가득 펼쳐져 있었다. 대담하고 생생하며 매혹적이었다.

나는 캐롤린에게 웃어보이고는 의자 주변을 돌아보았다.

"아마유를 몇 번 덧칠하면 나뭇결의 자연스런 아름다움이 배어나옵니다. 그게 다 마르면 어머님에게 갖다 드리세요."

네이던이 물었다.

"얼마나 오래 걸리는데요?"

"아마유 작업이 잘 되려면 몇 주는 족히 걸릴 거야. 목재에는 쉘락보다 아마유가 더 어울리거든."

캐롤린은 실망스러운 표정을 감추지 않았다.

"오늘 가져가도 되는 줄 알았어요."

"제대로 덧칠을 하려면 한참 걸립니다. 한 번 칠하고 나면 완전히 말라야 다시 칠할 수 있거든요."

"그래도……지금 가져가고 싶은데."

"다 되면 제가 가져다 드리죠."

"그러지 않으셔도 돼요. 우리가 가지러 올게요."

"괜찮아요. 저번에 대접받은 것에 보답하고 싶어서 그러는 거니까 너무 신경 쓰지 마요. 아버님이 돌아오시면 자세히 말씀드리죠."

캐롤린은 활짝 웃었다.

"우리야 늘 기다릴 테니 아무 때나 가져오시면 돼요. 벌써부터 조바심이 나는데요."

나도 웃음으로 답했다.

****

흔들의자에 광택작업을 끝마쳤다. 의자를 직접 갖다 주겠다고 말하자, 소여는 잔금만 받아오면 된다며 선선히 승낙했다. 나는 걱정 말라고 했다. 소여가 내준 마차에 흔들의자를 싣고 방수포로 씌워서 끈으로 묶었다. 그러고는 페리의 농장으로 출발했다. 흔들의자를 가져가는 다른 이유를 소여에게 밝히지 않았다. 캐롤린을 다시 보고 싶었다. 그러나 그걸 말할 수는 없었다.

페리의 집과 다소 떨어진 곳에 마차를 세워두고, 걸어서 페리를 만나러 갔다. 페리가 어떤 식으로 흔들의자를 아내에게 주려는지 몰랐기 때문이다. 페리의 '깜짝 선물'을 망치고 싶지 않았다. 가는 길에 네이던을 만났다. 내가 마차에서 기다리고 있다고 아버지에게 알리라고 부탁했다. 내 말이 끝나기 무섭게 후다닥 달려간 네이던은 페리만 데려온 게 아니라 형제와 누이들과 캐롤린까지 우르르 데리고 왔다.

"어머나, 한번 보여 주세요!"

캐롤린은 어린 소녀처럼 들떠서 손뼉을 쳐댔다.

나는 캐롤린을 향해 웃음 지으며 페리 가족에게 둘러싸인 채 줄을 풀었다. 방수포를 벗기자 여기저기서 탄성이 터져 나왔다.

"어이구, 세상에, 이렇게나 멋있다니! 너무 좋구나!"

페리는 그렇게 외치고는 마차에 실린 흔들의자를 둘러보며 감탄을 금치 못했다.

"이걸 보면 입이 쩍 벌어지겠어! 어깨가 절로 으쓱해지네 그려."

캘리도 거들었다.

"이렇게 멋지고 예쁜 가구는 처음 봐요. 엄마가 얼마나 좋아하실까요?"

네이던이 끼어들었다.

"정말 대단하다. 저 나뭇결 좀 보세요!"

나는 캐롤린을 쳐다보며 말했다.

"꽃도 한번 보세요."

캐롤린 얼굴이 환하게 빛났다.

"우리 딸이 이렇게 꾸몄나?"

페리는 대견스러워하며 물었다.

"그렇습니다."

캐롤린을 쳐다보며 대답했지만, 캐롤린은 자매형제들이랑 흔들의자를 두고 수다를 떠느라 내 시선을 느끼지 못했다. 페리는 네이던과 다른 아이에게 장녀 리슨의 집에 다니러 간 부인을 데려오라고 시켰다.

"엄마에게 지금 당장 오시라고 말씀드려라! 다른 말은 하지 말고."

페리가 지시했다. 그리고 다른 아이를 보내어 들에서 일하는 '식구들'도 집으로 불러들이라고 시켰다. 페리는 내 어깨에 손을 얹었다.

"우리 두 사람은 일을 마무리 지읍시다."

나는 고개를 끄덕이며 소여가 작성한 계산서를 꺼내어 건네주었다. 페리는 슬쩍 훑어보더니 캘리와 캐롤린을 불렀다. 조금도 당황하는 빛 없이 당당하게 밝혔다.

"나는 글을 모른다네. 대신 우리 집 큰 애들은 모두 학교를 보냈지. 내가 그것만은 꼭 가르치거든."

딸들이 계산서를 읽어주자 페리는 잔액이 정확하다는 의미로 고개를 끄덕였고, 바지 호주머니에서 작은 자루를 꺼내어 돈을 치렀다. 페리는 껄껄 웃었다.

"글은 못 읽어도 셈 하나는 제대로 한다네!"

나도 따라 웃으며 계산서에 '완불'이라고 쓰고는 서명을 하고 다시 돌려주었다.

"자네만 괜찮다면, 마차를 집까지 몰고 가서 현관에 흔들의자를 내려놓을까 하네. 우리 마눌라님이 나타나실 때 흔들의자가 현관에 떡! 자리 잡고 있으면 좋지 않겠나."

의자를 방수포로 다시 덮고 집으로 향했다. 아이들은 마차 뒤 흔들의자 둘레에 옹기종기 앉았다. 집에 도착하자마자 페리 가족은 부리나케 뛰어 내렸다. 나는 방수포를 벗겼다. 페리는 마차에서 의자를 들어 조심조심 현관에 내려놓았다. 들에서 일하다 돌아 온 페리의 가족들도 의자를 보고 입에 침이 마르도록 칭찬하였다. 이제 가보겠다고 내가 인사를 하자, 페리는 듣지 않았다.

"무슨 소린가? 의자를 만든 사람이 자네니까, 우리 마눌라님이 좋아하는 모습까지 꼭 봐야 하네. 여기에서 기다리게!"

처음에는 사양했으나 사실 부인이 흔들의자를 보고 어떤 표정을 지을지 궁금하기도 했다. 나는 기다리는 동안에, 남편과 가족이야 그 의자를 특별하게 여기지만, 부인은 내가 만들었기 때문에 불쾌하게 여길 수 있겠다 싶었다.

잠시 뒤에 마차가 덜컹거리며 산길을 따라 왔다. 장녀 가족과 네이던과 동생이 보였고, 페리 부인도 눈에 띄었다.

"무슨 일이지요?"

페리 부인은 울먹이며 마차가 멈추기도 전에 일어섰다.

"이 녀석들이 도대체 말을 안 하지 뭐요? 세상에! 주님! 우리 아이들

중에 누가 다쳤구려! 무슨 일인가요?"

"그런 일이 아니요!"

샘 페리는 부인을 안심시키며 마차 쪽으로 갔다.

"제발 호들갑 좀 그만 떠시오! 부인! 나쁜 일이 아니오!"

"그럼 왜 애들을 보내 불렀죠?"

페리는 마차에서 부인을 내리도록 도왔다.

"음, 그대가 보고 싶어서 불렀다오."

페리는 부인의 어깨에 팔을 두르며 말했다. 부인은 화가 나서 팔을 뿌리쳤다.

"그래서 나를 데려오라고 했단 말이요?"

"화내지 마시오, 부인. 화낼 이유가 없어요! 아무것도 걱정하지 말고……저기 현관에 뭐가 있는지 보시오!"

페리는 흔들의자를 가리켰다. 부인은 흔들의자를 보자마자 입을 벌렸지만, 아무 말도 하지 않았다.

"마음에 드세요, 엄마?"

캐롤린이 소리쳤다.

"오, 아니야……."

"그럼 마음에 들지 않소?"

페리가 놀렸다.

"부인을 위해 만들어 달라고 특별히 부탁했소. 여보, 당신 거요. 여기 이 사람이 그걸 만들었고 캐롤린이 꽃을 그리……."

캐롤린이 갑자기 목소리를 높였다.

"모두 엄마가 좋아하는 꽃이에요! 엄마가 정원에 심은 대로 페튜니

아와 금잔화에다 금어초에 장미까지 모두 있어요!"

캘리가 덧붙였다.

"팬지도요. 모두 근사하지요?"

페리 부인은 믿지 못하겠다는 듯 고개를 저었다. 남편이 재촉했다.

"자, 어서! 멀찌감치 서 있지만 말고. 가까이 가서 보시오."

네이던이 거들었다.

"맞아요, 엄마! 그리고 앉아보세요! 캐롤린 누나는 나더러 먼저 앉지도 말래요."

캐롤린이 네이던을 향해 꾸짖는 눈초리를 보내며 말했다.

"그건 엄마 의자예요. 아직은 아무도 앉지 못해요. 누구보다 엄마가 먼저 앉아야죠."

"어서, 여보."

페리가 말하면서 장남인 휴와 함께 부인을 여왕인 양 흔들의자로 이끌었다. 부인은 팔걸이를 조심스럽게 쓸어보았다. 그러고는 등받이를 쓰다듬고 이내 손가락으로 꽃을 어루만졌다.

"마음에 드세요, 엄마?"

캐롤린이 들뜬 목소리로 물었다.

"세상에, 맙소사……정말……정말로 믿을 수 없어."

"그럼, 앉아 봐요. 한번 앉아 보구려."

남편이 권했다. 페리 부인은 그 말을 따랐다. 페리 가족은 모두 박수를 쳤다. 캐롤린이 현관 바닥에 무릎을 꿇고 옆에서 물었다.

"훌륭하지요, 엄마? 너무 너무 훌륭하지요?"

"그럼, 그렇고말고, 우리 예쁜이."

페리 부인은 입가에 웃음을 지으며 팔걸이를 손으로 잡았다.

"오, 세상에."

그러더니 의자를 흔들었다. 다시 페리 가족은 모두 박수를 쳤다. 페리가 싱긋 웃었다.

"그 흔들의자가 꽤 마음에 드는 눈치인데? 페리 부인!"

페리 부인도 빙그레 웃었다.

"그렇게 보여요? 페리 씨"

"그 의자가 마음에 든다면 이 사람에게 감사를 해야지!"

페리는 현관 가까이에 서 있는 나를 향해 팔을 뻗었다.

"바로 로건 씨가 만들었거든!"

페리 부인은 그때 처음으로 나를 본 것 같았다. 부인은 말없이 차갑게 나를 응시했다. 나도 가만히 바라보다가 이내 돌아서서 마차로 향했다. 페리는 자식들과 잡담을 나누느라 나를 보지 못했고, 캐롤린이 나에게 서둘러왔다.

"감사합니다. 폴 에드워드 로건 씨. 엄마가 저렇게 행복해하시는 건 다 그쪽 덕분이에요."

나는 잠깐 멈칫했다.

"나를 폴 에드워드라고 부르는군요."

"아! 예, 그래요. 당신의 이름을 생각하다보니, 우리 엄마 이름이랑 조금은 비슷한 처지라는 생각이 들었죠. 부모님이 에드워드라는 이름으로 불러주곤 했다니, 그 이름으로 불러주는 게 도리다 싶었어요. 그래서 이제부터라도 그 이름으로 부르기로 마음먹었어요. 앞으로 폴 에드워드라고 부를게요. 폴 에드워드 로건 씨! 그래도 될까요?"

캐롤린의 눈은 내 얼굴빛을 샅샅이 살폈다. 나는 고개를 끄덕였다.

"좋습니다."

그 말을 하고 돌아서는데, 목에서 뭔가 울컥 치밀었다. 나는 마차에 올라탔다. 그제야 페리가 나를 보고 다가왔다.

"로건 씨, 식사하고 가게."

내가 대답했다.

"일이 밀려서요. 소여 씨가 마차와 노새를 써야 한다고 말했고요."

"언제든지 들러주게."

"알겠습니다."

모자 끝을 살짝 만지며 작별인사를 남기고는 노새들을 재촉하여 밖으로 나왔다. 더 머물고 싶지 않았다. 나는 그들 가족모임에서는 이물질이었다. 분위기를 망치고 싶지 않았다. 페리 가족이 서로 따뜻함과 사랑을 나누는 곳에 나는 속할 수가 없었다. 나는 외로웠고, 캐롤린의 이야기가 떠올랐다. 아울러 어머니의 죽음 이후, 잊고 있던 감정이 밀려왔다. 페리 부인의 흔들의자를 만드는 내내, 어머니와 어머니의 흔들의자를 생각했다. 흔들의자를 어머니에게 선물로 준 아버지도 생각났다. 캐롤린의 말을 듣자 나는 다시 한 번 두 분을 추억하면서 내가 얼마나 외로운지, 페리 가족을 보자 우리 가족이 얼마나 그리운지 깨달았다. 캐시 누나가 보고 싶고, 아버지가 보고 싶었다. 하몬드 형과 조지 형이 그리웠다. 심지어 로버트도 보고 싶었다. 하지만 가족에게 돌아갈 수는 없었다. 내 삶의 터전은 지금 여기였다. 빅스버그로 향하는 길에 이제는 정착해야겠다고 마음먹었다. 내 땅을 사야 할 시기였다. 땅을 사서, 정착하고 내 가정을 꾸릴 때였다.

거래

소여에게 땅에 관해 물어 보았다. 소여는 사업가여서 빅스버그 인근의 토박이들과 잘 알고 있었고, 팔려고 내놓은 땅부터, 땅을 팔려는 사람과 땅값에 대해서도 손바닥 보듯 잘 알았다. 나는 홀렌벡의 땅에 대한 관심이 많다고 털어놓았다. 내가 그 이야기를 끄집어내자 소여는 단정하게 다듬은 턱수염을 만지작거렸다.

"나와 하던 일을 벌써 그만두려는가?"

"계약은 1년 만이었습니다. 시간이 훌쩍 지났네요. 이제는 땅을 알아보고 싶습니다."

소여는 껄껄 웃었다.

"그런데 나더러 자네를 도와달라고? 내 손으로 내 발등을 찍으라는 게야?"

나는 고개를 저으며 웃음기 없는 얼굴로 바라보았다.

"적당한 곳이 있는지 우선 알아나 보고 싶습니다."

소여는 한숨을 내쉬더니, 계약을 연장하자고 설득하던 태도를 접었다. 나는 소여와 약속한 대로 가구를 만들고 말을 조련했다. 소여는 말을 5마리는 팔았고, 검은색 종마는 계속 대여했고, 앞으로도 그 종마는 팔지 않고 계속 데리고 있을 계획이었다. 천둥도 돈을 받고 빌려주었으나, 소여는 합의했던 사항을 지켰다. 사람들에게 천둥은 팔렸다고 그동안 누누이 밝혀왔다. 소여가 희망하던 가격으로 말이 모두 팔렸으므로, 이제 천둥은 내 소유였다. 소여는 그런 내용의 계약서에 이미 서명을 했다. 소여가 말했다.

"자네의 일솜씨는 나무랄 데가 없어. 자네는 정말 함께 일하기에 좋은 사람이었어. 폴 로건! 하지만 자네가 땅을 사고 싶다니, 신경을 써서 여기저기 알아봄세. 근데 이것은 알고 있지? 자네가 유색인이라는 걸 알면, 모든 사람들이 다 땅을 팔지 않을 수 있다는 거?"

내가 대꾸했다.

"그 정도는 알고 있습니다."

"시간이 오래 걸릴 걸세."

소여가 그렇게 말을 마친 뒤로, 몇 주 동안 우리는 땅에 대해서 더 거론하지 않았다.

8월의 끝자락인 어느 날, 어떤 남자와 어린 아들을 소여가 창고에 데려왔다. 남자의 이름은 찰스 제미슨이었고 아들은 웨이드였다.

"제가 말씀드린 사람입니다. 제미슨 씨."

소여가 소개를 했다.

"예. 나도 저 사람이 말을 타는 걸 본 적이 있소. 폴 로건! 훌륭한 말을 가지고 있더군."

"감사합니다."

"혹시 그 말을 팔 생각은 없나? 소여 씨 이야기로는 저 팔로미노 말에 대한 권리를 자네에게 넘겨줬다던데."

나는 소여를 흘낏 보고는 다시 제미슨에게 시선을 돌렸다.

"아직은 생각이 없습니다."

제미슨은 알겠다는 듯 고개를 끄덕이고는 창고 안을 한 바퀴 돌며 완성된 가구와 제작 중인 가구를 둘러보았다. 12살쯤 되어 보이는 아들이 자기 아버지를 따라다녔는데, 눈빛을 반짝이며 목재를 만지는 태도가 네이던과 흡사했다.

한 바퀴 둘러보고 제미슨이 입을 열었다.

"그렇게 자랑하더니 조금도 과장이 아니었습니다. 소여 씨."

제미슨은 나를 쳐다보았다.

"재주가 출중하네."

"감사합니다."

"자네가 진심으로 관심을 두는 게 말이나 목공이 아니라던데. 땅을 사고 싶어 한다고?"

나는 고개를 끄덕였다.

"맞습니다."

"제이티 홀렌벡 씨의 땅을 마음에 두고 있다고. 그야 아주 좋은 땅이지. 우리 가족은 빅스버그에 살고 있지만, 홀렌벡 씨와 가까운 곳에도 집이 있어서 그 땅을 좀 아네. 사실 나도 그 땅에 관심이 많거든."

나는 가능하면 말을 삼가려고 했으나, 묻지 않을 수 없었다.

"홀렌벡 씨는 땅을 팔 생각이 있으신가요?"

"그런 이야기를 한 적이 있지. 남부 사람인 부인이 최근에 세상을 뜬 데다, 자식들은 그 전에 죽고 말았으니, 이제는 그 땅을 가지고 있을 필요성을 못 느끼는 모양이더군. 그 땅에 살고 싶지 않는가 봐. 하지만 팔더라도 당분간은 팔지 않을 거야."

제미슨은 나를 찬찬히 살펴보았다.

"홀렌벡 씨가 땅을 팔 때까지 계속 기다릴 건가?"

나는 잠시 생각하다 대답했다.

"가격만 적당하다면 기다릴 용의가 있습니다. 그 대신 우선 경작할 땅을 구할까 합니다."

"내가 아는 바로는 홀렌벡 씨는 땅을 팔 때, 현금을 원할걸. 그만한 돈을 가지고 있나?"

나는 대답했다.

"조금 모자랍니다. 뭔가 방법이 있겠죠."

"다른 방법이라? 있긴 하네만, 자네가 엄청난 각오가 있다면? 뼈가 으스러질 정도로 고된 일이라서 말이야."

"무슨 일입니까?"

"삼림을 벌목해주고 그 대가로 땅을 받는 거야. 혹시 구미가 당기거든, 필모어 그레인저 씨를 찾아가서 자세히 알아보게나."

"그분 성함을 들은 적이 있습니다."

"여기에 1년을 머물었으면 당연히 들었겠지. 스트로베리 도시 인근에서 가장 넓은 땅을 소유한 이가 바로 그레인저 씨일세. 지금 홀렌벡 씨가 가진 땅의 절반도 원래는 그레인저 씨의 땅이었거든."

나는 처음 듣는 이야기인 양 잠자코 들었다. 전에 그 이야기를 들려준 엘리아 노인을 구태여 들먹일 필요는 없었다.

"자네가 시간과 노력을 투자할 각오가 섰고, 땅이 필요하다면, 자네가 만날 사람은 그레인저 씨야. 하지만 그 사람이 그리 호락호락한 인물이 아니란 건 명심해 두어야 할 게야."

나는 제미슨에게 고맙다고 인사했다. 제미슨과 아들이 돌아간 후에 제미슨의 이야기를 곱씹었고 그 생각으로 잠이 들었다. 다음 날 아침, 그레인저와 만나볼 양으로 천둥에 올라타서 남쪽으로 향했다. 그레인저가 땅을 파는 조건이 벌목이라면 얼마든지 그 제안을 받아들일 역량도 있었고, 용의도 있었다. 홀렌벡의 땅으로 말하자면, 시간을 들여서 기다리기로 했고, 신의 뜻이 그러하다면, 언젠가 내가 그 땅을 가지지 않겠나 싶었다.

＊＊＊＊

필모어 그레인저와 아들은 유색인 일꾼과 함께 말을 돌보느라 마구간에 있었다. 나는 그레인저에게 내 이름과 찾아 온 목적을 밝혔다.

"땅이라고?"

그레인저는 나를 흘낏 보고는 다시 암말에게 주의를 돌렸다.

"왜 내가 땅을 팔 거라고 생각했지? 야! 할란!"

그레인저는 대답을 할 시간도 주지 않고 자신의 아들을 먼저 불렀다.

"저 솔 좀 가져 와."

소년은 나를 슬쩍 본 다음, 부랴부랴 아버지의 분부를 따랐다. 그레인저에게 대답을 했다.

"제이티 홀렌벡 씨와 찰스 제미슨 씨에게 여쭈었더니, 두 분 모두 그레인저 씨께서 팔 땅이 있을지도 모른다고 말씀하셨습니다. 저더러 한번 가보라고 하셨지요."

"그 사람들이 그랬다는 거야? 정말?"

"예, 그러셨습니다. 저는 12만에서 16만 제곱미터의 땅을 경작해볼까 합니다. 그런데 보시다시피 저는 유색인이라서 땅을 사기 위해 은행에서 대출받기란 정말 어렵습니다."

"깜둥이였어?"

소년이 소리쳤다. 그레인저는 말이 없었다. 일꾼이 고개를 들어 나를 봤고 곧 내 눈과 마주쳤다. 내 화를 돋우려는 소년의 말에 분노가 치밀어 올랐지만, 나는 틀린 말이 없다는 듯 소년의 말을 계속 뭉갰다.

"홀렌벡 씨와 제미슨 씨가 여기에 와 보면 일거리가 있을 거라고 말씀하셨습니다. 제미슨 씨 이야기로는 그레인저 씨께서 땅을 개간해 주면 땅값으로 대신할 생각이 있다고 하시더군요."

그레인저는 나를 빤히 쳐다보며 잠시 뜸을 들였다. 암말을 다 돌보고 나서야 나에게 돌아섰다.

"소작하는 건 어때? 그러면 너에게도 이익이야. 내가 씨앗과 가축을 제공하지. 모든 위험도 내가 감수하겠어. 너는 그저 노동력만 제공하면 돼. 추수한 작물은 반씩 나누는 거야."

나는 조심조심 말을 꺼냈다.

"그레인저 씨! 제가 소작하려면 땅을 원하지 않았겠죠. 제가 원하는 것은 땅입니다."

그레인저는 한참이나 나를 바라보았다.

"그렇다면 마음에 둔 땅이 있나?"

"아닙니다. 어떤 땅을 파시려는지도 모릅니다."

"땅이 있기는 하지. 보고 싶다면 데려가주지."

"물론 보고 싶습니다."

그레인저는 말 돌보는 일을 일꾼에게 넘겨주고는 암말 위에 안장을 올렸다. 아들도 적갈색 말에 안장을 얹고 마구간을 나왔다. 내가 천둥의 고삐를 풀고 있으려니 소년이 갑자기 멈췄다.

"그 말은 어디에서 난 거야?"

소년이 물었다.

"아주 근사한 말이네. 어떻게 저런 말을 끌고 왔나?"

그레인저도 나와 천둥의 관계가 궁금하다는 눈초리로 바라보았다.

"제 말입니다."

"네 말이라고?"

그레인저 입에서 바로 이 의문문이 튀어나왔다. 그동안 수차례 익히 봐왔던 표정이 그레인저의 얼굴에도 드러났다.

"누구한테서 저 말을 샀는데?"

"루크 소여 씨입니다. 빅스버그에서 가게를 운영합니다."

그 정도만 이야기했다.

"정말로 그 사람한테 말을 샀어?"

소년이 추궁했다. 나는 차갑게 노려보며 대꾸했다.

"소여 씨도 알고 있습니다."

그레인저는 고개를 끄덕였다.

"이제 그만 출발하지."

그레인저는 암말을 타고 길을 나섰다. 소년은 적갈색 말에 올라타고 달렸다. 나도 그 뒤를 따랐다.

여기저기 바퀴자국으로 난 길을 따라 한 시간쯤 지났을까. 길이 구불구불해지더니 이윽고 깊은 숲 속으로 난 산길이 보였다. 그레인저는 말을 세우고 내려섰다.

"이쪽으로."

그레인저는 지시를 하고, 말을 타고서는 갈 수 없는 좁은 길을 걸어갔다. 나도 말에서 내려 그레인저와 그의 아들을 따라갔다. 산길을 따라가니 강가에 빈터가 나타났고 그레인저가 걸음을 멈췄다.

"여기가 이 구역에서는 가운데인 셈이야. 집은 저쪽 경사면에 짓도록 하고, 물은 바로 몇십 미터 떨어진 곳에 있어."

나는 주변을 둘러보았다. 나무가 빽빽하게 들어섰고, 잡목이 우거져 빛이 거의 들어오지 못해서 어두침침했다. 이곳은 매력이 없었다.

"이 땅은 개간하고 나면 경작하기에 딱 좋은 땅이야. 우리 집안이 60년 남짓 이 땅을 가지고 있었는데, 그동안 벌목한 적이 없어. 굉장히 고된 일이 될 거야. 개간을 마칠 때까지 매달 700그루 이상을 벌목해야 돼. 도와 줄 사람은 있나?"

"고된 일은 얼마든지 자신이 있습니다."

나는 머뭇거리지 않고 응답했다.

"도와줄 만한 사람도 이미 생각해 두었습니다."

내 생각에 미첼과 함께라면 이런 곳이라도 뭔가 이뤄낼 듯싶었다. 훗날, 개간을 마치면 몇 년 농사를 짓다가 팔고 나서 더 좋은 땅을 사리라. 그레인저가 물었다.

"소는 있나? 소는 네가 직접 해결해야 해. 그 정도의 돈은 있어?"

"노새를 생각 중입니다만."

"벌목하기에는 소가 더 요긴한 법이야."

그레인저의 충고도 틀린 말은 아니었다. 하지만 벌목을 할 때 어떤 가축을 부릴지 이미 생각해 두었다. 소는 힘도 더 센 데다 다리도 노새에 비하여 짧으니 다리가 부러질 염려는 없었다. 게다가 고집불통인 노새와는 달리 성질도 고분고분했으며, 진흙길이건 빗길이건 상관없이 통나무를 척척 끌었다. 하지만 이 정도의 땅이라면 노새를 부려도 큰 지장이 없을 듯했다. 땅이 이렇게 질척일지는 생각 못 했지만, 보아하니 습지가 아니라 몇 주 동안 내린 비 때문인 것 같기에, 노새도 충분히 통나무를 끌 수 있지 않나 싶었다. 무엇보다 벌목이 끝났을 때를 염두에 두지 않을 수 없었다. 노새는 어지간한 말 정도로 빨리 달리므로 타고 다니는 데에 유용하다. 쟁기를 끌거나 그루터기를 뽑는 일에도 제격이었다. 소도 그런 일은 문제없이 잘한다지만 많은 농부들은 소보다는 노새를 선호했다. 노새를 4마리 사서 부리다가 별 문제 없이 벌목이 끝나면 3마리는 팔면 되지 싶었다. 나는 머릿속에 그런 계획을 짜두었다. 앞으로 후회할 일이 없기만 바랄 뿐이었다.

그레인저와 눈길이 마주쳤다.

"저는 노새를 데리고 일하렵니다."

나는 돈에 대한 그레인저의 질문은 그냥 넘어가면서 조용히 답했다.

그레인저는 입술을 지그시 깨물더니 곧 이어 말을 했다.

"너는 12만에서 16만 제곱미터에 관심이 있다고 했었지. 아마, 16만 제곱미터 정도는 될 거다. 지름이 40센티미터 이상인 나무만 자르도록

청년시절

해. 목재 회사에서 그보다 작은 나무는 받지 않거든. 나머지 나무들은 자르지 말고 그냥 놔 둬."

나는 이해하겠다는 표시로 고개를 끄덕이면서 왕솔나무와 흰떡갈나무가 가득한 원시림을 눈으로 훑어보았다. 그레인저가 설명하는 동안, 미첼과 둘이서 1년에 과연 어느 정도의 땅을 개간할 수 있을지 따져보았다. 그레인저가 계속 이야기를 건넸다.

"나무를 전부 베어주면 이 16만 제곱미터의 땅을 네가 갖는 거야. 만약에 어기면 위약금으로 16만 제곱미터의 땅을 몰수할 거야. 물론 잘라놓은 목재는 무조건 내 거야. 나뭇가지를 잘 쳐서 여기 강가에 쌓아 두면 돼."

내가 물었다.

"그걸 누가 가져갑니까?"

"내가 가져갈 거야. 달마다 뗏목 꾼을 데려와서 통나무를 강으로 내려보내겠어. 너는 나무나 열심히 잘라서 저쪽 둑에 갖다 두기만 하면 돼."

"농작물은 어떻게 할까요?"

"나야 나무만 가져도 되니 농작물은 원하는 대로 해. 나무 외는 모두 네 거야. 땅이 네 소유가 되면 남은 나무도 네 마음대로 잘라도 되겠지. 그래도 몇 년 잘 자란 다음에 자르면 상당히 많은 현금을 손에 쥘 수 있을 테지."

고개를 끄덕이며, 숲 속의 빈터 주변을 돌아보았다. 미첼과 함께 16만 제곱미터를 개간하면 대체 시간이 얼마쯤 걸릴지 따져 보았다. 어떤 땅은 경사가 심해서 사람이나 노새도 올라가기 힘들었다. 나무가 더 빽빽이 들어찬 곳도 눈에 띄었다. 여기가 원시림이란 것을 감안하면 직경 40센티미터 이상의 나무는 대략 4분의3 정도는 될 듯했다. 눈을 들어 거대한 나무들을 둘러보면서, 미첼과 나라면 각자 15에서 20그루 정도는 어렵잖게 매일 쓰러뜨릴 테고, 필요하면 더 벨 수도 있었다. 우리는 16만 제곱미터에 달하는 그레인저의 땅에서 나무를 다 자르고, 그 뒤에는 땅을 개간하여 농토와 목초지로 만들어야 한다. 그 일을 2년 안에 다 해야 한다. 나는 돌아가서 그레인저와 마주섰다. 내가 말문을 열었다.

"이 일을 시작하기 전에 우선 오두막용으로 쓸 나무를 잘라야겠습니다. 그리고 가축을 들이거나 장비를 보관할 건물 등을 지을 때도 역시 나무가 필요합니다. 목재비용을 내라는 말씀은 말아주십시오."

그레인저는 이리저리 머리를 굴렀다.

"어떻게 처리해야할지 모르겠군. 내 목재는 내 돈이나 마찬가지잖아."

"혹시 제가 땅을 개간하지 못하더라도 건물은 남아 있게 됩니다."

그레인저는 끄덕이긴 했으나, 내 제안을 그대로 수용하지 않았다.

"이렇게 하지. 집 지을 나무를 자르되 40센티미터가 넘는 나무는 안 돼. 내가 와서 반드시 확인하겠어. 40센티미터가 넘는 나무를 잘랐을 시에는 책임을 물을 테야. 다른 하나는 이 지역을 벗어나서 나무를 잘라서도 안 돼. 내 나무를 슬쩍슬쩍 훔쳐서 네 호주머니를 채운다면 절대로 용서하지 않겠어."

울컥 화가 치밀었지만 그런 기색을 내비치지 않았다.

"그럴 일은 없습니다."

제안을 받아들이기 전에 말했다.

"알겠습니다, 그레인저 씨. 말씀대로 하지요. 그런데 경계가 표시된

지도가 있으면 좋겠습니다. 나무 수량도 정확히 파악할 겸, 함께 다니면서 경계를 일일이 표시해 두면 좋겠습니다. 어디까지 벌목해야 할지 제가 확실히 알아야 하니까요."

그레인저는 동의했다.

"우선 여기 산길부터 저기 큰 길까지 먼저 나무를 베도록 해. 여기 빈터까지 진입로가 나야만 일꾼들과 마차가 드나들 테니. 그 일을 먼저 처리하고 네 집을 짓도록 하지. 두 달 정도면 진입로가 생기겠군. 그때쯤 일꾼들을 데려와서 첫 번째 통나무들을 작은 강으로 내려 보내지."

"알겠습니다."

나는 대답을 하고는 잠시 생각을 가다듬었는데, 꼭 해야 할 말이 남았기 때문이다.

"그레인저 씨, 나무에 경계 표시를 한 뒤에, 괜찮으시다면 합의 사항을 글로 남기고 싶은데요."

그레인저가 발끈할 거라고 예상했으나 막상 입을 연 사람은 아버지가 아니라, 아들이었다.

"계약서가 필요하다는 말이야? 우리 아버지가 한 말은 백인의 말이야. 그거로도 충분한 거야!"

나는 소년을 흘깃 보고는 다시 그레인저를 향해 말을 건넸다.

"기분 나쁘게 해드릴 뜻은 없습니다. 정확히 기록해두지 않으면 조건에 대해 혼란스러워지고, 또 어떤 사람들은 잊기도 하니 말입니다. 합의한 내용을 써 놓으면, 저도 이 땅을 얻으려고 긴장을 늦추지 않고 일할 수 있을 것 같습니다."

그레인저는 나를 차갑게 바라보았는데, 내 말에 수긍은 가지만 썩 내키지 않는 모양이었다. 그러나 나는 법적인 서류가 없으면 거절할 작정이었다. 이미 오래전에 백인이 유색인에게 말한 약속은 아무 의미가 없다는 것을 체득했었다. 레이 서클리프가 그 교훈을 나에게 가르쳐 주었다.

"야! 알았어. 내일 아침에 서류를 작성해 주마. 네가 다시 오면 경계선을 나무에 표시하고 16만 제곱미터를 함께 표시하도록 하지."

그레인저는 성인 남자인 나더러 '야!'라고 불렀지만 개의치 않기로 했다. 나는 담담한 목소리로 말했다.

"좋습니다. 그리고 괜찮으시다면 우리의 계약 기간을 30일 후인 9월 말부터 잡고 싶습니다. 빅스버그에서 하던 일을 마무리 짓고서, 돌아와 일을 시작하겠습니다."

"흰 깜둥이답게 바라는 것도 많군."

그레인저는 내 태도를 거만하다고 여겨 마뜩찮은 표정을 지었다.

"그래, 30일이야. 네가 말한 대로 '조건'을 넣어서 계약서를 작성해 오지."

그레인저가 막 가려던 참이었다. 나는 화를 계속 억누르며 그레인저를 불렀다.

"그레인저 씨, 내일 아침과 밤을 이곳에서 보낼까 합니다. 이곳을 좀 더 자세히 살펴보고 싶습니다."

"네 맘대로 해."

나는 감사하다는 인사를 했지만, 그레인저는 아무 대꾸도 없이 아들과 함께 산길로 돌아갔다. 그날 밤, 나의 첫 번째 땅이 될지도 모를 곳에서 머물렀다. 나는 땅을 타박타박 걸어보았고, 이리저리 둘러보며 나무와 잡목이 얼마나 빽빽한지 살폈다. 다음 날 동이 터올 무렵, 그레인저와 다시 만났다. 그레인저와 아들인 할란과 유색인 일꾼과 함께 벌목 제한 선을 표시했다. 일이 끝나자 그레인저는 전날 언급했던 조건이 적힌 계약서를 내밀었다. 서명도 들어 있었다. 그레인저는 경멸적인 태도로 말했다.

"갖고 있어. 그래야만 내용을 기억하고 헷갈리지 않겠지. 나는 내용은 물론이고 사소한 사항까지도 모두 여기에 들어 있거든."

집게손가락으로 자신의 옆머리를 톡톡 치며 나를 노려보았다. 그러더니 아들과 일꾼을 데리고 자리를 떴다. 그들이 가고나자 다시 땅을 걸어보았다. 시작은 이 땅이지만, 이 땅은 나에게 어떠한 즐거움도 주지 못했다. 언젠가는 홀렌벡의 초원처럼 진정으로 내가 원하는 땅을 갖겠다고 결심했다. 우선 소여의 가게로 돌아가 일을 마무리 짓고, 필요한 물건을 구입할 작정이었다. 미첼도 함께하겠지 싶었다.

＊＊＊＊

빅스버그로 돌아와서, 소여에게 그레인저와의 계약 때문에 이 달 말에 떠나겠다고 했다. 소여가 말했다.

"자네를 떠나보내게 되어 무척 아쉽군. 하지만 가구제작에서 완전히 손을 떼지는 않을 거지?"

"저도 그럴 생각입니다. 현금이 늘 부족해요. 지금도 노새 몇 마리와 물건들을 사야 하고."

"좋은 가축을 사고 싶다면 샘 페리를 만나보게. 좋은 가격에 살 수 있도록 페리가 도와줄 거야."

"그러겠습니다."

소여와 약속한 가구제작을 대충 마무리 짓고 페리 집으로 향했다. 페리는 내 계획을 듣자마자 나를 백인 농부에게 데리고 갔다. 노새 2마리를 두고 한참 흥정을 벌였는데, 시간이 다소 오래 걸렸으나, 페리의 뜻대로 성사되었다. 예전에 페리가 그 농부의 암말이 새끼 낳을 때 도와줬던 일을 들먹거리자, 농부는 가격 흥정에서 한발자국 물러났다. 그곳을 떠날 때 노새들도 함께 나왔다. 노새 한 쌍과 마차를 사러 다닐 때에도 같은 상황이 반복되었다. 흥정은 길어졌으나 결과는 마찬가지였다. 페리의 집으로 돌아와서 나는 감사의 뜻을 전했다.

"이렇게 도와주셔서 정말 감사합니다. 페리 씨. 어떻게 이 은혜를 갚을지……."

"무슨 은혜를 갚는단 말인가. 도움이 되었다니 정말 기쁘네. 그동안 생각해오던 게 한 가지 있네. 자네를 도우려는 뜻이니 부담은 갖지 말게. 이런 일을 두고 상부상조라는 말이 있네만."

"그렇다면 저로서는 감사할 일이지만……. 생각하신 일이 뭔데요?"

"자네 땅에서 일할 사람이 필요치 않나?"

"그럴 것 같습니다. 하지만 사람을 쓸 처지가 못 됩니다."

"거야 그렇겠지. 혹시라도 우리 아들 네이던을 데려다가 일을 시킬 생각은 없냐는 걸세. 네이던은 고작 14살이지만, 나이에 비해 몸집도 크고 튼실하니 도움이 될 거야. 그 대신 자네는 우리 아들에게 기술을 가르쳐 주면 좋겠네만."

"기술이요?"

"그렇다네. 네이던은 자네를 좋아하고 자네 일에 홀딱 빠졌으니, 그 아이가 그 기술을 배워두었으면 하네. 자네만큼 기술을 익힐 수 있다면 앞으로 사는 데 아무 걱정이 없을 듯한데."

나는 형편을 따져보며 페리를 바라보았다. 보면 볼수록 페리의 모습은 예전 우리 아버지의 모습과 겹쳐졌다.

"솔직히 말씀 드리자면, 제가 누구를 책임질 만한 처지가 못 됩니다. 14살 아이는 말할 것도 없지요."

페리는 막대기를 깎으며 이야기를 시작했다.

"내 말 좀 들어보게. 자네가 땅을 가진다는 소식을 듣기 전부터 네이던을 자네에게 맡기면 어떨까라고 생각했어. 물론 고작 1년 이 지역에 머문 자네를 속속들이 안다고는 못 하나, 내가 사람 보는 눈이 좋다고 생각을 하는데, 자네가 어떤 사람이라는 걸 알 것 같네. 소여 씨나 그밖의 사람들에게도 물어봤네. 다들 부지런하고 점잖은 사람이라더군. 사람이 진중한 데다 약속도 꼭 지킨다고. 물론 남자에게 다른 점도 필요하겠지만 내 보기엔 그 정도면 충분하네. 나는 자식이 13살이 되면, 그 아이에게 어떤 일을 맡겨야 할지 진지하게 고민을 한다네. 자네가 우리 아이를 데려간다면 믿고 맡길 셈이야. 자네라면 그 아이를 나쁜 길이 아니라 바른 길로 이끌리라 믿네. 나는 이 문제로 오랫동안 열심히 기도했더니, 하느님께서 그 일이야 말로 네이던에게 적합하며 자네도 기꺼이 승낙하리라는 응답을 주시지 뭔가. 자네가 스트로베리 외곽이 아니라 빅스버그에 머문다면, 나로서는 훨씬 마음이 가볍겠지만, 그래도 자네를 따라가는 게 좋을 것 같네."

나는 입을 다물고 페리가 한 이야기를 곱씹었다. 네이던이 무얼 할 수 있을지 생각해 보았다. 미첼의 도움만 고려했을 뿐, 다른 사람의 손길을 전혀 계산하지 않고 있었다. 과연 페리의 생각이 옳았다. 네이턴은 또래에 비해 체격도 좋고 힘도 셌다. 새 일손이 있다면 큰 도움이될 것 같았다. 마침내 동의를 했다.

"좋습니다. 아이가 원한다면 그렇게 하겠습니다."

페리는 입가에 웃음을 지었다.

"어이구, 걔야 당연히 따라갈 걸세. 두 가지만 먼저 이야기 해둠세. 하나는 우리 아이는 앞으로 몇 주 동안은 자네 일을 돕지 못할 걸세. 추수를 할 때 그 아이의 손이 꼭 필요하네."

"물론 그러셔야죠."

"게다가 우리 딸 캘리가 몇 주 후에 혼례를 올릴 참이라서, 애 엄마가 그때까지 네이턴이 집에 있기를 바라는 모양이야. 혼례는 교회에서 치르지만 잔치는 여기에서 벌릴 걸세. 꼭 와 줬으면 하네."

"감사합니다, 페리 씨. 그런데 앞으로 한 달 넘게 여기 오기 힘들 것 같습니다. 숲에 진입로를 내야 하는 게 급해서……. 미리 축하의 말씀을 드립니다."

"고맙네. 캘리는 아주 훌륭한 청년과 결혼한다네."

갑자기 페리는 다시 그 일로 돌아간 듯 하였다.

"네이턴에 대해 한 가지 더 짚고 넘어 갈 게 있네. 그 아이의 애비가 나라는 사실을 잘 기억해두고, 내가 우리 집에서 아들을 대하듯이 우리 아들을 대했으면 하네."

"그런 걱정은 하실 필요가 없습니다. 제가 최선을 다해 데리고 있겠습니다."

"그렇다면 우린 계약을 맺은 것일세."

페리는 환한 웃음을 지으며 솥뚜껑 같은 손을 내밀었다. 나는 그 손을 잡았다. 서로 도움이 되는 거래였다.

페리와 헤어졌지만 곧장 빅스버그로 돌아가지 않았다. 그 대신 머드크리크 벌목장으로 향했다. 나는 미첼에게 직접 말하고 싶었다. 하지만 벌목장에 가보니 미첼은 몇 주 동안 자리를 비운 상태였다. 감독관에게는 몸져누운 아버지가 자기를 찾고 있다는 변명을 댄 모양이다. 보나 마나 거짓말이었다. 감독관도 눈치를 챘는지 이번에 돌아오면 다시 받아주겠지만, 미첼이 워낙 일을 잘 해서 특별히 봐주는 것일 뿐 다음번에는 국물도 없다고 으르렁거렸다. 미첼이 어디로 갔는지 알 수는 없지만 그다지 걱정되지 않았다. 또 여자한테 정신이 팔린 모양이다. 나는 미첼이 돌아오리라는 것을 알았다. 다만 이달 말부터 미첼과 함께하지 못해 아쉬울 뿐이었다.

****

며칠 동안, 소여가 주문 맡아놓은 가구를 모두 다 제작해야 했다. 소여에게 작별인사를 하며, 5, 6주 뒤에 돌아올 테니 혹여 미첼이 찾아오거들랑 그렇게 전해달라는 전갈을 남겼다. 마차에 생필품을 가득 싣고 그레인저 농장으로 향했다. 팔로미노는 소여에게 맡겨두었다. 삼림지로 데려가는 것보다는 그게 더 낫지 싶었다. 천둥을 노새처럼 부릴 수는 없었고, 그렇다고 시간을 따로 내 달리게 할 수도 없었다. 더구나 근사한 말을 타고 있는 모습을 타인들한테 보여 좋을 일은 없었다. 하물며 필모어 그레이저와 아들 같은 사람들과 계약을 했을 때는; 더군다나 아니었다.

어둠이 깔리기 전에 삼림지에 도착한 나는 산길 입구에 막대기를 세우고 방수포로 덮어 잠자리를 마련하고 이내 잠에 빠졌다. 다음 날 아침부터 길을 내기 위해 산길을 따라 나무를 베었다. 빅스버그에서 사온 바퀴로 수레 같은 운반도구도 만들었다. 통나무 한쪽을 수레에 올려놓으니 노새는 강까지 쉽게 운반할 수 있었다. 혼자서 일을 하자니 일의 속도가 나지 않았지만 사실 정작 힘든 일은 아직 시작도 못한 셈이었다. 가축과 마차가 지나다니도록 그루터기를 뽑아내고 땅을 골라야 했지만, 그루터기는 혼자서는 힘이 들어 그냥 두기로 했다. 그레인저가 일꾼들을 데리고 오려면 아직은 두 달이 남았다. 그루터기는 그들이 오면 처리할 작정이었다. 그저 미첼이 빨리 나타나기만을 바랄 뿐이었다.

알땅에 도착한 뒤 곧장 씨암탉과 수탉을 구입했으며 개도 구했다. 통조림 식품과 밀가루 포대, 옥수수가루, 설탕, 치커리와 그밖에 몇 가지 생필품을 빅스버그에서 미리 구입해왔다.

빅스버그에서 가져 온 씨앗은 봄이 되면 밭에 심을 참이었다. 지금은 쌀로 끼니를 때울 수 있는 데다 야채도 지천에 널려 있었다. 나는 워낙 갓을 좋아했는데 마침 저쪽에서 한 무더기 보였으며, 다른 나물도 숲 속 곳곳에 깔려 있었다. 고기는 사슴, 주머니쥐, 너구리, 토끼, 다람쥐 들이 우글우글했으니 쉽게 얻을 수 있을 것 같았다. 무엇보다 강에는 물고기가 넘쳐났다. 배를 곯을 일은 없겠다 싶었다.

몇 주 동안 오롯이 혼자 지냈는데 자꾸 캐롤린 페리가 생각났다. 캐롤린이 생각하는 방식이 좋았고, 생김새가 좋았고, 당당한 태도가 마음에 들었다. 캐롤린이 내 마음 깊숙한 곳을 건드렸다. 빅스버그로 네이던을 데리러 가면서 다짐했다. 페리에게 따님과 사귀어도 되겠냐고 정식으로 물어 봐야겠다고 결심했다. 페리의 농장에 가기 전에 소여를 먼저 만나러 갔다. 삼림지에서 저녁마다 짬짬이 만든 소형탁자 2점을 가져갔다.

"자네가 개간에만 마음 쓰는 걸 알고 있네. 그래도 재주가 아까워서 하는 말이네만, 자네만 좋다면 일거리야 얼마든지 맡아줄 수 있다네."

"감사합니다. 그렇지만 제 생각을 아실 겁니다. 삼림지에서 목공일을 하는 까닭은 현금을 만질 수 있어서입니다. 제가 염두에 두고 있는 것은 땅밖에 없습니다."

소여는 그 말에 고개를 끄덕였다.

"그래도 꼭 기억해두게. 뜻대로 안 되면 언제라도 돌아오게나."

소여에게 다시 한 번 감사를 표하고는 수고비와 2건의 가구주문을 받았다. 목재를 건네받으면서 목공구 몇 가지는 따로 구입했다. 소여는 그냥 빌려주겠다고 했지만 그냥 구입했다. 천둥을 빌렸을 때와 같은 이유였다. 소여에게 신세를 지고 싶지 않았다.

소여의 가게를 나와서 페리의 농장으로 향했다. 도착해보니 네이던도 없고 캐롤린도 보이지 않았다. 페리가 설명을 했다.

"이를 어쩐다? 네이던은 캐롤린과 어미를 따라 파이를 배달하러 갔지 뭔가. 저녁 식사에 맞춰서 돌아올 걸세."

내가 아무런 대구를 않자 페리가 말을 이었다.

"자네가 언제 올지 정확한 날짜를 몰라서, 알았더라면 네이던더러 기다리라고 했을 텐데."

"괜찮습니다."

페리를 안심시키기는 했으나 캐롤린이 없어 영 섭섭했다.

"네이던이 돌아오면 그때 출발하지요."

"안 되지. 그러기엔 너무 늦을걸. 차라리 오늘 밤은 여기에서 자고 내일 아침 일찍 출발하는 게 어떻겠나?"

나는 선선히 동의했다. 페리는 웃음을 보이며 덧붙였다.

"게다가 말이지, 얘 엄마는 네이던을 조금이라도 더 끼고 있으려고 하거든."

내가 말했다.

"오히려 잘됐군요. 저는 벌목장에서 일하는 친구를 만나 보고 오겠습니다."

페리가 나를 주목했다.

"머드크리크에 있는 벌목장인가?"

"예, 바로 거깁니다."

"거기에 친구가 있다는 게야?"

"맞습니다. 그 친구에게 개간하는 일을 도와달라고 부탁할 참인데, 그동안 연락이 닿지 않았습니다. 스트로베리로 돌아가기 전에 잠깐 들르려고 합니다."

"잘하면 가는 길에 우리 집 애들을 만나겠군. 그쪽 길로 파이를 배달하러 다닌다네."

"그런가요?"

페리가 너털웃음을 지었다.

"벌목장의 일꾼들이 우리 집사람의 파이와 케이크라면 아무리 먹어도 질리지 않나보이. 파이와 케이크를 하나도 남기지 않고 죄다 산단 말일세."

"그야 당연하지요. 부인의 음식 솜씨는 최고이니까요."

"우리 딸들도 마찬가지라네!"

페리는 자신 있게 말하고는 이내 쑥스러운지 껄껄 웃었다.

"이거야 자화자찬이구먼!"

나는 빙그레 웃었다.

"제 생각에도, 맞는 말씀인데요."

"그러게……젊은 일꾼들은 우리 딸의 요리솜씨에 반한 모양이야! 그래서인지 우리 딸과 빨리 결혼하고 싶어서 모두들 안달이거든."

페리는 다시 한 번 호탕하게 웃었다.

"캘리와 리슨의 남편들은 이미 맛있는 음식을 실컷 먹었고, 캐롤린도 이제 곧 자신의 음식을 맛있게 먹어 줄 남편을 얻을 걸세."

웃음이 내 얼굴에서 사라졌다.

"무슨 말씀인지?"

페리는 자랑스럽게 고개를 끄덕였다.

"얼마 있으면 우리 집 딸들이 다 결혼하게 되는 셈이네. 그다지 오래되지는 않았지만, 캐롤린이 마음을 준 친구가 있는 모양이네. 그 친구도 자네 친구가 일하는 벌목장에서 일한다더군. 나도 그 사람에 대해서 아는 게 많지 않아. 좋은 사람인 것 같기는 한데, 가족이 이 근방에 없다고 하는군. 캐롤린이 그 사람과 결혼한다기에 다음 여름까지 기도하며 기다리라고 했네. 그때까지 그놈이 여기에 남아서 열심히 일하는 모습을 보여준다면 좀 더 진지하게 생각해볼 참이네. 혈기왕성한 놈들에게는 1년이 긴 시간이겠지, 1년 동안 서로 조심하며 기다리려면 힘들겠지만, 세상을 살면서 그 정도는 참아 내야지. 우리 캐롤린은 의지가 강한 아이니 그놈과 함부로 어울리지는 않을 걸세. 제 엄마와 나에게 그렇겠다고 약속했고, 그놈도 그런다고 했으니, 사실 이제는 약혼한 거나 다름없네."

나는 그 소식에 우두망찰했다. 그래도 마음에 짚이는 게 있었다.

"빨리 친구를 만나러 가는 게 좋겠습니다."

1초라도 빨리 벗어나 혼자 있고 싶었기에 툭 말을 던졌다.

"아마 그곳에서 밤을 보내고 나서, 아침에 서둘러 네이던을 보러 오는 게 좋을 것 같습니다."

"거야 자네 맘이네만, 여기에서 하룻밤 지내도 좋을 텐데."

"예, 감사합니다. 폐가 아니라면 노새 1마리만 데려가고, 마차와 다른 노새들은 여기에 두고 가겠습니다. 개도 여기에 맡기겠습니다."

"개의치 말게. 아침식사 시간에만 맞춰서 돌아오게나. 집사람이 자네에게 하고픈 말이 있는 눈치일세."

나는 아무 대꾸도 않고 노새들을 풀러 갔다. 3마리는 풀을 뜯도록 놔두고, 나머지 1마리에 올라탔다. 페리가 안내해준 대로 벌목장 가는 길로 갔다. 캐롤린의 결혼 소식을 곰곰이 생각하던 끝에 벌목장에 예쁜 아가씨들이 드나들던 미첼의 이야기가 떠올랐다. 나는 미첼이 결혼하여 정착하리라고는 생각지도 못했다. 미첼 자신도 마찬가지였을 것이다. 그러나 캐롤린이라면 미첼의 마음도 얼마든지 돌려놓을 여자였다. 벌목장으로 가는 도중에 그 두 사람을 생각해 봤는데, 생각할수록 퍼즐 조각이 맞춰지듯 이가 딱딱 맞았다. 페리가 그 소식을 입에 올리는 순간, 이미 답을 알겠기에 나는 캐롤린이 결혼하는 사람이 누구인지도 묻지 않았다. 알고 싶지 않았지만, 알았다. 미첼이었다. 캐롤린과 결혼할 사람은 미첼이었다.

****

"어, 폴!"

미첼이 나를 보고 소리쳤다.

"여기는 어쩐 일이야?"

"너 좀 만나러 왔지. 오랜만이다."

"정말 그렇군."

서로 어깨를 두들기고 나서, 미첼은 나를 한쪽으로 데려갔다. 다른 벌목꾼들의 시선을 받지 않고 이야기를 나눌 만한 곳이었다.

"어디에 갔다 온 거야?"

둘만 있는 자리에서 내가 물었다.

"내가 여기를 비운 걸 어떻게 알았나?"

"들렀지. 아무도 이야기 안 하던?"

"아무도 그런 이야기를 안 하던데. 나도 마침 빅스버그로 가볼 참이었는데! 그때는 왜 들렀는데?"

어디에 다녀왔냐는 내 질문에 대답은 안 하고 미첼이 오히려 반문을 했다. 나는 미첼의 질문에 먼저 답을 했다.

"너에게 할 말이 있어 왔다가, 없어서 그냥 갔어."

"뭔데?"

"땅을 얻었어."

미첼은 큰 소리로 웃으며 축하해주었다.

"설마! 네가 전에 말하던 그 땅이야?"

"아니야, 그 땅은 아니야."

"그렇다면 어디 땅인데?"

"그 땅 근처에 있는 땅인데, 한 16만 제곱미터 되나, 현금을 준 건 아니고."

"대신 어떻게 해야 하는데?"

"2년 안에 16만 제곱미터에 있는 나무를 모두 잘라주기로 했어. 지름이 40센티 이상인 나무만 베면 돼. 그러면 그 땅의 소유권을 넘기겠대."

미첼은 의심스러운 눈초리를 보냈다.

"미시시피 삼림에 있는 나무들이지?"

나는 싱긋 웃었다.

"제대로 맞췄어."

"그런데 혼자서 2년 만에 16만 제곱미터를 싹쓸이하겠다고?"

미첼과 눈을 맞추었다.

"될 것 같은데……너만 도와주면?"

미첼이 싱글거렸다.

"왜 가만히 있는 나를 끌고 들어가? 나는 땅에 대해서는 입도 벙긋하지 않았는데. 땅을 원한 것은 바로 너잖아."

"네가 도와주고 땅을 나눠가지면 되잖아. 네가 8만 제곱미터를 갖고 내가 8만 제곱미터를 갖는 거야."

"나더러 그 8만 제곱미터로 뭘 하라고?"

"농사를 지으면 되겠지."

미첼은 잠시 궁리를 했다.

"너도 그럴 거야?"

"당분간만. 나중에는 거기에 남은 나무를 베어 팔아 돈을 모아야지. 그런 다음 더 좋은 땅을 살 거야."

"네가 원하던 그 땅 말이구나."

"그래……. 바로 그 땅."

"필요한 물건은 어떻게 할 거야? 다 준비했냐?"

나는 고개를 끄덕였다.

"당연히 다 사놨지. 노새 4마리, 마차, 도끼, 톱에다 밧줄, 식품도 다 준비했어. 필요한 것은 거의 웬만큼 다 갖춰놓았어."

미첼은 등을 돌리고 저쪽으로 걸어가 골똘히 생각에 잠겼다. 이윽고 몸을 돌려서 나와 마주했다.

"이 일을 결정하기 전에 할 말이 있어."

"대강 짐작이 된다."

"뭔데?"

"결혼하려는 거지?"

미첼은 아무 말 못하고 입을 떡 벌렸다.

"그래, 맞았어."

미첼은 내가 이미 알고 있다는 사실에 깜짝 놀라며 혀를 내둘렀다.

"어떻게 알았냐? 누가 말해주던?"

"네가 청혼한 아가씨의 가족과 알고 지내거든. 그 집 아버지가 말씀하시더라."

미첼은 머리를 흔들며 어이없다는 듯 웃었다.

"누가 일이 이렇게 될 줄 알았겠냐? 응? 내가 결혼해? 절대 안 잡힐 것 같은 놈이 그냥 발목 잡히네."

황당해하는 미첼을 보며 나는 웃음을 지었다. 미첼이 갑자기 진지해졌다.

"폴, 그런데 이 아가씨는 특별해."

"알아. 나도 몇 번 만났지."

"그래?"

"가족들과 함께 만났어. 그녀와 그녀의 아버지가 하루는 소여의 가게로 와서 엄마의 흔들의자를 만들어 달라고 했거든. 그때 그 아가씨를 만났어. 정말 참한 아가씨야."

"정말 그렇지?"

큰 행운을 잡았다는 듯 미첼의 얼굴에 웃음이 배어나왔다.

"지난여름에 자기 엄마를 따라 캠프로 파이를 팔러 왔는데 그때 처음 봤어. 올 봄까지는 그렇게 많은 이야기를 나누지 못했어. 그 아가씨가 나를 싫어하는 줄 알았지 뭐냐!"

미첼은 쑥스럽다는 듯 웃음을 터뜨렸다.

"그런데 왜 떠났던 거야?"

"못 들었냐? 우리 아버지가 시름시름 앓으셨거든."

"얼씨구!"

미첼은 킥킥 웃었다.

"그래, 폴. 사실은 잠시 벗어나고 싶었어. 어린 친구인데도, 나를 꼼짝 못하게 하는 구석이 있거든. 일부러 거리를 두려고 다른 사람도 만나봤지만, 아무 소용이 없었어. 만날 그 아가씨 생각만 나니 말이야."

미첼은 그렇게 자신의 마음을 털어놓으면서도 수줍어했다. 그러고는

청년시절

다시 입을 열었다.

"네가 보기에 그 아가씨는 어때? 특별하지?"

나는 고개를 끄덕이며 내 친구에게 정직하게 고백했다.

"사실은 그 아가씨와 교제하겠다고 그 집 아버지에게 청할 참이었는데, 그 전에 결혼을 약속했다는 이야기를 먼저 꺼내시더라."

"정말이야?"

"정말이지. 머뭇거리다 사귈 기회를 놓친 거야."

"그렇게까지 생각했었구나."

미첼은 말을 꺼내고도 잠시 주저주저했다.

"그 정도로 캐롤린을 좋아했어? 응? 내가 염려할 정도야?"

미첼은 내 표정을 자세히 살피는데, 얼굴에는 웃음기가 싹 달아나 있었다.

"나와 캐롤린 때문에 네가 힘들어진다는 거냐? 그렇다면 당장 말해!"

나는 고개를 저었다.

"너는 청혼을 했어. 캐롤린은 받아들였고. 전에 내가 어떤 감정을 지녔다하더라도 그건 이미 지난 일이야. 이젠 지웠어. 내 마음속에는 아무것도 남아 있지 않아."

나는 그렇게 말했다. 내가 한 말이 비록 진심이라고 해도, 이제껏 느껴보지 못한 아픔이 밀려왔다. 미첼은 나를 한참 살피더니 내 말에 안심했는지, 한숨을 크게 들이쉬었다.

"누가 짐작이나 했겠어? 폴? 내 곁에 그처럼 멋진 숙녀가 있다니! 캐롤린의 아버지가 내 말에 신경이나 쓰는지 모르겠지만, 내 마음은 변치 않을 거라고 약속드렸어. 나는 캐롤린을 아껴줄 거야. 무조건 위해 주며 살아가겠어."

내가 응수했다.

"그럴 거라고 믿는다. 더구나 8만 제곱미터에 이르는 일군땅을 갖는다면 말이야."

미첼은 요란하게 웃어댔다.

"이제 보니, 너 날 정말로 끌어들일 셈이구나?"

"그러면 거절할래?"

미첼은 침묵했다.

"내가 여자들과 어울려 다닌 것을 너는 알아, 폴. 그리고 내가 어디에서 태어났고 어떻게 살았는지도 알지. 그러니 캐롤린이야말로 내 인생에서 최고의 선물이라고 말하는 내 심정을 이해할 거야."

미첼이 나를 보았고 나는 대답 대신 고개를 끄덕였다.

"끝까지 캐롤린을 지켜줘라. 놓치기에는 너무 아까운 아가씨야."

미첼이 말했다.

"걱정 마. 나도 알아. 내가 전에 하던 짓을, 너야 속속들이 알고 있지만, 이번에는 믿어도 돼. 폴. 캐롤린에게 그러진 않을 거야."

친구의 말에 고개를 끄덕이고는 물었다.

"그렇다면 땅은 어때? 나랑 함께할 거냐?"

"앞으로 몇 주는 함께 일하기 힘들겠다. 빈털터리라서. 이 벌목장에서 일하며 돈을 조금이라도 모을까 해. 여기를 뜰 때는 총이라도 팔아서 현금을 만들어야지."

"그렇다면 나와 함께 일할 생각은 있어?"

미첼이 중얼거렸다.

청년시절

"네 부탁도 부탁이지만, 나에게도 좋은 기회니까."

미첼은 손을 내밀었다.

"우리는 친형제나 다름없잖아. 폴. 언제나 그래왔잖아."

미첼의 손을 잡았다.

"나와 피를 나누진 않았어도 너야말로 진짜 형제야."

우리는 악수를 나누었고 거래가 이뤄졌다. 그날 밤, 미첼은 계약서를 작성할 필요가 없다고 했으나 나는 합의사항을 작성했다. 악수를 나눈 걸로 미첼은 충분하다고 여겼다. 하지만 일을 확실하게 처리하려면 서류작업이 필요했다. 2년 동안 나에게 일이 생겨 토지소유권에 무슨 문제가 발생한다면 미첼에게 이 계약서라도 있어야 하기 때문이었다. 나는 이런저런 사항을 적어 서명을 했고, 완강하게 거부하던 미첼에게도 계약서에 서명하게 했다.

****

다음 날 페리 가족의 아침 식사 시간에 맞추기 위해 신새벽부터 길을 나섰다. 막상 도착해서 캐롤린을 보자 내 가슴은 걷잡을 수 없이 두근거렸다. 마음속에 그려왔던 모습보다 더 아름다웠다. 식사를 하려고 모두들 앉자 내가 입을 열었다.

"머드크리크 옆의 벌목장에서 돌아오는 길입니다. 거기에 친구를 보러갔었죠. 두 사람이 서로 아는 사이더군요."

나를 바라보는 캐롤린의 눈빛이 마치 춤을 추듯 흔들렸다.

"그래요?"

"예…… 이름이 미첼 토머스입니다."

"우리 미첼이요?"

캐롤린이 탄성을 질렀다.

"어디에서 그런 말을!"

페리가 나무랬다.

"정말 우리 미첼을 알아요?"

캐롤린이 흥에 겨워 비명에 가까운 소리를 질렀다. 나는 고개를 끄덕였다.

"우린 죽마고우입니다. 함께 텍사스 동부를 거쳐 미시시피로 건너왔습니다. 조지아에 있는 제 아버지 땅에서 같이 자랐어요."

페리가 부인에게 물었다.

"세상에, 어떻게 그런 일이! 당신도 들었소? 부인, 뭐 할 말 없소? 여기 로건 씨가 우리 캐롤린의 배필이 될 청년과 아는 사이라네."

페리 부인은 남편을 슬쩍 바라보더니, 놀랍게도 나에게 시선을 주며 말을 건넸다.

"좋은 사람인가요?"

나는 부인의 눈을 똑바로 바라보았다.

"예, 부인. 그렇게 생각합니다. 친구가 되고 나서 단 한 번도 실망한 적이 없습니다."

나를 잠시 바라보던 페리 부인은 환하게 웃는 딸에게 시선을 옮기는가 싶더니 다시 나를 향했다. 그러고는 아무 말도 하지 않았다. 다른 식구들이 미첼과 나에 대해 꼬리에 꼬리를 무는 질문을 끝도 없이 던졌지만, 부인은 입을 다물고 있었다. 아침식사가 끝나고 네이던과 함께 짐을 꾸리는데 페리 부인이 나를 한쪽으로 데려갔다.

청년시절

"흔들의자는 정말 고마웠다오."

"아닙니다. 부인의 부군께서 하신 일입니다."

"그렇다고 우리 아저씨가 흔들의자를 만든 건 아니지요. 댁이 만들었죠. 물론 값을 지불했고 댁에게는 의자 만드는 게 그저 일이었을지 모르나, 나로서는 정말 감사하게 생각한다오. 그렇게 정성껏 만들어 준 게 정말 고마웠소. 내가 그 멋진 의자를 보면서 늘 고마워한다는 걸 알아주시오."

"감사합니다, 페리 부인. 그런데 아시다시피 저 혼자 칭찬받을 일이 아니랍니다. 따님인 캐롤린 양이 꽃을 그렸지요."

"그야 물론 알지요, 압니다."

페리 부인은 먼 곳을 보면서 입술을 깨물더니 다시 말했다.

"댁에게 사과하고 싶군요."

"사과요?"

"맞아요. 저번 일요일에 댁이 식사하러 왔을 때 내가 따뜻하게 맞이하지 않았다고 남편과 캐롤린이 타박을 하더군요. 사실 나에게 지적할 필요도 없지요. 누구보다 내 자신이 잘 알고 있었으니까. 집에 찾아온 손님을 환대하지 못했지요. 내가 무례한 행동을 했다고 하더라도 그것은 댁과 아무 상관이 없는 일이요, 그러니 그 점을 생각해 주오. 댁은 훌륭한 젊은이고 일솜씨도 아주 뛰어나더군요. 언제든 우리 집에 들러 주오, 언제든지 환영하리다."

페리 부인의 말을 듣자니 감정이 북받쳤다. 그 이유를 모르겠다. 어쩌면 부인의 모습에서 돌아가신 어머니가 떠올랐는지도 모른다. 어쩌면 나는 그 부인의 당당한 자존심을 봤는지도, 어쩌면 그 이름 때문에 부인이 당했던 마음고생과 부인의 어머니가 겪었던 고초까지 고스란히 내 마음에 다가왔는지도 모른다.

나는 가슴이 벅차올라서 그저 고개만 끄덕였고, 부인은 별다른 말없이 나를 받아 주었다. 부인이 내 눈을 들여다보았고, 부인도 내 진심을 알았을 것이다.

****

삼림지로 돌아오는 길에 네이던과 나는 이야기를 별로 주고받지 않았다. 내 머릿속은 캐롤린과 미첼의 일에다, 기한 내에 나무를 벌목하는 문제까지 얽혀서 복잡했고, 네이던은 네이던대로 벌써부터 가족이 그리운 눈치였다. 삼림지에 도착하고 보니 땅거미가 지고 있었다. 그루터기를 아직 뽑지 않았기에 마차를 산길 입구에 세워두고, 둘이서 노새들을 풀어 새로 지은 창고로 끌고 갔다. 먼저 노새들과 개에게 먹이와 물을 주고는 목재와 연장을 내려서 창고에 들여놓았다. 일을 다 마치고 네이던과 함께 창고로 들어갔다. 침대라고는 조악하게 급조한 것밖에 없지만, 그나마 네이던에게 양보했다. 화톳불을 지피고 담요로 몸을 둘둘 만 다음에 불 옆 바닥에 누웠다. 네이던은 눕자마자 코를 골며 곯아떨어졌다. 나도 몸이 천근만근이었으나 밤이 깊어서야 겨우 잠이 들었다. 캐롤린과 미첼의 소식은 내게는 엄청난 충격이었다. 나는 혼자 그것을 마음속으로 삭혀야 했다. 내가 할 수 있는 건, 그게 다였다.

다음 날, 동이 트기 전에 일어나 불을 다시 피웠다. 네이던을 깨워 물을 길어오라고 강으로 보냈다. 네이던이 돌아왔을 때 치커리를 따르고, 페리 부인이 건네 준 빵과 햄을 펼쳐놓았다. 둘은 말없이 앉아 아침식사를 했다. 그러고는 네이던을 데리고 다니며 그날그날 해야 할 일을 가르쳐주었다. 산길은 어느 정도 정리된 상태였다. 네이던에게 길 중간 중간에 튀어 나온 그루터기를 파내거나 흙을 덮어 길바닥을 평평하게 하라고 한 다음에 나는 나무 몇 그루를 베었다. 일은 힘들었지만 네이던은 불평하지 않았다. 오후에는 오두막을 세우는 데 쓸 나무를 잘랐다. 가을이 코앞에 다가왔으니 좀 더 방한이 되는 거처가 필요했다. 내가 나무를 베면 네이던은 가지를 쳤고, 저녁때에는 그 잔가지들을 모아 물거리(편집자 주 : 잡목의 우죽이나 굵지 않은 잔가지 따위)를 모아 불을 지폈다. 나뭇등걸들을 앉기 편하도록 톱으로 평평하게 잘랐다. 한가운데는 음식을 조리할 수 있게 아궁이를 팠다. 우리는 그루터기에 앉아서 페리 부인이 바리바리 싸준 음식을 다시 먹었다. 저녁을 먹고는 네이던의 아버지와 약속한 사항을 지켰다. 더 정확히 말하자면 지키려고 노력했다. 나는 페리와 계약했고, 네이던이 모든 목공작업에 동참시키면서 일을 배울 수 있게 했다. 네이던은 관심을 보였지만 하루 종일 일에 시달리다보니 아주 피곤한 모양이었다. 어쩔 수 없이 네이던을 먼저 자라고 들여보냈다. 네이던이 벌목에 익숙해질 때까지 목공 기술을 가르치는 것을 잠시 미루는 게 좋을 것 같았다.

**** ****

며칠 뒤에, 여느 때처럼 네이던과 함께 한창 일하고 있는데, 찰스 제미슨의 아들인 웨이드가 예기치 않게 찾아왔다. 혼자서 우리가 일하는 산비탈로 올라왔다. 그때 나는 나무를 자르고 있었고 네이던은 쓰러진 나무의 가지치기를 하고 있었다. 그게 그래도 네이던에게는 덜 위험했다. 둘 다 일을 하느라 정신이 하나도 없는데, 갑자기 인기척이 들렸다.

"안녕하세요!"

웨이드가 외쳤다. 시끄러운 소리 너머로 아이의 말소리가 울려 퍼졌다. 네이던과 나는 일을 멈추고 소리가 난 쪽으로 돌아보았다.

"안녕하세요!"

웨이드가 다시 고함을 지르고는 산비탈을 오르며 손을 흔들었다.

"기억나세요? 로건 씨? 웨이드 제미슨이에요!"

기억을 더듬어보니 생각이 났다. 나는 고개를 끄덕였다.

"우리 집이 큰길 위에 있거든요. 이웃이라 인사를 하러 왔어요."

"고맙기도 해라."

네이던은 심드렁하게 대꾸했다.

"고맙긴, 뭘."

웨이드는 네이던의 말투에 별로 개의치 않았다. 웨이드는 스윽 둘러보았다.

"아버지 말씀으로는 여기에 있는 나무들을 죄다 벌목하신다면서요. 모두 16만 제곱미터라고 들었어요. 둘이서 그 일을 다 하는 건가요?"

"그렇단다."

내가 대답했다.

"손이 필요하지 않아요?"

"도와줄 사람이 올 거야."

"그래요? 그럼, 일을 마저 하세요. 저는 그냥 인사차 왔어요."

웨이드가 말했다.

"와줘서 고맙다!"

"앞으로 자주 들를게요."

아이는 돌아서서 몇 발자국 가다말고 다시 몸을 돌렸다.

"얘!"

네이던을 보며 말을 걸었다.

"이름이 뭐야?"

"네이던."

"음, 네이던, 너 낚시 좋아하니?"

"응……."

"우리 언제 낚시하러 갈까?"

"일 해야 돼."

이해한다는 듯 고개를 주억거리는 웨이드의 모습이 꼭 사려 깊은 노인 같았다.

"하루는 쉬지 않니? 토요일에 낚시를 같이 가지 않을래? 나도 학교를 쉬거든. 낚싯대도 여러 개 가지고 있어. 그리고 내가 정말 좋은 곳을 알고 있어. 로사리 가는 길에 종종 들려볼게. 저쪽에 있는 강 말이야. 괜찮지?"

네이던은 나를 흘끔 쳐다보고, 다시 웨이드를 향해 고개를 돌려 살짝 끄덕였다.

"좋아! 그럼, 그때 보자!"

웨이드는 씩 웃으며 말했다. 그러고는 우리에게 손을 흔들며 돌아갔다. 네이던과 나는 하던 일을 계속했다.

1주일 뒤 토요일 아침에 웨이드가 다시 왔다. 이번에는 낚싯대 몇

대를 들고 있었다. 웨이드가 함께 가자고 청하자 네이턴이 말했다.

"못 가는데."

"아침 이 시간이야말로 낚시하기에 딱 좋을 때야."

웨이드가 말했다. 네이턴이 주저하더니 다시 말했다.

"그거야 알지. 할 일이 너무 많아서 그래."

네이턴의 눈길이 낚싯대에 쏠려있는 걸 보니 무척이나 가고 싶은 모양이었다. 네이턴은 나와 얼추 비슷한 시간을 계속 일만 했지만 투덜거린 적이 없었다. 네이턴도 또래와 함께 재미있게 놀 시간이 필요했다. 내가 입을 열었다.

"네이턴, 저녁식사로 메기가 맛있을 거야. 웨이드와 함께 가서 좀 잡아오지 그래."

"그러면 나뭇가지는 어쩌고요?"

"이따 돌아와서 하렴. 정오까지는 와."

네이턴은 활짝 웃었다.

"예, 그럴게요."

그러고는 웨이드와 행복한 표정으로 집을 나섰다. 각자 낚싯대를 손에 들고서. 그다음부터 토요일에 웨이드가 낚싯대를 들고 나타나면 네이턴을 딸려 보냈다. 일거리가 워낙 많아서 고작 반나절만 낚시를 허락했으나 네이턴이나 웨이드는 더 조르지 않았다. 낚시는 1주일에 한 번 갔지만, 웨이드는 얼굴을 자주 내밀었다. 거의 매일 학교가 파하기 무섭게 삼림지에 와 도울 일이 없냐고 물었다. 나는 웨이드의 도움을 에둘러서 거절했다. 그래도 웨이드는 네이턴 곁에서 일을 도우며 시간을 보냈다. 웨이드가 놀러 와도 네이턴이 게으름을 피우지는 않아서 처음에는 그다지 신경 쓰지 않았다. 하지만 네이던이 웨이드가 놀러오기를 기다리거나, '웨이드가 이랬어요. 웨이드가 저랬어요.'라며 앵무새처럼 나에게 말을 옮기기 시작하는 걸 보고서 네이던에게 새로운 친구와 거리를 두라고 충고하기로 결심했다.

"웨이드와 너무 친하게 지내는 거 아니냐?"

일을 끝내고 바깥에서 불을 피우고 저녁을 먹을 때 말을 꺼냈다. 네이던은 눈길을 피하다가 다시 나를 보았다.

"왜요? 웨이드는 정말 착해요."

나는 그 말에 동의했다.

"물론 착하지. 하지만 백인이야."

네이던은 시선을 내리깔고 컵을 그냥 들여다보기만 했다.

"여기에 우리 둘 말고는 아무도 없잖아요. 웨이드는 나를 좋아하는 데다 머리도 영리해요. 걔랑 친구가 된다고 해서 손해 볼 건 없어요."

내가 설명을 했다.

"그럴지도 모르지. 하지만 경험에 비춰 보건데, 유색인과 백인은 우정을 끝까지 지킬 수 없어."

내 형제인 로버트가 생각났다.

"백인들은 유색인의 피부색을 절대로 잊지 않아. 그 아이와 얼마나 친하다고 여기는지 모르겠다만, 백인들은 자신의 이익에 손해가 된다 싶으면 주저 없이 너한테서 등을 돌릴 거야. 그 애도 마찬가지야."

네이던은 내 말이 틀렸다는 듯 어깨를 으쓱 올렸다.

"우리는 낚시만 하는걸요."

"낚시?"

다시 한 번 로버트가 떠올랐다. 고향땅, 개울가의 바위 언덕 틈에 숨겨둔 낚싯대가 기억났다. 네이턴이 여기에서 가족과 떨어져 나하고만 일을 하는 게 얼마나 힘들지 짐작이 갔다. 얼마나 또래의 친구를 사귀고 싶을까? 또래 친구 사이의 백지위임과 같이, 무조건 믿어주는 우정에 대해서도 알고 있었다. 하지만 배신에 대해서도 또한 잘 알고 있었다. 로버트에 대해 들려주고 싶었지만 그럴 수는 없었다. 어쩌면 웨이드는 그런 상처를 주지 않을지도 모른다.

"낚시!"

나는 그 낱말을 다시 입에 올려보았다.

"낚시. 친구와 놀기에 딱 좋지."

그러고는 네이턴을 똑바로 쳐다보았다.

"그래도 웨이드와 너무 어울리지는 말아라."

네이턴은 분노의 눈빛으로 나를 쳐다보았다. 자기 아버지가 내 말이라면 무조건 따르라는 당부를 받았건만, 지금은 아무 소용이 없었다.

"아침에 쓸 물 좀 길어올게요."

네이턴은 그 말을 하고 일어섰다. 양손에 물통을 들고 강으로 향하는 네이턴의 뒷모습에서 내 충고가 먹히지 않았다는 것을 알았다. 치커리 남은 것을 마시고 나서 장작불에 통나무를 던졌다. 네이턴은 웨이드 같은 백인 아이와 사귀면, 어떤 일이 생기는지 직접 알아내는 수밖에 도리가 없겠구나 싶었다.

****

그런 이야기를 나누고 며칠 지나지 않아, 나무를 베고 내려와 보니

청년시절

웨이드가 네이턴과 함께 가지치기를 하고 있었다. 네이턴을 한쪽으로 불렀다.

"웨이드가 왜 너와 함께 일하는 거냐?"

"그냥 나를 도와주고 싶대요."

"그럼, 고맙다고 말하고 그만 보내라."

"하지만……."

"시킨 대로 해!"

나도 모르게 목소리에 힘이 들어갔다. 웨이드가 돌아가는데 네이턴에게 건네는 소리가 들렸다.

"나 때문에 너만 혼나는 거 아니야?"

네이턴이 하는 말도 들렸다.

"염려하지 마. 제대로 이해를 못 하는 것뿐이야."

그 말을 듣자, 내게 무슨 일이 있었는지, 나와 내 형제와 같은 가까운 사이에 무슨 일이 있었는지, 네이턴은 죽다 깨어나도 모를 것 같았다. 그걸 깨닫지 못하면 믿어서도 안 되고, 믿지 말아야 할 사람까지 신뢰할 것 같았다. 그래서 네이턴이 스스로 세상의 이치를 깨달을 때까지 기다리자던 내 입장을 바꾸었다. 일을 마치고 밤에 불을 피워놓고, 같이 앉아 있을 때 로버트에 대한 이야기를 꺼냈다.

"우리 아버지가 백인이라는 것쯤은 진즉에 알고는 있었겠지? 우리 아버지에게는 자식이 5명이 있었어. 2명은 우리 엄마에게서 태어났지. 내 누이와 나야. 다른 3명은 백인 부인에게서 태어났어. 우리 아버지는 누나와 나를 백인 아들들과 함께 키웠어. 정식 자식으로 인정해준 거야. 백인 아들들에게 주는 것이라면 똑같이 누나와 나에게도 주었고 공부까지 시켜주었지."

"백인 형제 중 막내와 나는 동갑내기라 유별나게 친하게 지냈어. 우리 둘은 모든 걸 함께했어. 우리는 그저 형제가 아니라 가장 친한 친구였어. 더 가까워질 수 없을 정도였으니까. 조금씩 어른이 되어가던 15살 무렵이었어. 같은 학교에 다니는 백인 친구들이 놀러 왔었어. 아주 어린 시절에 우리는 그 아이들을 몹시 경멸했고, 한패가 되어 맞섰지. 그런데 그 아이들이 놀러오자 내 형제는 그들과 어울리려고 나에게 등을 돌렸어."

칠흑 같은 어둠을 뚫어져라 바라보고 있노라니 케케묵은 고통이 스멀스멀 기어올랐다.

"내 형제이자 가장 친하던 친구가 자신의 백인 친구들 때문에 나에게 등을 돌렸던 거야. 나는 그날 내 형제가 보여준 배신 때문에 비참하고 고통스럽고 상처뿐인 교훈을 배웠지. 지금도 가슴 깊이 새겨두고 있어. 우리는 단순히 친구가 아니라 피가 섞인 혈육이었다. 하지만 그 형제가 나에게 등을 돌리던 순간, 나는 백인은 자신의 이익을 보존하기 위해서는 백인들끼리 뭉칠 수밖에 없다는 것을 처절하게 깨달았다. 아무리 가까운 유색인이 있다고 하더라도 말이다. 백인들이란 결국 백인들만의 입장에 서게 돼. 다른 백인들도 마찬가지야."

이야기를 마치고는 잠자코 있었다. 네이던도 침묵을 지키며 앉아 있었다. 그러나 네이던이 나를 향해 얼굴을 돌렸는데, 수긍할 수 없다는 표정이었다. 네이던이 나지막이 말했다.

"그야 형 일이죠."

"그래, 그건 저 사람 일이지!"

어둠 속에서 큰 소리가 들렸다.

"하지만 그 말을 가슴 속에 담아 두는 게 좋을 거야."

네이던과 함께 벌떡 일어나서 작은 강을 바라다보았다. 잊을 수 없는 목소리였다. 나는 어둠 속에서 장작불 빛으로 들어오는 미쳴을 보고 빙그레 미소를 지었다. 미쳴을 보자마자 기쁜 마음에 나는 웃음을 지었고, 미쳴을 워낙 따르는 네이던도 활짝 웃었다.

"인기척도 없이 왔군."

내가 말했다.

"그러게. 개라도 한 마리 키우지 그랬어."

"한 마리 있어."

"어디에 있는데?"

"저쪽이요."

네이던이 말했다.

"그럼 당장 총으로 쏘아 죽이고 다른 놈을 구해 봐."

미쳴은 농담을 던지며 불가에 앉았다. 그리고 빈 식기를 바라보았다.

"남은 음식이 없어?"

옥수수 빵만 조금 남아 있었다. 네이던과 나는 매일 녹초가 되는 하루를 보내고 있기에 우리는 요리한 음식은 무조건 다 먹어 치우고 있었다. 그나마 달걀과 야채가 있어서 부랴부랴 음식을 만들고 옥수수 빵도 한 판 더 구웠다. 그 사이 미쳴은 벌목장에서 있었던 일과 이쪽으로 오던 길에 겪었던 일을 들려주었다. 그리고 가장 궁금했던 캐롤린을 포함한 페리 가족의 안부를 전했다.

"바로 어제 만났는데, 다들 너를 너무너무 사랑한단다. 네이던. 편지도 가져왔다. 캐롤린이 썼어."

미쳴이 편지를 전해주자 네이던의 얼굴이 기쁨으로 빛났다.

"편지는 아직 읽지 마라."

미쳴이 말했다.

"우선 내 말을 들어봐. 폴이 하던 이야기를 오다가 들었어. 자신의 가족 그것도 백인 가족에 관해 털어놓더구나. 그러기가 쉽지 않았겠는데, 너를 위해 밝혔으니 잘 새겨들어라. 폴이 치부라면 치부랄 수 있는 이야기를 숨김없이 밝히며 백인에 대해 주의를 주는데도, 듣자하니 '그야 형 일'이라는 둥 명청이 같은 말만 지껄이더구나. 네 백인 친구 나부랭이는 다를 것 같지?"

네이던은 입을 열지 않았다.

"물어봤으면 대답을 해야 할 것 아니야?"

네이던은 미쳴을 쳐다보지도 않고 딱딱하게 말했다.

"웨이드는 제 친구예요."

"쳇, 웨이드?"

미쳴은 나를 흘낏 보더니 네이던에게 눈길을 고정했다.

"아직도 그런 걸 믿는 거냐? 백인 아이 웨이드가 네 친구라는 걸? 언젠가 스스로 깨닫겠지만 그 대신 대가를 톡톡히 치러야 할 거야. 고집불통인 종자들은 뭐든지 쉬운 방법으로는 배우려 들지 않거든. 스스로 깨달아야 직성이 풀리지. 나처럼 말이야. 나도 앞뒤가 꽉 막힌, 고집이 똥고집이라 누구보다 그런 걸 잘 안다."

네이던은 한마디도 않고 어둠을 응시했고, 미쳴은 그런 네이던에게 더는 마음 쓰지 않았다. 미쳴은 나에게 고개를 돌렸다.

"여기 일 좀 이야기 해 봐, 폴. 앞으로 어떻게 하면 되지?"

미첼이 식사를 하는 동안 벌목에 대해 자세히 설명해주었다. 둘 다 녹초가 된 상태였지만 한두 시간 더 이야기를 나누었다. 네이던은 불 옆에 대자로 누워 기지개를 펴더니 금세 잠이 들었다. 미첼과 나도 도저히 눈을 뜬 상태로 버틸 수 없게 되자, 자리에 누웠다.

****

다음 날, 동 트기 전에 일어나서 미첼과 네이던을 깨웠다. 어제 먹다 남긴 옥수수 빵에다 뜨거운 치커리 차를 곁들여 아침식사로 때우고는 모두 함께 일을 시작했다. 미첼도 함께 있으니 매달 벌목량을 맞추는 것이 걱정되지 않았다. 그날 이후로 매일 나는 미첼, 네이던과 함께했으며 우리는 언제나 늦게까지 일했다. 심지어 벌목장에서보다 더 오래 한 적도 많았다. 날도 밝기 전에 일어나, 노새에게 여물과 물을 주고 나서야 아침 숟가락을 들었다. 그러고는 남아 있는 불로 옥수수 빵을 한 냄비 만들고, 야채죽도 한 솥 끓이고, 소금에 절인 돼지고기도 구워서 한쪽에 모아두었다. 점심과 저녁이었다. 낮에 음식을 하느라 시간을 허비할 수가 없었다.

날이 희붐하게 밝아올 무렵이면 벌목은 이미 시작되었다. 점심은 정오에 먹었다. 저녁에도 가축에게 먼저 먹이를 주었고, 어둑어둑해질 무렵에 비로소 숟가락을 떴다. 아무것도 보이지 않는 밤이 되었다고 일이 끝난 것은 아니었다. 불을 피워서 그날그날 쳐낸 나뭇가지들을 태워야 했다. 자정이 지나 불이 사그라질 즈음이면 옷도 제대로 벗지 못한 채 다들 곯아떨어지기 일쑤였다. 쉴 틈이 나질 않았다. 우리는 가까운 교회 모임에도 나가지 못했고 일요일에도 안식일을 어겼다. 주님은 7일 째 되는 날 쉬셨건만 미첼과 나는 그런 건 꿈도 못 꾸었다. 미첼이 온 처음 몇 주는 일요일마다 오두막을 짓거나 임시로 쓸 가재도구를 만들며 지냈고, 또 강에 다리를 놓았다. 옷을 빨고 꿰매는 것과 같은 개인적인 일도 일요일에 몰아서 했다. 누나에게 편지를 쓰는 일이나, 주문받은 가구를 만드는 일 혹은 네이던을 가르치는 일 등은 모두 일요일에 할 수밖에 없었다. 오두막을 완공하자, 일요일에도 나무를 벨 수 있게 되었다. 크리스마스가 오고 갔지만 여전히 우리는 나무를 자르고 있었다. 우리는 계속 일을 했지만 누구 하나 불만을 토로하지는 않았다. 모두 젊고 힘이 넘치고 건강하다고 자신했으므로, 16만 제곱미터의 개간지를 얻는 일에 문제가 없을 것 같았다.

예정대로 한 달에 한 번 씩 그레인저와 할란은 일꾼들을 데려와서 로사리 강으로 목재를 떠내려 보냈다. 올 때마다, 우리가 통나무를 잔뜩 쌓아놓고 기다려 그레인저도 흡족해했다. 그레인저 부자가 목재를 가져갈 때면, 미첼은 강에서 목욕을 하고 옷도 깨끗이 갈아입은 다음에 노새를 몰고 캐롤린을 보러 갔다. 토요일에 떠나 일요일을 캐롤린과 그녀의 가족과 함께 보내다가 월요일 새벽이면 일터로 돌아오곤 했다. 잠도 한숨 못 잔 상태였지만 일을 하러 왔다. 네이던도 가끔 같이 갔고, 그렇게 두 사람이 가고 나면 나는 혼자 남아 일을 했다. 월요일 아침 해가 뜰 즈음이면 미첼은 항상 벌목할 준비를 마친 상태에서 나타났다. 캐롤린과 만난다고 해서 일을 소홀히 하지 않으니 나로서는 불평할 게 없었다. 가끔은 주말마다 떠나는 미첼더러 독실한 기독교인이 다 되었다고 놀려주었다. 미첼만 즐겁게 보낸다고 해서 샘을 내지

청년시절

는 않았다. 둘이서 같이 지내고 싶은 연인들의 심정을 모르는 바가 아니었다. 물론 마음 한구석에는 캐롤린을 만나러 가는 게 내가 아니라 미첼이라서 못내 아쉬웠다. 하지만 미첼의 매월 가는 여행에 익숙하게 된 뒤로 그런 생각을 깊이 하지 않았다. 한번은 일요일 밤 늦게 미첼이 돌아와서 전혀 뜻밖의 소식을 전했다.

"로버트가 빅스버그에 다녀갔단다."

미첼은 꺼져가는 장작불을 앞에 두고 의자에 털썩 주저앉았다. 나는 아무 말 않고 돌아보았다.

"지난주에 일꾼을 데리고 빅스버그에 들렀다고 하더라."

"로버트가? 빅스버그에는 무슨 일로 왔대?"

"너를 찾으러 왔는지도 모르지."

나는 침묵했고 미첼도 마찬가지였다. 한참 만에 내가 말문을 열었다.

"너는 어떻게 로버트 소식을 들었냐?"

"노새의 편자 한쪽이 달아나서 다른 것을 붙이러 마차 역으로 갔지. 거기에서 누가 메이콘에서 온 로버트 로건이라는 사람이 좋은 말을 사러왔다고 떠벌이더라고. 말을 구입하러 왔나 봐."

"로버트가 아직 있을까?"

"모르겠어. 그렇지는 않을 것 같아. 지나가던 참인지도 모르지."

미첼이 나를 건너다보았다.

"한번 찾아볼래?"

나는 가만히 생각해보고는 고개를 저었다.

"로버트는 내가 있는 곳을 알면 당장 찾아올 테지. 하지만 내가 나서서 찾고 싶지는 않아."

미첼이 고개를 끄덕이고는 사그라지는 불길로 시선을 돌렸다.

그날 밤, 온몸이 피곤했지만 오두막 잠자리에 누워서도 쉽게 잠들지 못했다. 로버트가 계속 생각났다. 조지 형과 하몬드 형이 떠올랐고 아버지의 안부도 궁금했으며 무엇보다 누나가 그리웠다. 오랫동안 떨어져 지내다보니 다들 보고 싶었다. 누나의 편지에서 아버지와 형제들의 소식뿐 아니라 매형과 조카들 이야기까지 자세히 접해온 터라, 가슴이 아렸다. 만나고 싶은 생각이야 굴뚝같았지만 아직은 때가 아니었다. 과연 로버트가 나를 찾으러 일부러 온 것인지도 궁금했다. 누나에게 편지를 보낼 때 물어보기로 마음먹었다. 로버트! 그도 나처럼 변했는지 궁금했다.

****

봄이 저만큼 오고 있을 때, 그동안 만들어 놓은 가구를 전해 주러 소여에게 갔다. 미첼과 네이던도 따라나섰다. 네이던은 집에 가고 싶어 안달복달했다. 지난번에 미첼이 리슨이 아기를 낳았고, 캘리가 임신했다는 소식을 전했기 때문이다. 소여 가게에 가자마자 미첼과 네이던은 노새를 마차에서 풀어 페리 집으로 달려갔다. 나는 소여에게 맡겨둔 천둥도 살펴야 하고 가구주문도 확인해야 된다고 핑계를 대며 따라가지 않았다. 사실은 아직 캐롤린을 아무 일도 없었던 보통 사람처럼 만날 수 있는 마음의 준비가 되지 않았기 때문이었다.

그날 밤 창고에서 하룻밤 묵어도 되냐고 묻자 소여는 선뜻 그러라고 했다. 늘 그렇듯이 소여는 내 가구에 흡족해했고, 품삯을 지불했다. 잠시 후에, 목재도 고를 겸, 소여가 받아둔 누나의 편지를 읽기 위해 창

청년시절

고로 들어갔다. 지난 번 편지에 로버트가 내 소재지를 아냐는 질문을 보냈더니, 누나는 그럴 리가 없다는 답장을 보내왔다. 아버지가 일 때문에 빅스버그로 로버트를 보냈고, 그게 전부라는 것이었다. 나는 안도했다.

****

몇 주가 흘러, 미첼이 결혼 준비를 했다. 양복 한 벌과 구두 한 켤레를 구입하였고 더블 침대를 직접 만들었다. 나에게는 캐롤린이 쓸 자그마한 장식장을 부탁했다. 미첼은 캐롤린에게 집을 약속했는데, 그 계획을 세웠다. 미첼이 집 지을 땅을 고르고, 함께 집을 짓기로 했다. 미첼은 혼례를 치르기 전에 집을 완공해야 한다고 했다. 시간이 충분할 것 같았는데, 뜻밖에도 그레인저가 불쑥 찾아와 나무가 더 필요하다고 해 우리를 깜짝 놀라게 했다. 그렇게 되면 미첼의 계획이 꼬이게 된다. 여느 때처럼 아들인 할란과 같이 왔는데, 어디든 아들을 강아지처럼 데리고 다니는 모양이었다.

나는 저만큼 떨어져 서 있는 미첼을 흘깃 보고는 입을 열었다.

"그레인저 씨. 계약 만기 1년 전까지는 16만 제곱미터의 절반을 개간하기로 합의했는데요."

그레인저가 말했다.

"내가 지금 그런 이야기를 하는 게 아니잖아. 벌목량을 더 늘려달란 말이야."

나는 이맛살을 찌푸렸다. 지금 현재 일일 벌목량도 힘에 많이 부친다 싶을 정도다. 이런 상황에서 작업량을 늘리려면 일손이 더 필요했다.

"얼마나 더 원하십니까?"

"1주에 80그루를 더 추가해 줘."

나는 고개를 저었다.

"제가 보기엔 힘들 것 같습니다. 그레인저 씨. 지금까지 하루에 꼬박 14시간 동안 내리 일만 죽어라고 하고 있답니다."

"그야 나도 알아. 다들 열심히 했어. 과연 할까 싶었는데 의외로 해내더군. 하지만 어쨌든 나무가 더 필요하단 말이야."

"80그루는 지나칩니다."

"이번에 새로 계약을 따냈는데, 널빤지가 더 필요한 모양이야. 결국 벌목량을 늘려야 하니, 어떻게든 80그루를 추가해 봐. 정 못하겠다면 그 일을 할 만한 사람을 구할 수밖에!"

나는 그레인저의 눈을 똑바로 보았다.

"우리 계약서에는 직경 40센티미터 이상의 나무를 2년 내에 자르면 된다고 합의한 걸로 나왔는데요."

"그거야 지금도 유효하지. 나무가 더 필요해서 나무를 좀 더 빨리 자르는 것뿐이야. 계약에는 나무를 다 잘라야 한다고 했으니, 수량과 기간을 맞추는 게 좋을 거야."

바보가 아닌 바에야 협박이나 마찬가지라는 걸 알 수 있었다. 그레인저 말대로 나무를 자르지 못하면 땅을 고스란히 내 놓아야 할 판이었다.

"언제까지 그렇게 해야 합니까?"

"내가 계약한 분량을 채울 때까지야."

"그 분량을 대충 알면, 어느 정도 걸릴지 어림잡을 수 있을 텐데요."

그레인저는 입을 다물고는 실눈으로 쳐다보더니 이야기를 흐렸다.

"8만 제곱미터를 벌목할 때까지라고 해두지. 그렇게 할 수 있겠어? 좋게 생각해. 하루라도 빨리 개간을 끝내야 농사도 짓고 추수를 할 수 있지 않겠어?"

대화가 한참 오가는 동안 미첼은 한마디도 참견하지 않았다.

나는 미첼을 바라보았다.

"어떻게 하지?"

미첼의 눈이 그레인저에게 꽂혔으며, 그레인저는 그 시선이 거슬렸는지 표정이 붉으락푸르락 험악해졌다. 미첼이 말문을 열었다.

"그동안 이 땅에 뿌린 땀을 헛되게 할 수는 없잖아. 너한테 달렸으니, 하고 싶은 대로 해. 나는 그 결정에 무조건 따르마."

그레인저에게 돌아서는 순간, 그레인저가 호락호락한 사람이 아니라는 홀렌벡과 제미슨의 경고가 뇌리를 스쳤다. 미첼이 옳았다. 땅을 잃어버리기에는 우린 이미 수개월 동안 너무 많은 땀을 흘렸다.

"알겠습니다. 그레인저 씨. 무슨 수를 쓰더라도 80그루를 추가로 자르지요."

그레인저가 한마디 더 했다.

"그리고 이제부터 한 달에 한 번이 아니라 2주에 한 번씩 일꾼들을 데려와서 통나무를 내려 보내야겠어. 반드시 수량을 채우도록 해."

"틀림없을 겁니다."

"말을 잘 듣는군."

그레인저는 뉘 집 개를 칭찬하듯이 툭 내뱉었다. 백인 남자와 거래를 한다는 게 어떤 느낌인지 피부에 확! 와 닿았다. 그리고 동네 개 취급을 받는 느낌도 어떤지 알 것 같았다. 피가 거꾸로 솟고 머리끝까지 부아가 치밀어 올랐지만 말을 삼켰다. 우리 아버지가 그걸 가르쳐 주었다. 이런 인간에게는 맞서서는 안 된다.

그레인저가 가고 나자 미첼이 도끼를 나무에 내리찍었다.

"그 자식의 머리를 빠개버리지 그랬어."

미첼에게 시선을 돌렸다.

"그러게 말이야. 그러면 백인들이 개떼처럼 몰려와 내 목에 밧줄을 드리우겠지?"

미첼이 대꾸했다.

"나는 저런 비열한 놈은 못 믿어."

"나도 마찬가지야. 그래도 저 사람이 쓴 계약서가 있으니 이 땅을 갖게 될 거야."

"그렇다고 어떻게 1주마다 80그루를 더 벌목한단 말이야? 우리가 아무리 내로라하는 벌목꾼일지라도 그건 힘들어."

나는 어깨를 으쓱했다.

"잠을 줄이면 되겠지."

미첼이 볼멘소리를 했다.

"나는 못 해. 더는 못 줄여."

"그럼 무슨 수가 있을까?"

미첼은 잠시 먼 산을 보더니 나에게 돌아섰다.

"톰 비라는 사내를 알아. 저번 벌목장에서 함께 일했는데 나보다 먼저 그만 두었지. 사람은 착해. 우리보다 나이도 많고 식구도 딸렸는데 나무를 어떻게 베어야 하는지 알지. 실력은 우리보다는 뒤처지는 편이라 하루에 10에서 12그루 처리할 정도니 나머지는 우리가 감당해야

돼. 여기에서 멀지 않은 곳에 가족이 있어서 얼씨구나 하면서 합류할
거야."

나는 이마를 찡그렸다.

"품삯을 원할 텐데."

미첼이 따지는 어투로 물었다.

"그렇게 못 해?"

미첼과 눈을 마주치며 머릿속으로 이런저런 궁리를 했다. 미첼이 물
었다.

"그 정도 돈이야 있잖아?"

"품삯을 주면서 일손을 빌릴 생각은 못 했어. 돈이야 다른 데 쓰려
고 했지."

"그랬겠지. 그런데 지금은 그레인저가 원하는 수량을 채워야 할 거
아냐. 그렇다면 도와주는 이도 없이 그 많은 나무를 어떻게 자를 건
데? 나한테 벌목장에서 일하고 받은 품삯이 조금 남아 있으니 그거라
도 보탤게. 결혼 예복도 이미 사 뒀으니 말이야."

생각을 거듭하던 나는 마지못하여 고집을 꺾었다.

"좋아, 하지만 톰 비라는 사람은 벌목장보다 더 오랜 시간을 일해
줘야 해."

"돈은 벌목장만큼 줄 거야?"

나는 미첼의 눈을 보며 동의했다.

"일을 하러 온 사람을 상대로 사기는 치지 않아. 식사야 물론 줄 거
고 나무를 얼마나 자르냐에 따라 품삯을 결정하겠어."

미첼이 끄덕였다.

"그럼 좋아, 폴. 내일 날이 밝자마자 그 사람을 찾아볼게. 워낙 수다스러운 게 한 가지 흠이라면 흠인데, 내가 미리 말했으니 그걸로 투덜거리지는 마라."

미첼과 연락이 닿은 톰 비는 그날 느지막이 아예 일할 차비를 갖추고 나타나 다행이다 싶었는데, 문제는 백인 소년을 데리고 온 것이다. 소년은 10대 중반으로 보였는데, 낯이 익었다.

"저 아이는 뭐하러 데리고 왔어요?"

미첼은 소년을 보자마자 따졌다.

"존 웰러스라는 아이인데 내 그림자라고 할 수 있지."

떠버리 톰 비는 아이가 다 들리는 곳에 서 있는 데도 주절거렸다.

"1년 전쯤, 쟤가 바보처럼 늪을 건너다가 빠져 허우적거리는 거야. 그걸 보면서 혼자 중얼거렸지. '주님 도와주소서! 잘못하면 쑥 들어가서 그만 못 나오겠어요.' 그 순간에는 저 불쌍한 멍청이가 빠져 죽겠다는 생각만 들 뿐 달리 아무것도 떠오르지 않더라고. 허연 놈이니 까만 놈이니 뭐 그런 것은 생각도 나지 않더라고. 그냥 주님의 뜻대로 늪 속으로 풍덩 뛰어들어 저 아이를 질질 끌고 나왔지. 그 뒤로 쟤는 나를 생명의 은인으로 여기는지 어디든 졸졸 따라다니는 거야. 원래 일가친척과 앨라배마에 살다가 거기를 떠나 빌럭시 근방에서 허랑방탕한 형과 잠깐 지낸 모양인데, 이쪽으로 오다가 나를 만났어. 그 때문에 늪지에 빠진 거야. 형이란 인간이 가끔 나타나서 존을 데려가곤 하는데 조만간 나타날 거야. 존이 나를 따라 다니는 것처럼 걔 형도 역시 존을 졸졸 따라다니거든."

아이를 다시 보니 기억이 났다. 산마루에서 닭 서리꾼을 잡으러 다

청년시절

니던 사람들 사이에 끼어 있었다. 아이도 나를 보더니 한마디 했다.

"우리 전에 만나지 않았나요?"

아이는 나를 이리저리 뜯어보았다.

"분명히 낯이 익는데요."

내가 대꾸했다.

"전에 만났다면 내가 기억하겠지."

"하지만 꼭 그런 것……."

톰 비가 나무랐다.

"입 좀 다물고 있을래! 얘야! 그만 따지고 저쪽에 가. 어른끼리 할 얘기가 있으니까!"

아이는 나를 다시 한 번 힐끔거리더니 강 쪽으로 자리를 떴다. 미첼은 의구심으로 가득한 눈으로 아이의 뒤를 쫓았다. 내가 물었다.

"왜 쟤를 데려온 거요? 도대체 저 애한테 뭘 시키려고요?"

톰 비가 대답했다.

"나랑 같지 뭐. 여기에서 벌목을 할 거야."

나는 머리를 내저었다.

"한 사람에게만 줄 일당밖에 없어요."

"따로 일당을 줄 필요는 없소. 그냥 식사만 제공하면 돼요. 쟤는 내 옆에서 있는 것뿐이오. 일을 할지 말지는 걔 마음이겠지. 일할 생각이 없으면 여기에서 나갈 테고. 혹 나무를 자르더라도, 거야 나에 대한 감사의 표시니, 말썽 부릴 일은 없어요."

미첼은 머리를 흔들었다.

"그래도 썩 내키지 않는걸."

나도 같은 생각이었다.

"나도 그래. 여기에는 백인 아이가 일을 해서는 안 돼."

톰 비는 고개를 끄덕이며 산비탈을 바라보았다.

"저기에 있는 허연 놈은 뭐여!"

톰 비의 시선을 따라 눈을 돌렸다. 산비탈에서 웨이드가 잡목을 끌고 내려왔다. 나는 한숨을 푹! 쉬었다.

"저 아이는 그냥 들른 거요."

톰 비가 물었다.

"그렇다면 존은 어떻소? 나를 따라다닐 뿐이요. 말썽 피우지 않을 거요. 그것만은 보장하리라."

나는 미첼을 건너다보고는 톰 비에게 대꾸했다.

"알아서 하세요. 댁이 품삯을 떼어 아이에게 주든 말든 말리지 않겠으나, 따로 주진 못합니다."

톰 비는 고개를 끄덕였다.

"나와 존은 같이 일하겠소."

내가 대꾸했다.

"좋습니다."

하지만 미첼은 구시렁거렸다.

"아무리 생각해도 여기에는 백인이 너무 많단 말이야."

미첼은 나를 보더니 저쪽으로 가버렸다. 나도 같은 생각이었다. 미첼의 뒤를 따라갔다. 둘만 있는 자리에서 내가 입을 열었다.

"쟤는 그날 밤 산마루에 있던 놈이야."

미첼은 몸을 돌려, 강가에서 톰 비와 이야기를 나누는 존을 주시했다.

"내보내는 게 최선이야. 여기에 백인이 얼쩡거리는 것 자체가 문제야. 아직은 너를 못 알아 본 모양인데."

"그런데 나를 보며 자꾸 갸우뚱거리는군."

미첼이 웃음을 터뜨렸다.

"누군들 안 그러겠냐? 남들처럼 네가 도대체 어떤 사람인지 궁금한 모양이지."

나는 웃지 않았다.

"톰 비는 존을 데리고 있을 작정인 모양이야. 톰 비더러 존을 내보내라고 하면 존은 더욱 더 수상하게 생각하겠지."

"쟤는 네가 산마루에 있던 걸 확실히 모르지만, 여기에 있다 보면 알아차리겠지."

"차라리 그때 가서 해결하는 게 좋겠어."

미첼은 어깨를 으쓱했다.

"네 마음대로 해. 내가 눈여겨 볼게. 낌새가 이상하다 싶으면 주저해서는 안 되겠지. 내가 확실히 처리하마."

나는 미첼을 응시하다가 주의를 줬다.

"쟤한테 손대지 마라. 저 아이가 다치면 백인들이 몰려 올 거라는 것쯤은 알겠지?"

미첼은 나와 시선이 마주치자 얼른 피했다. 그때부터 걱정이 떠나지 않았다.

****

우리 5명은 본격적으로 일을 시작했다. 미첼, 네이던, 톰 비, 나 그리고 존 웰러스였다. 존은 여전히 나에겐 걱정거리였다. 존이 나를 알아본다면, 그동안 공들인 탑은 한순간에 무너질 것이다. 내가 흑백의 경계선을 감쪽같이 넘어간 게 밝혀질 것이기 때문이다. 속으로야 끙끙 앓았지만 존은 우리와 함께 일하는 데에 큰 문제를 일으키지 않았다. 벌목작업 할 때가 아니라면 미첼과 그 아이 이야기를 나눈 적이 별로 없었다. 네이턴도 마찬가지였다. 네이턴과 존이 나이가 비슷한 건 좀 놀라운 사실이었다. 우리 모두는 존을 그냥 내버려두었고 존은 그 상황이 만족스러운 눈치였다.

여름이 다가오자 더위 때문에 몸이 축 처지기 시작했다. 소나기가 퍼부었고 곤충과 뱀이 기승을 부렸다. 우리는 온몸이 땀에 절었으며 벌레에 물려 가려워 미칠 지경이었다. 우리 생활은 점점 비참해졌다. 땅은 진흙탕이 되었고, 노새는 진창에서 통나무를 끄느라 헉헉거렸다. 그제야 노새를 살 게 아니라 소를 사야 했나 하는 후회가 자꾸 고개를 쳐들었다. 소들의 짧은 다리가 이런 기후에는 더 적당했을지 모른다. 그저 노새의 다리가 부러지지 않기만을 바랄 뿐이었다. 그런데 뱀에 물리지 않기를 기도를 안 한 게 실수였나 보다. 노새에 이어 네이턴도 물렸다. 독사인 방울뱀이 아니었기 망정이지, 하마터면 노새를 총으로 쏘아죽이고 네이턴을 떠나보내는 상황이 벌어졌으리라. 신이 우리를 보호하셨다.

두 달 넘게 속도를 늦추지 않고 일했으니 미첼이나 나보다 몸이 부실하고 의지가 허약한 사람이었으면 벌써 쓰러졌을 것이다. 톰 비는 구시렁구시렁 거리면서도 일을 열심히 했고, 네이턴이나 존도 한결같았다. 그레인저와 만날 시간이 다가올수록, 다들 잠을 줄여가며, 주 7

청년시절

일제로 일하다 보니 오늘이 어제 같고 어제가 오늘 같았다. 우리가 그렇게 긴 시간 동안 벌목에만 매달리자, 캐롤린과 함께 살 집을 지을 시간이 없어 미첼은 한숨만 푹푹 쉬었다.

"캐롤린 아버지의 만류로 1년이나 결혼을 미뤄왔어. 이제 식을 치를 시간이 다가왔고, 나는 하루도 더는 기다릴 수 없을 것 같아. 그렇다고 집을 지을 뾰족한 방법이 있는 것도 아니고."

내가 말했다.

"우선 캐롤린을 여기로 데려오면 어떨까? 오두막을 둘이서 사용하지 그래. 우리들은 창고에서 지낼게. 이 삼림지의 벌목을 끝내면, 그때는 집을 지을 시간이 충분할 거야."

미첼은 동의했다.

"그러는 수밖에 없겠다."

****

2주일 이내에 필모어 그레인저의 첫 8만 제곱미터의 개간을 마무리 짓겠다 싶었는데, 갑자기 폭풍우가 몰아쳤다. 어쩔 수 없이 작업을 중단해야만 했다. 폭풍우 앞에서는 정말 속수무책이었다. 비가 와도 미첼과 나는 일을 했었지만, 바람이 너무 심하게 몰아치는 데다가 한 치 앞을 분간 할 수 없어 집 안에서 머물 수밖에 없었다. 폭풍우는 며칠간 그치지 않아 한꺼번에 몰아서 나무를 자를 수밖에 없겠다 싶었다. 폭풍우가 그치자 우리는 당장 나무로 달려갔고 밤에도 등불을 켜가며 벌목작업을 서둘렀다.

이런 힘든 상황 속에서 존은 우리와 함께 일을 했다. 근데 하루는 존의 형이 모습을 드러냈다. 톰 비가 그 사람의 이름이 디거라는 것을 말해 알고 있었다. 나는 디거 웰러스를 보자 산마루에서 있었던 사람이라는 걸 알았다. 디거는 체구가 왜소한 데다 차림새가 남루했다. 눈에는 벌겋게 선 핏발이 보였고 손을 부들부들 떨었다. 술을 얼마나 마셔 댔는지 꽤 떨어진 곳에서도 술 냄새가 진동을 했다. 닭 서리꾼을 쫓던 사람들 중에서도 이런 냄새가 났었다. 디거는 허리띠에 회초리를 매달고는 말할 때마다 만지작거렸다. 디거는 대뜸 소리를 질렀다.

"내 동생 보러 왔다! 어디 있어?"

디거가 고개를 돌린 강둑에서 미첼이 나뭇가지를 쪼개고 있었다. 나와 톰 비는 노새에 통나무를 쌓고 있었다. 미첼은 흘낏 시선을 주었지만 아무 말도 하지 않았다. 바로 그때 톰 비가 손을 크게 흔들며 디거를 알은 체 했다.

"어이구! 디거 씨! 존을 찾으러 왔소?"

"오, 그래. 지금 어디 있어?"

"다른 아이와 나뭇가지를 치고 있으니 곧 돌아올 겁니다."

톰 비가 대답했다. 디거와 가장 가까운 곳에 미첼이 있었던 것은 정말 불행한 일이었다. 디거는 톰 비에서 미첼로 시선을 옮기더니 말했다.

"야, 너, 가서 걔 좀 데려와. 내가 아래에서 기다린다고 말해."

그게 디거의 첫 번째 실수였다. 손에 도끼를 들고 있는 미첼을 본 순간 그게 얼마나 위험한 상황인지 정신이 번쩍 들었다. 미첼이 디거를 힐끔거리더니 그냥 하던 일을 계속했다. 나는 하던 일을 놔 두고 그쪽으로 갔다.

"야, 깜둥이! 내가 말하잖아! 내 동생 당장 데려오란 말이야!"

디거의 두 번째 실수였다. 미첼이 디거에게 얼굴을 돌렸다.

"나는 심부름꾼이 아냐! 동생을 만나고 싶으면 곧장 숲에 가서 찾아보슈."

미첼이 다시 일하러 돌아갔다. 미첼은 화를 꾹 누르고 있었다. 하지만 디거는 참지 않았다. 허리띠에서 채찍을 빼들고 휘둘렀다.

"깜둥이! 시키는 대로 해!"

고함소리와 함께 채찍을 날린 게 마지막 실수였다. 미첼은 날아오는 채찍을 확 낚아채 움켜쥐었다. 미첼이 소리를 버럭 내질렀다.

"한 번만 더 나에게 채찍을 휘두르면……. 그리고 다시 깜둥이라고 부르면, 내가 채찍 맛을 따끔하게 보여줄 테다!"

미첼은 디거의 면전에 채찍을 철썩 소리 나게 휘둘렀다. 디거는 잔뜩 겁에 질려 펄쩍 뒤로 물러섰고, 이내 바지가 축축해졌다. 미첼은 디거의 어이없는 실수를 보고 실소를 금치 못했다.

"여기에서 당장 꺼져!"

디거는 덜덜 떨었으며 얼굴은 수치심으로 가득 찼다. 그런데도 디거는 오히려 협박을 했다.

"오늘 빚을 반드시 갚아 줄 테다. 절대로 가만 두지 않겠어."

미첼은 여전히 채찍을 든 채로 앞으로 나섰다.

"오냐, 알았으니 꺼져!"

디거가 주춤 물러났다.

"우리 동생 오라고 해!"

"제가 데려오지요! 디거 씨!"

톰 비가 소리 지르고는 부랴부랴 숲으로 들어갔다. 톰 비가 사라지자 미쳴에게 디거가 애처롭게 사정했다.

"내 채찍을 돌려 줘."

미쳴이 채찍을 던졌다. 채찍은 디거의 발 앞에 떨어졌다. 디거는 부들부들 떨리는 손으로 채찍을 집어 올리자, 그제야 위신을 되찾으려고 애를 썼다.

"내가 저 아래쪽 다리에서 기다린다고 전해!"

한 번 더 소리를 지르더니 걸어 내려갔다. 나는 미쳴에게 다가갔다.

"이 일로 난처해질지도 모르겠다. 정확하게 장담은 못 하지만, 저 사람도 산마루에 있었던 것 같아."

"어차피 저 자식은 주정뱅이야."

"백인 주정뱅이지."

"게다가 겁쟁이라고. 다시는 얼씬거리지 못할 거야. 저자가 동생과 함께 산마루에 있었다면 틀림없이 닭 서리꾼이야. 보아하니 자신이 그런 불한당 노릇을 하고 나서 유색인에게 죄를 뒤집어씌우는 모양이군."

비쩍 마른 몸으로 다리를 향하여 걸어가는 디거를 바라보며 미쳴의 말을 곱씹어봤다. 미쳴의 추측이 맞든 말든 디거는 두고두고 골칫덩이가 될 것 같았다. 존이 숲에서 나왔고, 네이턴과 톰 비도 함께였다.

"우리 형은 어디 있지요?"

존이 물었다.

"저쪽 큰 길 옆이야."

내가 대답했다. 존은 형을 찾더니, 다가가서 형과 이야기를 나누었다. 존은 돌아왔고 디거는 계속 그 자리에 있었다.

"형이 나와 함께 앨라배마로 가자고 하네요. 물건 좀 챙겨올게요."

존이 창고로 가자 톰 비가 따라갔다. 몇 분 후에 존은 침구를 등에 메고 와서 나에게 말을 건넸다.

"저기, 폴, 당신은 내가 스트로베리 남쪽 산마루에서 본 사람이랑 닮았어요. 그 사람은 백인이었는데⋯⋯."

존은 나에게서 눈을 떼지 않았다.

"댁을 보았다고 톰 비에게 말했죠. 톰 비는 다시는 그 일을 입 밖으로 꺼내지 말라고 하더군요. 톰 비 역시 나한테 더는 입도 벙긋하지 않았구요. 설사 거기 있었다 치더라도 댁이나 친구는 걱정하지 말아요. 당신은 나에게 정말 친절하게 대해 주었으니까요."

존은 자신의 형과 함께 떠났다.

몇 년 뒤, 이 지역에서 다시 존을 만났는데 이미 존은 어른이 되어 있었다. 존도 많이 변하긴 했으나 그래도 산마루에서 있었던 일은 함구하며 살았던 모양이다. 존이 삼림지를 떠나고 나자 내 걱정은 존에게서 디거로 옮겨갔다. 아무리 알코올에 절인 겁쟁이라도 그자는 나에게는 무시무시한 백인이었다.

＊＊＊＊

존이 떠난 다음 날, 미첼과 함께 벌목을 마치고 나오는데, 웨이드가 네이던을 도와 가지치기를 하고 있었다. 우리는 네이던을 불러냈다. 미첼이 추궁했다.

"제미슨 집 아이가 여기에서 도대체 무슨 일을 하는 거냐?"

네이던의 목소리가 기어들어갔다.

"가지치기를 도와주고 있어요."

"왜?"

"도와주고 싶다고 해서."

"나는 한 푼도 못 준다."

내가 딱 잘랐다.

"웨이드는 상관없대요. 그냥 도와주고 싶은 거래요."

미첼이 나섰다.

"마음에 안 들어, 폴. 어제만 해도 백인 아이 때문에 무슨 일이 일어났는지 생각해 봐."

내가 말했다.

"내가 쟤하고 이야기 해보마."

네이던이 사정했다.

"웨이드를 가라 하지 마세요. 제 친구예요."

미첼의 표정이 험악해졌다.

"친구? 야, 그 바보 같은 생각을 아직도 머릿속에 담고 다녀?"

네이던은 아무 대답도 하지 않았고 미첼은 못 참겠다는 듯이 자리를 떴다. 나는 네이던을 흘깃 보고는 웨이드에게 가서 말을 걸었다.

"네 아버님도 네가 이러는 것을 아시냐?"

"예."

"네 아버님이 왜하냐고 물어보시지 않던?"

"예. 우리 아버지한테 저 사람들이 정말 열심히 일을 하고 있는데, 저들이 땅을 잃어버리지 않았으면 좋겠다고 말씀 드렸죠."

나는 한참이나 웨이드를 바라보다가 입을 열었다.

"왜 그렇게 신경을 쓰니?"

"모두들 착한 사람들이니까요."

웨이드는 머뭇거리지 않고 대답했다.

"내가 그레인저와 맺은 계약을 아는가 보구나."

"예."

"네이던이 말하던?"

"그러기도 했지만 아버지도 벌써 알고 계셔요."

나는 입을 다물었다. 사람들이 이 일을 알고 있다는 게 썩 유쾌하지 않았다.

"너는 여기서 일을 하면 안 돼. 우리를 도와주는 것은 무지 고맙게 생각하지만 더는 안 되겠다."

"돈은 필요 없어요."

"너야 그렇더라도 여기에서는 다들 일한 대가를 받고 있고. 무엇보다 다른 사람을 더 끌어들여 줄 돈이 없어."

"하지만 네이던은 대가를 받지 않잖아요."

"돈이 아닐 뿐이야."

"알아요. 네이던에게 장식장 제작기술을 가르쳐준다면서요."

"너에게 못 하는 말이 없구나."

"우리는 친구인걸요."

"흠."

"이번 여름 내내 일할 테니, 그 기술을 가르쳐 주면 안 될까요? 배우고 싶어요. 그걸 내 품삯이라고 생각할게요."

나는 아이의 금발 머리와 파란 눈을 들여다보았다. 정말이지 로버트와 많이 닮았다. 나는 머리를 흔들었다.

"그렇게는 못 한다."

"내가 백인이라서 그런가요?"

아이가 퉁명스럽게 물었다. 나도 일부러 퉁명스럽게 대꾸했다.

"그래."

"이해가 안 돼요."

"너라면 충분히 이해할 거야. 정 못하겠거든 아버님께 물어 봐."

웨이드는 나를 바라보았다.

"이번에 강으로 목재를 내려 보낼 때까지만 일해도 안 돼요?"

"왜 그러고 싶은데?"

"시작했으니 내 손으로 마무리 지으려고요. 그레인저가 그렇게 많은 나무들이 필요치 않을 때까지만 도울게요. 얼마 뒤에, 그레인저와 일꾼들이 올 때까지만 나무를 추가하면 된다고 네이던이 말하던데요."

나는 잠시 생각했다.

"꼭 그래야겠니?"

"예."

"좋다. 아버님께 말씀드리고 허락을 받아오너라."

"예."

"그리고 웨이드……."

"예?"

"이번 주의 품삯은 지불하마."

웨이드는 거절하려는 듯 입을 달싹거리다가 내 입장을 이해했는지 알았다고 했다. 그러고는 다시 가지 자르는 일을 시작했다.

그다음 날, 찰스 제미슨이 직접 말을 타고 삼림지로 왔다. 이리저리 둘러보며 칭찬을 아끼지 않았다.

"정말이지 아주 많이 일이 진척되었군. 조만간 경작할 준비를 갖춰야 하겠어."

"그러면 좋겠습니다."

"우리 웨이드가 여기에서 일하는 걸 아주 좋아하더군."

"큰 도움이 되고 있습니다. 그래도 우선 제미슨 씨의 허락을 받아오라고 말했습니다."

제미슨이 그 말에 고개를 끄덕였다.

"자네가 우리 아이에게 일을 못 하게 했다던데, 충분히 이해하네."

내 생각을 섣불리 밝히지 않았다. 주변의 평이나 직접 겪어본 바에 따르면 제미슨은 공정했다. 그렇더라도 백인이라는 사실을 간과할 수 없었다. 자칫 말실수로 문제가 발생할 수 있었다. 제미슨이 공정한 사람이든 말든 말이다.

"당장은 도와줄 사람이 필요 없습니다. 이번에 강으로 내려 보낼 나무도 얼추 다 베었습니다."

제미슨은 고개를 끄덕였다.

"알고 있네. 웨이드가 말하더군. 그 아이는 지난날의 불미스러운 일에 대해 반성이 필요하다고 생각하네. 근데 나는 사과할 필요는 없다고 생각하지. 우리 아버지는 농장을 경영했고 노예를 데리고 있었지만, 그냥 조상 대대로 물려받은 가업일 뿐일세. 그 당시에는 당연했어. 내가 어렸을 무렵, 사람들의 사고가 바뀌기 시작했고, 남북 전쟁 즈음에 세상이 예전과 같지 않더니 전쟁이 끝나자 변화가 시작되었어. 나는 부득불 변화를 받아들였네. 시대가 그랬으니까. 그런데 웨이드는 사람은 사람다워야 한다고 생각하나 봐. 뭔가 수정하고 싶어 하네. 나는 그렇게 생각하지 않아. 어차피 지난 일이거든. 우리 할아버지나 아버지는 땅과 그 땅에 사는 사람들을 관리 감독했을 따름이네. 내가 나서서 그분들의 일을 사과하고 싶진 않네. 하지만 나는 내 아들과 내 아들의 생각을 존중할 걸세. 우리 아버지는 전쟁 전부터 노예 해방에 대해 생각하셨네. 나는 아버지에게서 배웠듯이 내 자식을 통해서도 배우는 게 많다네."

"완전한 노예 해방은 이루어지지 않았죠."

나는 다소 퉁명스럽고 냉소적으로 대꾸했다. 우리 아버지조차 나를 자유롭게 해주지 못했다.

"맞아! 그러진 못했지."

제미슨은 나를 주목했다. 목소리에는 변화가 없었다.

"그래서 전쟁이 일어났고 이제는 그 상처를 치료하는 중이지."

나는 아무 말 하지 않았다.

"이웃끼리 한번쯤은 이런 이야기를 하고 싶었네. 일이 잘되기를 바라네. 언제라도 도움이 필요하거든 알려 주게나."

제미슨의 제안에 대해 감사의 표시는 했지만, 도움을 청할 생각은 전혀 없었다. 제미슨과 그 아들에게는 호감을 느꼈지만 어떠한 백인에게도 신세는 지고 싶지 않았다. 두 번 다시는!

****

웨이드는 삼림지에서 한 주 더 일했고, 그레인저가 목재를 가지러 올 때도 자리를 지켰다. 웨이드는 목재가 강을 따라 떠내려가는 모습

청년시절

을 지켜보다가 다시 가지를 잘라냈다. 그레인저의 아들인 할란이 웨이드에게 가더니 한마디 했다.

"제미슨 집안사람들은 상당히 품위 있는 줄 알았는데?"

"무슨 뜻이야?"

웨이드가 손을 멈추고 물었다.

"체신을 지켜야지. 어쩌자고 깜둥이가 시키는 일을 하고 그래?"

웨이드는 잠시 묵묵히 있다가 입을 열었다.

"우리 할아버지는 인디언이 살던 시절부터 나무를 잘랐어. 벌목은 상스러운 짓이 아니며, 벌목을 제대로 아는 이에게 벌목을 배우는 것도 부끄러운 일이 아니야."

"하지만 그레인저 땅에서 이 깜둥이들을 위해 일하고 있잖아!"

"여기를 다 벌목하고 나면 이곳은 로건의 땅이야."

웨이드가 맞섰다.

"나는 나 자신을 위해 일하고, 설령 아니더라도 나쁠 건 없어."

"이제 보니 넌 바보로구나."

할란이 비아냥거렸다. 웨이드는 할란을 노려보았다.

"니 마음대로 생각하세요."

웨이드는 그 말을 던지고는 다시 가지치기를 시작했다. 마지막 통나무가 강 하류로 흘러가자 웨이드는 약속한 대로 자리를 떴다. 나는 웨이드가 마음에 들었던지라 막상 떠나보내려니 서운했다. 그래도 내 생각은 미첼의 것과 같았다. 백인 소년은 여기에서는 문제만 일으킬 지뢰일 뿐이다.

그레인저가 요구하는 벌목량이 줄어들자, 미첼은 다가오는 결혼 준

비로 신경을 돌렸다. 미첼과 네이턴은 캐롤린이 도착하기 전에 오두막을 단장했다. 구석구석 청소를 깨끗이 했다. 햇볕이 캐롤린이 머물 집에 잘 들어야 한다며, 미첼은 판유리를 사와서 나에게 유리 창문을 만들어 달라고 부탁했다. 나와 네이턴은 창고로 우리 물건을 옮겼다. 일을 모두 마치자, 미첼과 나는 네이턴을 태우고 노새 2마리가 끄는 마차에 몸을 싣고 빅스버그로 향했다. 톰 비가 남아서 가축을 돌보고 벌목도 계속한다고 했기에, 별로 걱정이 될 일은 없었다. 3개월 만에 처음으로 삼림지 밖으로 나가는 여행이었다.

**** ****

8월의 뜨거운 날, 엘람 언덕 침례교회에서 미첼과 캐롤린이 결혼식을 올렸고 나는 증인으로 나섰다. 미첼은 흥분을 감추지 못했고, 캐롤린은 눈부시게 아름다웠다. 캐롤린은 상아색 드레스를 입었고, 머리에는 어머니 정원에서 꺾은 안개꽃으로 아름답게 수놓았다. 두 사람이 결혼 서약을 하는 동안, 나는 캐롤린에게서 눈을 떼지 못했다. 친구에게 신의를 맹세했지만 막상 캐롤린이 다른 사람과 결혼하는 모습을 지켜보고 있자니, 내 가슴은 무너져 내렸다. 아무리 그 다른 사람이 미첼이었더라도…….

예식이 끝나자, 캐롤린과 미첼은 꽃으로 뒤덮인 마차를 타고 페리의 농장으로 향했고, 교회에서 나온 모든 사람들은 그 뒤를 따라갔다. 캐롤린의 집에는 훈제 돼지고기, 닭튀김, 소고기구이, 갖가지 야채와 온갖 빵 그리고 파이, 케이크, 푸딩 등으로 차려진 거대한 테이블이 준비되어 있었다. 진수성찬이 마련된 가운데 페리 부인이 손수 나에게 음

청년시절

식을 가져왔다. 한쪽에 서서 음식을 맛보고 있자니 캐롤린이 다가와서 내 팔을 살짝 잡았다.

"폴 에드워드 로건 씨. 내가 삼림지로 가는 바람에 집을 내주시게 되었다면서요."

"아니요. 그리고 이제 존칭은 붙이지 마세요. 폴 에드워드라고 불러요. 네이던도 폴이라고 부르는걸요. 게다가 우리는 이제 가족이나 마찬가지니까요."

캐롤린이 싱긋 웃었다.

"미첼의 말로는 형제나 다름없다고 하더군요."

"사실입니다."

"그래도 나 때문에 살던 집에서 나오셨다니 죄송할 따름이네요."

"그런 생각을 마세요. 괜찮아요. 금방 집을 다시 지을 텐데요."

"그래도 창고에서 주무신다니 속상한걸요."

"아무것도 염려하지 말아요. 전에는 그곳보다 훨씬 누추한 곳에서도 살았는데요. 뭘?"

"그렇긴 했지!"

우리에게 다가온 미첼이 캐롤린을 뒤에서 살며시 껴안았다.

"그래도 폴이 말했듯이 걱정하지 마. 우리가 눈 깜짝할 사이에 집을 또 지을 테니."

미첼은 캐롤린의 뺨에 입을 맞추었고, 캐롤린은 입가에 웃음을 머금고 미첼을 바라보았다. 두 사람은 잘 어울리는 한 쌍이었다.

다음 날 아침에 네이던과 나는 삼림지로 향했다. 미첼과 캐롤린은 며칠 머물다가 캐롤린의 물건을 싣고 와야 하기에 노새 한 마리와 마차를 두고 왔다. 네이던은 다른 노새를 탔고, 나는 천둥을 탔다. 나는 천둥을 데려가기로 결심했다. 소여가 천둥을 맡아주었던 비용을 지불했다. 천둥은 소여의 목장에서 풀을 뜯기는 했지만 제대로 달리지는 못했다. 지금껏 나 외에는 아무도 천둥을 타지 못했기 때문이다. 삼림지는 나무를 많이 베어낸 상태라 빈터도 넓어졌고 풀도 많았다. 이제는 천둥을 삼림지로 데려가서 풀도 먹이고 마음껏 달리게 할 생각이었다. 천둥을 다시 타게 되다니! 뿌듯했다.

미첼은 캐롤린과 페리 농장에서 1주일을 머물 예정이지만, 내게는 그다지 문제 될 건 없었다. 벌목은 계획대로 착착 진행되고 있으니 내년 요맘때쯤이면 삼림지가 완전히 우리에게 넘어올 것이고 농작물도 수확할 수 있을 것 같았다. 미첼이 돌아오면, 우리는 그 달의 벌목량을 채우기 위해 갑절로 일에 매달려야 할 것이다. 하지만 결혼은 그만한 가치가 있었다. 대부분의 사람들은 일생에 한 번만 결혼하고, 무엇보다 캐롤린과 미첼은 이제 하나의 운명이 되었다. 그리고 그들은 그걸 막 시작한 것이다.

약속

    캐롤린이 도착하자 많은 변화가 일어났다. 캐롤린은 오두막에 얌전히 앉아 있기는커녕 삼림지를 들쑤시고 돌아다녔다. 이곳에 온 지 1주만에 혼자 커다란 밭을 뚝딱 만들어냈다. 누구한테 도와달라는 부탁도 하지 않았다. 캐롤린이 잡다한 집안일을 맡은 덕에 우리 생활은 완전히 달라졌다. 벌목할 수 있는 시간이 늘어났다. 무엇보다 반가운 변화는 식탁에 나타났다. 아침식사로 먹었던 거친 밀죽과 한 잔의 치커리 차는 달걀, 소시지, 바삭한 빵, 고기 국물, 갖가지 절임식품과 신선한 우유로 대체되었다. 풍성한 식탁은 그 뒤로도 죽 이어졌는데, 캐롤린이 자신의 엄마가 준비해 둔 절임식품과 병조림은 물론이고 아버지의 훈제장에서 고기를 잔뜩 가져왔기 때문이다. 게다가 수탉 한 마리, 씨암탉 두 마리, 새끼 돼지 두 마리에다 젖소 한 마리도 끌고 왔다. 모두 캐롤린의 가족이 두 사람에게 주는 결혼 선물이었다. 점심과 저녁식사도 아침식사 못지않았다. 갖가지 채소와 옥수수 빵, 절인 소고기와 사슴고기가 나왔으며 푸딩과 과일파이도 빠지지 않았다. 캐롤린의 요리 솜씨도 일품이었다. 엄마를 닮았는지 손맛이 좋았다. 우리가 아무리 바쁘더라도 캐롤린은 정성어린 식사를 반드시 먹으러 와야 한다고 닦달을 했다.

"안 먹고 어떻게 힘이 나겠어요. 아직도 나무가 많이 남았는데. 앞으로 더 많이 벌목하려면 배를 더 좋은 음식으로 꽉꽉 채워야 해요!"

캐롤린은 장점이 많은 여성이었다. 솔직했으며 의지가 강했다. 그리고 성실했다. 하지만 한 성질 했다. 내가 직접 눈으로 목격한 것만도 한두 번이 아니었다. 엘람 언덕에서 자신의 친구 턱에 주먹을 올려붙이던 모습이야 일찍이 보았던 터다. 이번에는 삼림지에 온 지 얼마 되지 않아 다른 여자의 얼굴에 손을 날렸다. 그 젊은 여자는 미첼에 대한 험담을 늘어놓았는데, 그것도 캐롤린의 면전에서 흉보는 실수를 저질렀다. 벌목하다 잠깐 내려와 보니 이름이 미니 스콧인 여자와 캐롤린이 마주 서 있었다. 이번에는 무슨 이야기가 오갔는지 듣지 못했다. 캐롤린이 느닷없이 팔을 올려 손바닥으로 미니 스콧의 뺨을 후려쳤다. 삼림지에서 나가라고 소리치는 게 들렸다. 미니는 나를 흘낏 보고는 아무 말 없이 자리를 떴다. 캐롤린은 허리에 손을 올리고, 미니가 멀어지는 모습을 보다가 괭이를 집어 들었다. 그러다 나를 보았다.

"다 보셨겠네요, 그렇죠?"

"봤습니다."

"여기저기에서 사람이나 때리고 다닌다고 생각하시겠어요."

"내가 상관할 바는 아니지요."

나는 그냥 걸어갔다.

"저 여자가 이야기를……그러니까 미첼 이야기를 꺼냈어요."

나는 멈춰 서서 캐롤린을 응시했다.

"누구라도 내 주변의 사람들에 대해 이러쿵저러쿵 쑥덕거리는 꼴은 못 참아요. 사실이건 아니건!"

"그 여자가 사실만을 말하던가요?"

캐롤린의 표정이 딱딱해졌다.

"결혼 전에 미첼이 함부로 생활하던 것을 전해주더군요. 톰 비 아저씨에게서 들었나 봐요."

내가 고개를 끄덕이자 캐롤린의 목소리가 누그러졌다.

"미첼이 여자들과 어울렸던 건 알아요. 하지만 중요한 건 지금 그이에겐 나밖에 없다는 거죠."

다시 고개를 끄덕였다.

"그런데 미니라는 여자가 자꾸 여기 와서 미첼이 백인들에게 건방지게 군다고 입방아를 찧는데, 그건 사실이 아니에요. 설령 그렇더라도 그 여자가 여기까지 쫓아와서 입을 놀리는 꼴은 두고 볼 수 없어요."

"앞으로는 그럴 일은 절대 없겠군요."

캐롤린의 얼굴에 웃음이 스쳤다.

"나는 분을 못 참을 때가 많아요. 엄마를 닮아서 그런가 봐요. 그 일로 엄마에게 늘 야단맞았는데, 주님에게 제발 도와주십사 하고 기도를 더 드려야할 것 같아요."

캐롤린의 얼굴에 후회하는 빛이 스쳤다. 나도 슬그머니 웃음이 났다.

"거 좋은 생각이네요. 나에게 화내는 일은 없어야 할 텐데요."

캐롤린은 싱글싱글 웃으면서 주의를 주었다.

"내 편만 되어준다면 그럴 일은 없을 거예요."

나는 웃음을 터뜨렸고 캐롤린은 다시 괭이질을 하러 돌아갔다.

＊＊＊＊

캐롤린은 성질이 불 같아도 미첼의 짝으로는 그만이었다. 곧 확인할 수 있었다. 캐롤린은 미첼을 잘 다루어서, 꼭 해야 할 일이다 싶으면 미첼을 압박해 자기 뜻을 관철시켰다. 캐롤린은 주로 삼림지의 이것저것에 관해 잔소리를 늘어놓았는데, 특히 농사에 노심초사했다.

새벽이 밝아올 무렵, 아침 식사를 마치자 캐롤린이 말문을 열었다.

"언제쯤 이 땅에 씨를 뿌리고 쟁기질을 할는지 궁금하군요. 오늘이 딱 좋은 날이라고요."

미첼이 대꾸했다.

"지금은 벌목하느라 눈코 뜰 새도 없거든."

캐롤린이 응수했다.

"나도 알아요! 그래도 전에는 땅을 개간하는 대로 농사를 짓기로 했 잖아요. 둥치만 뽑아내도 그럴싸한 들을 만들 수 있을 텐데요."

미첼이 말했다.

"우리도 그 문제로 상의하긴 했는데 내년 봄에나 시작하자고 결론을 내렸지. 지금은 나무를 베는 게 급선무니 어쩔 수가 없지."

농사일이라면 손바닥 보듯 환한 캐롤린이 한마디 했다.

"그러면 너무 늦어요. 그렇게 오래 기다리는 건 안 돼요. 그리 늦게 뭘 심겠어요?"

"부인, 뭘 심으려고 그러시나? 여름도 벌써 막바지로 접어드는데."

캐롤린이 말이 떨어지기가 무섭게 얼른 대답했다.

"여기 올 때 케일, 시금치, 양배추를 가져왔어요. 깍지 완두콩도 있고요. 집에서 씨앗을 들고 왔지요. 날이 추워지기 전에 수확을 하면 스트로베리 시장에 내다 팔수 있다고요."

미첼이 반대했다.

"씨앗을 뿌리거나 곡식을 거둬들일 시간을 내기가 힘들어서 그래. 나무를 잘라야 하니까."

내가 끼어들었다.

"못 할 것도 없지, 미첼! 잘만 하면 둘 다 가능할 것 같아."

미첼이 나를 돌아보았다.

"무슨 뜻이야?"

"일을 나눠서 하면 되잖아. 벌목을 너와 내가 알아서 하고, 밭일은 캐롤린이 맡기로 하되 네이던이 가끔 도와주는 거야. 1주일에 이틀 정도는 톰 비를 부르지, 뭐."

미첼은 의아한 표정을 지었다.

"돈을 주고 또 사람을 쓰겠다는 거야?"

"전에도 한번 했으니까. 이번에도 그렇게 해 볼까 싶다."

"쟁기도 사야 될 것 아니야?"

나는 고개를 끄덕였다.

"쟁기 살 돈이야 따로 마련해 두었지. 채소를 팔면 돈이 조금 생길 거야. 어쨌든 앞당겨서 시작하는 것도 나쁘진 않겠어. 봄에 씨뿌리기도 더 쉬워질 테고."

캐롤린이 말했다.

"잘됐군요. 당장 시작하죠."

미첼이 미심쩍은 눈초리로 캐롤린을 보았다.

"쟁기를 다룰 줄 알아?"

캐롤린이 소리 내어 웃었다.

"여보, 나는 아장아장 걸어다니기 시작하면서 쟁기질과 괭이질을 했다니까요."

미첼도 캐롤린을 보며 껄껄 웃었다.

"당신이 뭐가 두렵겠어!"

캐롤린에게 너른 들이 생겼다. 사실 캐롤린과 네이던이 들을 죄다 쟁기질을 한 것은 아니었다. 그루터기를 모두 뽑지도 않았다. 미첼과 내가 번갈아가며 일을 도왔다. 그래도 씨뿌리기만은 캐롤린과 네이던이 도맡았고, 채소가 자라자 잡초를 뽑았다. 캐롤린은 그 모든 일과 집안일을 척척 해냈으며, 틈만 나면 가지치기나 잡목 태우는 일까지 팔을 걷어붙였다.

늦여름부터 초가을까지 1주에 몇 번, 톰 비를 다시 고용해 우리의 삶이 될 땅을 미리 경작해두었다. 일은 차질 없이 진행되었으며, 나무를 베는 일도 걱정할 게 없었다. 8만 제곱미터 이상 벌목이 끝난 상태고, 그 땅은 이미 쟁기질이 되고 있었다. 그래서 다음 해 가을쯤에는 땅이 넘어오지 싶었다. 우리는 다소 여유를 갖기로 했다.

캐롤린은 안식일을 엄수해야 한다고 믿는 사람이었기에, 식사를 챙겨 주거나 가축의 사료만 줄 뿐, 그 날은 일체 일을 하려고 하지 않았다. 가까운 곳에 유색인교회는 없었지만, 로사리 강 근처에 사는 사람들은 한 달에 두 번 예배를 드렸는데, 캐롤린은 꼭 참석했다. 가끔은 미첼도 같이 갔는데, 네이던도 그날은 빠지지 않았다. 나는 한 번도 가지 않았다. 그런 날이면 목공일을 하거나 누나에게 편지를 썼다. 교회는 나가진 않았으나 기도는 드렸다. 로사리에서 예배가 없는 일요일이면 캐롤린 또래의 젊은 여성들이 삼림지에 모여 성경을 읽었다. 그중에 에타 그린 양이 있었다. 예쁘장한 용모에 조용한 성격으로 나에게 호감을 갖는 듯했다. 나는 캐롤린의 성화에 못 이겨 집에서 모임이 있을 때면 몇 번 얼굴을 마주했으며, 그린 양을 찾아 가기도 했다. 미첼은 나 또한 메인 몸이 될 날이 머지않은 것 같다며 놀렸다.

"에타 양이 결혼식을 준비하고 있다더라, 노총각!"

네이던은 폭소를 터뜨렸고, 나도 웃지 않을 수 없었다. 우리는 일을 마치고 모닥불 주변에 둘러 앉아 잡목을 태우며 쉬고 있었다. 캐롤린은 미첼에게 붙어 앉아 가볍게 책망을 했다.

"그만하세요, 미첼! 에타와 폴 에드워드 사이의 문제는 두 사람이 알아서 하겠죠."

미첼이 고개를 돌려 캐롤린을 응시했다.

"두 사람이 알아서 해? 둘을 누가 엮어주었는데?"

"나는 소개한 것밖에 없어요. 친해지는 건 두 사람에게 달렸죠."

미첼이 함박 웃더니 목청을 가다듬었다.

"흠, 폴, 결혼을 서두르는 게 좋을 거야. 캐롤린은 이곳에 여자를 새로 들일 때까지는 계속 닦달을 할 거야."

캐롤린이 미첼을 향해 눈을 치켜떴다. 내가 대꾸했다.

"당분간은 그럴 생각이 없어. 일이 대강 마무리 되면 그때 가서 결혼을 생각할 거야."

미첼은 궁금한 모양이었다.

"그렇다면 에타 양은 아니라는 거네, 응?"

나는 방어막을 폈다.

"에타 양도 좋은 사람이긴 하지."

"결국 결혼 상대는 아니라는 말이군! 에타 양을 네 짝이라고 여겼다면 계획이 있든 말든 빨리 결혼하고 싶어 애가 달았겠지. 나를 보면 알잖아. 독신으로 자유롭게 살다 죽겠노라고 큰소리치던 차에 여기 캐롤린 양이 내 인생에 등장하면서 모든 게 바뀌었거든."

미첼이 캐롤린에게 몸을 돌렸다.

"계획이고 뭐고 다 사라진 거야."

캐롤린은 미첼에게 웃음을 지으며 팔짱을 꼈다. 미첼은 나에게 다시 말했다.

"나에게 그런 일이 일어난 거야. 그런데 폴, 너야말로 예전부터 결혼할 생각이었잖아. 내가 결혼을 하지 않겠다고 선언하자 너는 가정을 꾸리겠다고 했지. 그런데 나는 결혼을 했고, 너는 자꾸 미루는 입장이 되고 말았군."

캐롤린이 나섰다.

"저 사람을 그냥 놔둬요. 아직 결혼할 생각이 없는데 그렇게 밀어붙이면 안 돼요."

"그래도 폴은……."

"그만 해요!"

내가 말했다.

"고맙소, 캐롤린."

"천만에요."

미첼이 소리 질렀다.

"이럴 수는 없어! 둘이 힘을 합쳐 나를 공격하다니! 내 아내와 내 친구라는 사람들이!"

캐롤린과 네이던과 나는 박장대소를 했다. 미첼도 따라 웃었다. 캐롤린은 미첼의 옆에 바싹 다가앉으며 물었다.

"둘이 어찌 그리 친한 사이가 되었는지 궁금해요?"

내가 물었다.

"미첼이 말하지 않던가요?"

캐롤린은 자기 신랑에게 정말 화라도 난 척 새침하게 대답했다.

"이이는 아무것도 말해주지 않아요."

미첼이 반박했다.

"이봐요, 부인. 그건 사실이 아니지. 정말이지, 이 마나님께서는 나를 쫓아다니며 태어날 때부터 있었던 이야기를 몽땅 해달라고 조른단 말이야. 게다가 자기 이야기처럼 확실히 기억할 때까지 몇 번이고 되풀이하라는 거야."

"나도 자꾸 들어야 기억하죠."

캐롤린은 이내 미첼에게 사랑스러운 웃음을 지었다.

"옛일을 기억하지 못하면 우리 아이들에게 무엇을 전해 주겠어요? 나는 하나도 빠짐없이 알고 싶어요."

미첼이 툴툴거렸다.

"이제야 사실을 털어놓는군."

캐롤린이 장난스럽게 미첼의 어깨를 찰싹 치고는 나를 보았다.

"그래, 어떻게 된 건가요? 당신과 미첼이 어떻게 친구가 되었어요?"

나는 미첼에게 대답을 떠넘겼다.

"너는 뭐라고 말했어?"

미첼은 어깨를 으쓱했다.

"네 아버지의 땅에서 태어났다고만 이야기했지."

"그게 전부야? 우리 아버지가 누구인지도 이야기 했어?"

"그런 걸 꼭 말해야 하나? 캐롤린은 영리하거든. 딱 보는 순간 네 아버지가 어떤 사람인지 짐작했을 거야."

캐롤린이 끼어들었다.

"폴 에드워드, 그건 미첼이 이미 이야기했어요. 내가 정말 알고 싶은 것은 두 사람이 어쩌다 그렇게 가까워졌냐는 거죠. 미첼은 도통 입을 열지 않으니 당신이 말해 주세요."

모닥불 건너편에서 캐롤린의 눈이 반짝거렸다. 내가 미첼에게 시선을 돌리자, 신부의 귀여운 투정에는 어쩔 도리가 없다는 몸짓을 했다. 나는 빙그레 웃었다.

"미첼이 나를 두들겨 패는 바람에 친구가 되었죠."

캐롤린이 소리를 질렀다.

"뭐라고요?"

다시 웃음이 나왔다.

"일이 어떻게 된 거냐면, 어린 시절에 미첼은 기회만 있으면 나를 때렸는데……."

캐롤린이 물었다.

"왜 그랬는데요?"

미첼이 대답했다.

"그냥 싫었어."

내가 말을 받았다.

"미첼은 그저 때리고 싶었다더군요."

캐롤린이 미첼을 비난하는 눈초리로 바라보자 미첼도 똑같이 나를 보았다.

"조심해, 폴."

나는 큰 소리로 웃고 말았다.

"정말입니다."

나는 맹세라도 하듯 말했다.

"미첼이 얼마나 나를 괴롭혔는지 스스로 잘 알 겁니다. 한번은 내 뒤통수를 후려치기에 이유를 물었더니 무표정하게 '그러고 싶어서.'라고 대뜸 말하더군요."

캐롤린은 혼내려는 듯 허리에 손을 올리고 미첼에게 고개를 돌렸다.

"정말로 그랬어요? 당신이 그런 아이였어요?"

미첼이 정색을 하고 말했다.

"폴이 이야기하는 중이잖아. 들어보자고."

캐롤린이 타박했다.

"폴 에드워드가 아니라 당신에게 물었잖아요."

미첼이 껄껄 웃으며 인정했다.

"그랬을 거야. 내가 조금 못되게 굴었지."

내가 항의했다.

"조금? 너를 얼마나 무서워했는데! 오죽하면 내가 아버지와 형들에게 알렸을까."

"맞아! 그런데도 계속 때렸지."

"그래, 정말 그랬어."

"막상 너를 때릴라치면 네 형제가 생각나긴 했어."

"그랬어?"

"응, 나는 하몬드 형을 상당히 좋아했거든. 로버트야 내 앞에서는 꼼짝 못했지. 걔는 내 가까이 오지도 못했어. 그런데 조지 형은 좀 무섭더라."

"네가?"

그 말은 약간 의외였다.

"그래. 사실 그 형도 내 우상이었지. 한번쯤 조지 형과 붙어보고 싶다는 생각도 했으니까."

둘이 겨루는 광경을 상상하니 웃음이 절로 나왔다. 캐롤린이 다시 캐물었다.

"그럼 미첼과 당신은 어떻게 친구가 되었어요?"

나는 대답했다.

"우리는 일종의 거래를 했거든요."

"그게 뭔데요?"

"내가 읽기와 쓰기를 가르치고 미첼은 내게 싸우는 법을 가르치기로 합의를 봤죠."

캐롤린이 고개를 끄덕였다.

"피차 도움이 됐겠어요? 그렇죠?"

미첼이 대꾸했다.

"당연하지. 나로서는 얻는 게 많았지. 읽기와 쓰기를 배웠으니 말이야. 그런데 폴은 그때나 지금이나 여전히 싸움을 못 해."

우리 모두는 웃음을 터뜨렸고 미첼이 한마디 덧붙였다.

"아, 폴은 여러 번 나를 도와주었어. 고스트 윈드를 타고 내달린 일로 죽을 만큼 혼날 뻔했는데 폴 덕분에 살았지. 그 뒤로도 곤경에서 구해준 게 한두 번이 아니야."

네이던이 호기심을 드러내며 물었다.

"고스트 윈드요?"

"응. 폴의 아버지가 데리고 있던 종마야. 특별히 경주용으로 구입한 말인데 폴이 무척 자랑스러워했지."

나는 인정했다.

"사실이야."

"종마를 돌보던 우리 아버지는 기껏 솔질이나 잔병치료만 맡았고 정작 말을 타는 사람은 폴과 폴의 아버지뿐이었어. 그때 내 나이 고작 15살이었으니 종마를 타는 건 어림 반 푼어치도 없는 일이었지. 그런데 폴이 버젓이 말을 타고 다니자, 나는 샘이 나서 폴에게 짜증을 부렸어. 그러던 어느 날 폴이 자기 아버지가 없으니 종마를 한번 타보겠냐고 물어보더군. 지금도 나는 고작해야 노새나 타고 다닐 뿐 고스트 윈드처럼 빠른 동물을 탈 기회가 없었거든. 그런데 그 어린 나이에 무턱대고 올라탔지. 종마는 엉뚱한 이가 자신의 등에 올라탄 걸 눈치챘나봐! 나를 스윽 돌아보고는 내달렸어. 슝!"

미첼은 두 손을 나란히 모았다가 한쪽 팔을 쭉 뻗었다.

"지금이야 말하는 건데, 이젠 죽는구나 싶었지."

우리는 모두 배꼽을 잡고 웃었다. 내가 맞장구쳤다.

"나도 그런 줄 알았어."

미첼이 고개를 좌우로 흔들었다.

"세상에, 말이 정말로 나를 죽이려고 그랬던 것 같아! 숲을 내달리는 동안 나뭇가지니, 나뭇잎이니, 아무튼 나무에 정신없이 부딪혔거든. 어떻게든 말을 세우려고 애를 쓰는데 때마침 폴이 뒤에서 쫓아오며 고삐를 당기라고 소리치더군. 아주 쉬운 일처럼 말이야."

캐롤린이 물었다.

"그래서 결국 어떻게 됐어요?"

네이던도 한마디 했다.

"그래요, 어떻게 말을 멈추었어요?"

미첼이 대답했다.

"못 했어. 능구렁이 같은 종마가 도저히 못 참겠는지 나를 털어내고 말더라."

웃음소리가 더 요란해졌다. 순간 미첼이 꽤 심각해진 듯했고, 나도 따라서 진지해졌다. 미첼이 말을 이었다.

"사실, 아무것도 모르는 주제에 그런 말을 탔으니! 처음으로 나는 말 타는 데 젬병이란 걸 알았지. 종마는 심하게 긁힌 데다 다리까지 다쳤어. 폴이 말과 내가 있는 곳으로 찾아왔었어. 우리 둘은 절뚝거리는 말을 데리고 마구간으로 갔지. 우리 아버지가 말과 나를 한 번씩 번갈아 보더니 채찍을 꺼내들더군."

네이던이 몸을 앞으로 내밀며 물었다.

"그러면 매를 맞았나요?"

캐롤린이 참견을 했다

"내가 보기엔 당신이 매 맞을 짓을 했네요. 종마를 그런 식으로 탔으니 말이죠."

미첼이 캐롤린을 보았다.

"냉정하기도 하셔라. 그런데 내가 생각해봐도 매를 맞을 만했지."

네이턴이 킥킥거리며 웃었다.

"아버지한테 인정사정없이 두들겨 맞았겠네요. 그렇죠?"

미첼은 네이턴을 물끄러미 보더니 고개를 저었다.

"아니야. 아버지는 때리지 못했어."

"왜요?"

미첼은 나를 향해 고개를 까닥했다.

"폴이 자기가 그랬다고 했거든. 말을 탄 건 자기라는 거야."

나를 바라보는 캐롤린의 얼굴이 부드러워졌다.

"아니, 왜요?"

네이턴이 물었다.

"왜 그랬는데요?"

나는 어깨를 들어올렸다.

"솔직히 나도 잘 모르겠어. 미첼에게 맞고 지냈으니, 미첼이 야무지게 두들겨 맞는 걸 보고 싶다는 생각은 늘 했었거든요."

미첼이 설명했다.

"그런데도 내가 매를 맞을까 봐 폴은 그렇게 말했어. 그때 그런 일이 있었지. 이유는 신만이 아실 거야."

내가 말했다.

"무슨 고상한 뜻이 있었던 건 아니고. 우리 아버지가 백인이라서 미안했는지도 모르지."

네이던의 시선이 미첼에서 나로 옮겨왔다..

"그러면 폴 형이 매를 맞았나요?"

나는 고개를 저었다.

"아니, 매를 맞지는 않았어."

미첼이 설명했다.

"그것과 다름없는 벌을 받았지."

네이던이 궁금하게 여겼다.

"그게 무슨 벌인데요?"

나는 미첼이 대답하도록 입을 다물었다.

"폴은 그 뒤로 고스트 윈드를 타지 못했어."

캐롤린의 부드러운 눈길이 나를 향했다.

"그건 고통스러운 일이었나요?"

그때의 기억으로 나는 다소 씁쓸하게 미소 지었다.

"물론 고통스러웠죠. 그 즐거움은 어디에도 비할 바가 아니었으니까요. 캐롤린. 고스트 윈드는 천둥을 타는 것보다 더 근사했어요. 차라리 아버지에게서 매를 맞는 편이 나았죠."

미첼이 픽 웃음소리를 냈다.

"우리 아버지에게서 한번이라도 끔찍하게 맞았다면 그런 말은 못 할 거다."

"그래, 너는 줄곧 맞고 살았지."

"꼭 그랬던 건 아니야! 아버지가 벼르기만 하고 때리지 못한 적이 두 번 있었어. 한 번은 폴의 아버지가 말리는 바람에 못 때렸어. 우리 아버지는 폴의 아버지라면 꼼짝을 못 했거든. 또 한 번은 내가 17살 즈음에 채찍을 뺏어들고 때리지 말라고 아버지에게 대들었지. 그때 키나 몸집이 지금 같았으니, 아버지도 나를 함부로 때리지 못했어. 당장 꺼지라고 말하기에 집에서 나왔어."

네이던이 호기심어린 표정으로 물었다.

"그러면 그때 매형이랑 폴 형이 기차를 타고 여기로 온 건가요?"

"아니야. 집을 나와 몇 달 지났을 때, 어머니가 동생 제스퍼를 통해 돌아오라는 전갈을 보내셨어. 동생의 몸을 보니 온통 채찍자국이더군. 아버지가 어린 동생들과 어머니에게 끊임없이 매질을 했던 거야. 전에는 아버지가 채찍을 꺼내들면 내가 방패막이가 되어주었지. 어머니든 동생이든 누구라도 아버지의 채찍을 맞는다 싶으면 내가 막아섰고, 그러면 아버지는 약이 잔뜩 올라서 나에게 채찍을 휘둘렀어. 그렇게 맞다 보니 나는 그만 넌더리가 났던 거야. 그래서 떠났지. 다시 집으로 돌아오던 날, 아버지에게 경고했어. 내 눈앞에서 어머니나 동생들을 때리면 참지 않겠다고. 또 그러면 아버지를 죽여 버리겠다고 맹세했지."

미첼은 불길을 응시했다. 나는 미첼을 건너다보았다. 그렇게 오랜 세월을 알고 지냈지만, 미첼이 이런 말을 꺼낸 것은 처음이었다. 캐롤린이 미첼의 등을 어루만졌다.

"많이 힘들었군요."

미첼이 캐롤린을 보았다.

"캐롤린, 나는 진심이었고 아버지도 그걸 알았어. 내가 집에 머무는 동안 아버지는 단 한 번도 손찌검이나 채찍질을 하지 않았지."

****

밭에서 채소가 쑥쑥 자라나자 캐롤린은 네이던을 데리고 스트로베리 시장을 몇 차례 오가며 채소를 내다 팔았다. 그다지 많이 심지 못해서, 벌이가 넉넉한 편은 아니었으나 톰 비의 품삯에 보탬이 되었다. 남은 돈은 내년에 심을 종자를 사려고 따로 보관해 두었다. 봄이 오면 목화를 심을 생각이었다.

캐롤린이 그해 마지막으로 시내에 다녀오자 크리스마스가 시작되었는데, 어린 시절 이후, 내가 보내던 크리스마스와는 달라도 너무 달랐다. 캐롤린이 담당했기 때문에 크리스마스를 대충 넘기는 건 상상할 수 없었다. 캐롤린은 미첼에게 거위와 너구리를 잡으라고 했다. 거위와 너구리 요리를 비롯하여 자기 아버지가 만든 햄도 준비했으며 옥수수 빵, 파이, 케이크를 곁들였고 야채도 골고루 차려놓았다. 캐롤린이 우리 앞에 펼쳐놓은 음식은 페리 부인이 만든 것만큼 훌륭했다. 나와 미첼이 그렇게 말하자 네이던은 이런 음식 솜씨로는 엄마의 발뒤꿈치도 못 따라간다고 놀리면서도, 나오는 음식마다 두세 번씩 먹어댔다. 식사를 마치자, 네이던은 캐롤린이 크리스마스 선물로 준 하모니카를 꺼내서 불었다. 캐롤린은 까르르 소리 내어 웃으며 좋아했다. 캐롤린이 톰 비의 식구도 초대했기에 상당히 많은 사람들이 모여서 멋진 만찬을 즐겼다. 그리고 음악을 들으며 즐거워했다. 아이들까지 있어 활기가 넘쳤다.

청년시절

****

새해가 시작되자 삼림지를 소유할 날짜가 얼마 남지 않았다는 생각에 가슴이 벅차올랐다. 원래는 9월 말까지 다 벌목하기로 했으나 이대로만 가면 시기를 조금 앞당길 듯했다. 이 땅이 우리 소유가 되면 그날로 땅에게 이름을 붙여 줄 생각이었다. 그렇게 해야만 온전히 내 땅이 될 것 같았다. 그동안 이 삼림지에 마음을 붙이며 살다보니 홀렌벡의 땅은 마음 한쪽으로 제쳐 둔 상태였다. 개간에 열중하느라, 그 땅으로는 한번도 가 보지 못했다. 어차피 남의 땅이고, 지금은 뜬구름을 잡고 있을 때가 아니었다.

2월 말에 웨이드가 느닷없이 나타났다. 처음에는 로사리 강에서 네이던과 낚시하려고 들른 줄 알았다. 그런데 아니었다. 나에게 할 말이 있어서 왔다.

"아버지가 전하라는 말씀이 있어서요."

내 이마에 고랑이 파였다.

"무슨 일인데?"

"아버지는 로건 씨가 홀렌벡 씨의 땅에 관심이 있다는 걸 기억하신대요. 지금도 관심이 있는지 물어보래요."

"왜 그러시는데?"

"홀렌벡 씨가 지금 땅을 팔려고 내놓았대요. 조만간 북부로 돌아갈 생각이신가 봐요."

잠시 숨을 쉴 수가 없어 말을 할 수 없었다. 웨이드가 말을 이었다.

"아버지가 홀렌벡 씨의 땅을 많이 사두었어요. 잘만 되면 우리는 땅양쪽 면이 맞닿은 이웃이 되겠어요."

나는 아이를 찬찬히 살폈다.

"언제부터 홀렌벡 씨가 땅을 내놓았지?"

웨이드가 대답했다.

"아버지 말씀으로는 홀렌벡 씨가 그 문제로 한동안 고민하셨대요. 그러다가 최근에 결심을 했나 봐요. 홀렌벡 씨는 그레인저 집에서 산 땅이라 그쪽에 먼저 의향을 물었는데 관심을 보이지 않았대요. 그레인저가 '총만 안 든 강도' 같은 가격으로는 되사지 않겠다고 역정을 내자 홀렌벡 씨는 우리 아버지를 찾아오셨어요."

나는 입이 바짝 말랐다.

"땅을 모두 판다고 그러던?"

"저는 그렇게 들었어요. 이제는 북부로 돌아가려나 봐요. 거기에 가족이 있대요. 여기에 있는 가족들은 다 죽거나 실종되었거든요."

"웨이드, 네 아버지가 홀렌벡 씨의 땅을 거의 샀다고 했지? 그럼 나머지 땅은 어떻게 됐어?"

"그 땅에 관심을 갖고 있는 사람이 많대요. 그래서 홀렌벡 씨는 남은 땅마저 다 팔려고 한대요. 아버지는 아저씨가 거기에 관심이 있을 거라고 말씀하셨어요."

"물론이지."

나는 웨이드에게 고맙다는 말을 하고는 돌아섰다. 웨이드가 나를 따라왔다.

"네이던 안에 있어요? 괜찮다면 네이던이랑 낚시해도 되나요?"

"그러렴."

그 땅에 대한 생각과 고마운 마음 때문에 웨이드에게 서둘러 대답하고는, 천둥에게 안장을 올렸다. 산비탈에 들르지도 않고, 천둥을 몰아 그레인저의 산길 밑에 있는 흘렌벡의 땅으로 갔다. 나와 천둥은 눈부신 초원을 가로질러 언덕을 넘어갔다. 예전에, 지나가다 홀로 하룻밤을 지냈던 곳이다. 이번에는 초원에서 머물지 않고 곧장 흘렌벡의 집으로 향했다. 현관 입구에 서서 인사를 건넸다.

"흘렌벡 씨! 폴 로건입니다."

흘렌벡이 대꾸했다.

"그래, 자네를 기억하네. 내 충고대로 그레인저 씨와 계약을 맺고 일을 시작했다는 소문은 들었네."

"맞습니다. 그런데 기억하실지 모르겠지만, 제가 흘렌벡 씨의 땅에 관심이 있다는 것도 그때 말씀드렸습니다."

"그래, 그것도 기억이 나는군."

흘렌벡의 시선은 나를 떠나서 말 기둥에 묶여 있는 천둥에게 향했다.

"자네 말인가?"

나는 천둥을 흘끗 보았다.

"예, 그렇습니다."

흘렌벡은 말에 대해 한마디 했다.

"잘생겼군. 나무랄 데가 없어. 내가 북부로 이사 가지 않는다면 저 말을 사고 싶군."

흘렌벡은 나를 돌아보았다.

"그래, 무엇 때문에 왔나?"

"흘렌벡 씨, 저는 아직도 그 땅에 미련이 있습니다."

"그래?"

"지금 땅을 내놓은 상태라고 들었습니다. 여기에서 남쪽으로 약 3킬로미터 떨어진 지점의 초원과 못을 제가 사고 싶습니다."

홀렌벡은 나를 물끄러미 바라보았다.

"몇 제곱미터 정도를 생각하는데?"

"가격에 따라 달라집니다."

"4백만 제곱미터까지는 4천 제곱미터당 10에서 15달러고, 4백만 제곱미터 이상이면 10달러야."

나는 고개를 저었다.

"엄청나게 큰돈입니다. 이 근방의 땅은 7에서 9달러 사이인데요."

"대부분은 그 정도 값이지. 하지만 내 땅은 특별하단 말이야. 그러기에 그 많은 땅이 쉽게 팔렸고, 다른 내 땅에도 많은 사람들이 눈독을 들이는 게지. 게다가 나도 그곳은 다른 곳보다 더 가치가 있다고 생각하네. 목초지로는 으뜸지역 가운데 한 곳이거든. 15달러는 생각하고 있네. 그 정도가 적당한 금액이야. 찰스 제미슨 씨가 자네도 내 땅을 사고 싶어 한다는 이야기를 꺼내는 바람에 아직 못 팔고 있어. 자네가 사지 않겠다면 찰스 제미슨 씨가 사겠다고 하더군."

"홀렌벡 씨가 공정한 분이고 땅도 최고라는 것도 압니다만 4백만 제곱미터가 안 되는 땅을 구입하는 사람에게 15달러는 너무 높습니다."

"공정하지 않다는 건가?"

"그런 뜻이 아닙니다. 4백만 제곱미터를 살 자금이 없는 사람들한테는 4천 제곱미터당 5달러도 지불하기가 버겁죠."

"그렇다면 얼마로 하면 좋겠어?"

"4백만 제곱미터 사는 사람과 같은 금액을 냈으면 합니다."

청년시절

"그 가격은 지불할 수 있나?"

홀렌벡은 입가에 웃음을 흘렸는데 나를 못 믿겠다는 눈치였다.

"예."

"4천 제곱미터당 10달러라고 치고 얼마 정도의 땅을 원하나?"

두 번 생각할 필요가 없었다. 이미 염두에 두고 있었다.

"160만 제곱미터입니다."

"160만 제곱미터? 배짱이 두둑하군."

나는 아무런 대꾸를 하지 않았다. 홀렌벡이 말을 이었다.

"나는 현찰을 원하네. 땅 160만 제곱미터를 살 만한 돈이 있나?"

대답을 피하며 다른 질문을 했다.

"언제까지 지불해야 합니까?"

"계약하는 즉시 지불해야지. 가을이 오기 전에 여기를 떠날 생각이
니 그때까지는 땅을 모두 팔아야 되겠지."

홀렌벡은 나를 뚫어져라 바라보았다.

"아직도 내 땅에 관심이 있나?"

"있습니다."

홀렌벡은 천둥을 다시 바라보면서 잠시 침묵을 지켰다. 그러다가 입
을 열었다.

"좋아, 나는 돈에 연연하는 사람은 아니야. 자네가 10달러에 가격을
맞추면 160만 제곱미터를 자네에게 넘기겠네."

"다음 주에 정확히 말씀드리겠습니다."

"아니야, 이번 주까지 알려주게. 내 땅을 원하는 사람들이 여럿 있
어. 이번 주까지 오면 거래를 하지. 어길 시에는 다른 임자를 찾을 테

고, 자네에게는 한 제곱미터도 팔지 않겠어."

"반드시 오겠습니다."

홀렌벡은 고개를 끄덕였고, 합의는 이뤄졌다.

**** ****

홀렌벡의 집을 나와 초원으로 다시 와서 잠시 둘러보았다. 비탈길을 따라 걸어 올라가 바위로 향했다. 예전에 그 첫 밤을 보낸 그 바위 옆에서 무릎을 꿇었다. 이 땅을 갖게 해달라고 간절히 기도를 올렸다. 기도를 끝내고 바위 위에 앉아 한참이나 땅을 내다보았다. 그러고는 못까지 와서 넋을 놓고 숲을 바라보다가 잠시 뒤에 삼림지로 향했다. 거의 도착했을 무렵, 비쩍 마른 사람이 술 냄새를 풍기며 숲 속의 오솔길을 따라 내려왔다.

디거 웰러스였다.

발걸음을 멈추고 충혈된 눈으로 나를 노려보았다.

"말 타고 오는 게 네놈이라고는 생각도 못 했다. 백인이 오는 줄 알았지. 하긴, 전에 네 녀석이 그 말을 타고 가자, 네놈 말이라고 다들 수군대더군. 미첼이라는 자식도 저 아래 들판에서 그 말을 타고 지나 갔었지."

디거는 내 발 앞에 침을 뱉었는데 누리끼리한 담뱃진이었다.

"그런 말을 깜둥이들이 타고 다니다니! 세상이 망할 징조야!"

디거는 화난 내 눈과 마주치자 산길을 지나 다시 숲으로 들어갔다.

나는 뒷모습을 눈으로 쫓다가 말을 몰았다. 오두막에 와보니 톰 비가 막 떠나려던 참이었다.

"디거가 돌아왔다는 이야기를 전해주러 왔어. 존 웰러스가 빅스버그에 가는 도중에 나한테 들렀더군. 존은 거기에서 일자리를 구할 거래. 그런데 디거도 함께 와서 이 근방을 떠돌아다닌다고 하니 조심하게."

나는 천둥에서 내리며 대꾸했다

"알아요, 오다가 만났어요."

미첼이 말했다.

"그래? 나한테 그 상판대기를 비췄더라면 좋았을 텐데."

톰 비가 설명했다.

"그럴 위인이 못 돼. 혼자서 얼굴을 내밀기에는 겁이 날 테고, 자네 일을 고자질해서 백인들을 데려오자니 창피스럽겠지. 그래도 디거를 조심하게. 천하의 막돼먹은 놈이거든!"

미첼이 말을 받았다.

"물론 알죠."

"그래도 조심하게."

톰 비는 그렇게 경고하고는 돌아갔다. 톰 비가 가고 나자 미첼에게 물었다.

"걱정 되나?"

"뭐가?"

"디거가 돌아온 거."

미첼은 웃음을 터뜨렸다. 억지로 웃는 게 아니었다. 미첼은 디거를 두려워하지 않았다. 하지만 나는 두려웠다. 캐롤린의 목소리가 들렸다.

"돌아오셨군요."

양손에 접시를 든 채로, 오두막의 입구에 서서 나를 보고 웃음 지었다.

"무슨 일이 생겼나 걱정했어요."

미첼이 말했다.

"그러게. 찾으러 나갈까 했었지. 폴! 오늘은 쉬려고 작정했구나? 그렇지?"

내가 싱긋 웃자 캐롤린이 말했다.

"폴 에드워드는 지나칠 정도로 일만 했잖아요. 하루 정도는 쉬어야죠. 두 분 모두 깨끗이 씻고 식사하세요. 지금 음식을 차릴 거예요."

"예, 엄마!"

미첼이 크게 대답하면서 집으로 들어가는 캐롤린을 향해 함박웃음을 지었다. 미첼과 나는 오두막 옆으로 가서 물통의 물을 세숫대야에 각각 부었다.

"도대체 어디에 다녀온 거야?"

미첼이 비누로 거품을 내며 물었다. 캐롤린이 결혼 전에 만들어서 가져온 비누였다. 미첼이 싱긋 웃었다.

"혹시 에타 양을 만나고 온 거 아냐?"

"아니야, 더 좋은 일이야."

"더 좋은 일?"

이번에 웃는 사람은 나였다

"홀렌벡을 만나러 갔지."

미첼의 표정이 심각해졌다.

"홀렌벡? 그 백인하고 무슨 볼일이 있는데?"

"너는 짐작되는 거 없나?"

나는 미첼에게 몸을 가까이 기울였다.

"땅이야, 미첼, 그 땅. 이제 팔려고 한대."

"그러면 그 땅을 사려고?"

"그러려고 해."

"얼마를 바라는데?"

"4천 제곱미터당 15달러를 요구하더라. 나중에는 10달러로 내려줬어."

"몇 제곱미터나 할 거야?"

"160만 제곱미터."

다른 때라면 미첼은 웃어버리고 말았을 것이다. 이번에는 아니었다. 오히려 이마를 찌푸렸다.

"뭐, 160만 제곱미터? 네게 그럴 돈이 있어?"

"이리저리 구해봐야지."

미첼은 잠시 침묵에 잠기더니 입을 열었다.

"네 아버지에게 부탁할 작정이냐?"

나는 미첼의 눈을 똑바로 보았다.

"네가 더 잘 알잖아."

미첼이 고개를 주억거렸다.

"그러면 어쩔 작정이냐?"

"은행에서 돈을 빌릴 수 있을지 알아봐야지."

미첼은 다시 침묵에 잠겼다가 입을 열었다.

"잭슨 시내로 가서 백인 행세를 하며 돈을 빌리려고?"

"빅스버그로 갈 거야."

"거기는 사람들이 네가 누군지 다 알잖아."

"상관없어. 백인 행세는 하지 않을 거니까."

"대출 같은 건 잊어. 아무리 훌륭한 땅이라고 해도, 설사 그 땅에서 금싸라기가 나온다고 해도 남부의 쫀쫀한 백인들이 유색인에게 돈을 빌려줄 성 싶냐?"

"홀렌벡이 땅을 판다고 했어. 이건 절호의 기회야. 어떻게든 돈을 구할 거야."

미쳴이 나를 물끄러미 바라보았다.

"내일 아침, 동이 트기 전에 빅스버그에 다녀올게."

미쳴이 투덜거렸다. 나는 웃고 말았다.

"미쳴, 너는 신념이 부족한 게 탈이야."

미쳴도 웃었다.

"너와 캐롤린에게 신념이 넘쳐나는데, 나까지 그걸 갖춰야 돼?"

캐롤린이 식사시간이라며 고함쳤고, 우리는 들어가면서 장난치며 웃어댔다.

****

잡목을 태우고 나자 밤이 이슥해져서 캐롤린과 네이던은 오두막으로 들어갔다. 미쳴과 나는 불가에 앉아 치커리 차를 마시며 이야기를 나누었다. 어둠 속에서 미쳴이 말했다.

"있지, 폴. 나한테도 좋은 일이 생겼다."

"그래? 뭔데?"

미쳴이 활짝 웃었다.

"캐롤린이 아기를 가졌어."

나는 잠시 아무 말도 하지 못했다.

"안 들려?"

"네가? 네가 아버지가 되는 거야?"

"그러게. 놀랍지?"

나지막이 속삭이는 미첼의 말투에서 미첼이 아버지가 된다는 사실에 대해 경건함을 느끼는 걸 알 수 있었다.

"너는 좋은 아버지가 될 거야."

미첼이 나에게 시선을 던졌다. 나는 웃음을 보였다. 솔직한 심정이었고, 또 부러웠다.

"아기는 언제 태어나는데?"

"여름이 끝날 무렵에. 그 즈음이면 삼림지도 우리에게 넘어오겠지. 캐롤린이 지난밤에 말하더라."

"멋진 출발이 되겠다. 아기와 우리 땅이 동시에 생길 테니 말이야."

미첼이 고개를 끄덕였다.

"남자아이일 것 같아."

"왜?"

"그냥 그런 것 같아."

미첼은 들고 있던 컵을 하염없이 들여다보았다.

"남자아이라면 나도 우리 아버지가 나를 대하듯이 대할까?"

"그럴 리가 있냐? 너도 때릴 때가 있겠지만 함부로 하진 않겠지."

미첼이 눈을 들었다.

"사실 나는 맞을 짓을 일삼았지?"

"그야 그렇지."

나도 맞장구를 쳤다.

"네가 에타 양이나 다른 여자에게 관심이 없다고 하니 아쉽다. 여기에서 아이들을 함께 기르면 좋을 텐데. 네 애들이랑 내 애들이랑 어울려 자라면 좋잖아."

나는 웃음을 지었다.

"왜? 그 아이들도 우리처럼 날이면 날마다 치고받고 싸우라고?"

"하지만 서로 지켜주겠지."

미첼은 나를 건너다보았다.

"네가 에타 양에 대해 마음을 바꾸면 좋겠는데."

"그러진 않을 거야."

미첼이 일어섰다. 남은 치커리 차를 불에 끼얹었다.

"폴, 마나님이 기다리셔서 말이야. 한 가지만 더 이야기 하마."

나도 일어섰다.

"뭔데?"

"네 계획과는 달리 은행에서 대출을 못 받게 되면 이 삼림지도 염두에 둬라."

"무슨 소리야?"

"흘렌벡의 땅을 사는데 여기 16만 제곱미터가 조금이라도 보탬이 된다면 그렇게 하란 말이야."

나는 머리를 흔들었다.

"아니야. 8만 제곱미터는 무조건 네 거야. 꼭 필요하다면 내 몫인 반쪽만 쓰겠어."

"폴, 네가 그레인저와 거래를 하지 않았다면 내가 어떻게 8만 제곱미터를 가질 수 있겠어. 네가 아니었더라면 캐롤린에게 집도 구해주지 못했을 거야. 8만 제곱미터를 팔아 160만 제곱미터를 구입한다면, 나와 캐롤린이야 그 160만 제곱미터 한쪽 귀퉁이에 들어가 살지, 뭐."

나는 장난스럽게 웃었다.

"이제는 80만 제곱미터를 원하는구나. 그렇지?"

미첼의 얼굴이 순간 멍해졌다. 그러더니 진지하게 대꾸했다.

"아니야, 내 땅은 8만 제곱미터뿐이야."

나도 진지해졌다.

"자칫 다 날릴지도 몰라."

"난 산전수전 다 겪은 놈이야."

"그때는 아기가 없었지."

미첼이 어깨를 으쓱 올렸다.

"나는 믿는다, 폴. 함께 기차에 올라 탈 때부터 믿었어. 너만큼 영리한 놈은 보지 못했어. 땅을 갖기로 마음먹었다면 분명히 그 방법도 찾아내겠지."

미첼은 호주머니에 손을 넣더니 접힌 종이를 꺼내어 내밀었다.

"자, 이거 받아."

"이게 뭔데?"

"이 삼림지의 모든 권리를 너한테 넘겨준다는 내용이야. 이걸 내가 직접 썼어."

미첼이 싱긋 웃으며 말을 이었다.

"네가 벌목장에 왔을 때, 함께 합의하고 내가 서명했던 서류야. 거기에 네가 가르쳐준 대로 썼어."

미쳴이 저만큼 걸어갔다. 내가 불러 세웠다.

"정말 그래도 돼?"

"말했잖아. 무슨 일이 있어도 나는 네 편이야."

"너야 늘 그랬지."

미쳴이 낮은 목소리로 말했다.

"너도 마찬가지야."

미쳴은 나에게 손을 흔들고는 돌아서서 오두막으로 걸어갔다.

"잘 다녀와라. 그 땅에 대한 계약서를 가지고 돌아오면, 다 함께 근사한 축하잔치를 벌이는 거야!"

나는 호주머니에 서류를 넣었다.

"좋은 소식을 가져와야 할 텐데."

미쳴이 대꾸했다.

"반드시 그럴 거야."

미쳴이 뒤돌아서서 나를 향해 웃음을 지어 보였다.

"나더러 신념이 부족하다고는 이젠 못 하겠지."

미쳴은 껄껄 웃으며 오두막으로 들어갔다. 나도 크게 소리 내어 웃고는 다시 불가에 앉았다.

****

다음 날 아침, 날이 채 밝기도 전에 일어났다. 나는 노새를 타고 빅스버그로 향했다. 디거와 마주치고 나서 생각해보니, 천둥을 삼림지에 두는 게 가장 좋을 것 같았다. 백인들의 시기어린 눈총을 받지 않으려면 말이다. 하물며 돈을 대출받고자 하는 상황에서는 더 말할 것도 없었다.

소여에게 들르기 전에 은행가인 틸만을 만나러 갔다. 틸만은 놀라워하며 나를 사무실로 데려갔다. 그렇다고 의자까지 권한 건 아니었다.

"내 아내는 자네가 만들어준 장식장을 칭찬하느라 입에 침이 마를 지경이야. 폴."

틸만은 그렇게 말하면서 자리에 앉았다.

"이제는 그 일만 하는 게 아니라니 아쉽군. 솜씨가 그야말로 타고났던데."

내가 모자를 손에 들고 서 있는 동안 틸만은 책상에서 서류만 뒤적거렸다. 한참이 지나서야 나에게 시선을 돌렸다.

"그래, 폴. 무슨 일로 왔나?"

이런 사람 앞에서 모자를 벗고 서 있기 싫었으나, 할 말은 해야만 했다.

"사고 싶은 땅이 있어서 대출을 받으러 왔습니다. 스트로베리 부근에 있는 160만 제곱미터입니다."

틸만은 의자에서 허리를 곧게 폈다.

"설마 홀렌벡 씨의 땅을 말하는 건 아니겠지?"

"맞습니다. 그겁니다."

"160만 제곱미터라고?"

"그렇습니다."

틸만은 벌떡 일어나, 앞으로 돌아 나와서 책상에 등짝을 기댔다. 활짱을 껴 가슴에 올리고 나를 뚫어져라 쳐다보았다.

"그 땅이라면 나도 무척이나 인상에 남았던 곳인데."

나는 동의하는 뜻으로 고개를 끄덕였다.

"그래, 아주 좋은 땅이야. 예전에 그레인저 집안 소유였고, 이 근방에서는 가장 비옥한 농지라 할 수 있지."

"맞는 말씀입니다."

틸만은 금테 안경 너머로 나를 바라보았다.

"그런데 자네가 그걸 사겠다고?"

그 말을 듣는 순간, 틸만의 마음을 눈치 챘으나, 무슨 생각을 하던 내가 상관할 바는 아니라고 생각했다.

"예, 그런데 대출이 필요합니다."

나는 한마디 덧붙였다.

"모두 4천 달러가 필요한데 저는 3천 2백 달러를 빌리고 싶습니다."

"3천 2백이나? 근데 나머지 8백 달러는 어쩔 셈이야?"

나는 틸만을 똑바로 보았다.

"그건 제가 마련하려고요."

"자네가?"

틸만은 미심쩍다는 표정을 지었다.

"유색인이라면 동전 몇 푼도 손에 넣기 힘든 세상이야. 1년에 100달러를 만지기만 해도 운이 좋다 할 판에, 땅 값으로 지불할 800달러가 있단 말이야? 그런 돈은 어디에서 구했어?"

대답하기 전에 생각을 가다듬었다. 내가 알기에도 유색인은 물론이고 백인조차 1년에 100달러를 구경하기 힘든 세상이었다. 더욱이 소작을 한다면 한 푼도 만지지 못했다. 하지만 나는 벌목을 했다. 말을 조련했으며 경마에 참여했고, 고급가구를 만들었다. 그런 일을 하면서 정당하게 돈을 벌었고, 받은 돈은 대부분 저축을 했다. 게다가 소여와 꾸준히 거래해왔다. 그런 내용을 틸만에게 설명할 수도 있었지만 그럴수록 더 궁금하게 여길 것 같았다. 그리고 소여와 계약한 내용도 밝히고 싶지 않았다. 그건 어디까지나 나와 소여 사이의 문제였다.

"저축했습니다."

딱 그 말만 말했다. 틸만이 히죽거렸다.

"저축했어? 너처럼 젊은 애가?"

내가 묵묵히 쳐다보자 틸만은 더 추궁하지 않았다.

"그래 3천2백 달러를 빌리고 싶단 말이지. 그럼 어떻게 갚을 건데?"

"그동안 800달러를 모은 것처럼 모아 갚겠습니다."

그렇게 말하고 보니 유색인의 대답치고는 지나치게 거만한 말투였다. 나는 얼른 말을 바꾸었다.

"앞으로도 소여 씨의 일을 도울 예정이고 그레인저 씨와 계약한 스트로베리 근교의 삼림지도 팔려고 합니다. 1년 후에는 수확한 농작물도 팔겠습니다. 목화와 옥수수와 사탕수수를 심을까 생각 중입니다."

틸만은 책상을 돌아서 다시 자리에 앉았다.

"그렇다면 나에게 무얼 담보로 맡기겠나? 폴! 그레인저 씨의 삼림지를 최고의 값으로 팔더라도 400달러에 불과하니 대출금이 여전히 많이 남겠군. 은행에서 대출하여 땅을 산다니 자네가 담보로 제시할 것은 무엇인가?"

내게 보기엔 답은 하나였다. 틸만도 그 답을 알고 있었다. 만약 그렇지 않다면 내가 유색인이 아니어야 했었다. 내가 말했다.

"땅입니다."

"땅?"

틸만이 물었다.

"그 땅을? 거기에 뭐가 있는데? 집이 있나? 농작물이 있나? 뭔데? 그 넓은 곳에 자네 혼자 어떻게 농사를 짓겠어? 소작농을 데려올 돈은 있어? 내가 대출해준다면 그 땅 말고 어떤 담보를 제공하겠나?"

내가 대답했다.

"1년 안에 집 한 채를 짓겠습니다. 해마다 추수도 하겠습니다. 게다가 아시다시피 저는 목공기술을 가졌습니다. 나무로 된 것은 누가 무엇을 원하든 가장 흡사하게 만들 수 있습니다. 물론 소여 씨를 통해 일을 할 겁니다. 목공으로 버는 돈도 이 은행에 맡기겠습니다. 거둬들이는 농작물을 담보로 맡기겠습니다. 무엇보다 땅이 있습니다. 말씀하셨듯이 비옥한 땅이므로 그것만으로도 충분한 담보가 될 겁니다."

틸만은 나를 빤히 쳐다보았다.

"16만 제곱미터면 충분하지, 무리하게 대출을 받아서 160만 제곱미터를 구입하려는 이유가 뭔가? 지난 몇 년 동안 160만 제곱미터에서 농작물을 수확하여 은행 빚과 세금을 지불할 정도로 수입을 올렸다면 대출을 해 줄 수도 있겠지. 하지만 폴, 아무리 생각해도 자네에겐 버거워 보이는군. 자네가 말한 대출금 상환은 모두 머릿속에서 나온 계산에 불과할 뿐이야. 게다가 이 은행에는 자네의 금전 기록도 없단 말이야. 또한 농사에 필요한 지식과 농기구도 부족해 보여. 그 160만 제곱미터는 백인이나 소유할 비옥한 땅이라서 자네가 지불하기엔 너무 벅찬 금액이야. 요즘 시대가 깜둥이 탄압에 반대하는 분위기인지라, 백인 비슷하게 생긴 이가 미시시피의 농지를 사는 것까지 반대할 생각이 없네만 자네가 굳이 홀렌벡 씨의 땅을 구입하려는 건 이해할 수가 없군."

털만은 고개를 절레절레 흔들었다.

"미안하지만 안 되겠네. 자네에게는 너무 벅차 보여. 자네가 대출금을 제대로 갚지 못해 우리가 그 땅을 차압해야 할 상황도 만들기 싫네. 지금 일하는 16만 제곱미터나 8만 제곱미터에 대해 도움을 청한다면 고려해보겠네. 160만 제곱미터는 안 돼. 내가 해줄 충고는 16만 제곱미터의 삼림지에 만족하고 열심히 일하라는 거야. 그 정도만 있어도 충분히 살아갈 테니."

나는 털만의 사무실을 그냥 나와버렸다. 다른 은행가들을 만나봤으나 그들 역시 입이라도 맞춘 듯 같은 말만 되풀이했다. 아직은 포기할 수 없었다. 소여를 찾아갔다. 집에 아직 목재가 남아 있기에 가구를 몇 점 주문 받았으며, 창고에서 하룻밤 묵은 뒤에 빅스버그를 떠났다. 노새를 타고 돌아오는 길에 땅을 살 방법에 대해 계속 궁리해보았다. 아무것도 내 머리에서 떠오르지 않았다. 삼림지를 지나 홀렌벡의 초원으로 향했다. 홀렌벡에게 계약성사 여부를 알려주기까지 아직 하루의 여유가 있었다. 노새를 못으로 데려가 물을 먹였다. 그런 후에 초원으로 돌아와 예전에 처음으로 하룻밤을 보냈던 비탈길에 짐을 풀었다. 노새의 등에 실은 물건을 내려놓은 뒤에 내가 기도했던 바위에 앉아 저 멀리 땅을 바라보았다. 기도했다. 내가 보는 이 땅을 가질 만한 방법을 알려달라고. 땅거미가 질 때까지 거기에 앉아 있다가 담요를 펼치고 드러누웠다. 모든 것을 주님의 손에 맡겼다. 한밤중에 보름달 아래에서 눈을 뜬 나는 윗옷을 벗어 들고 옷 솔기 한쪽을 뜯어 예전에 만든 얇은 소가죽 지갑을 꺼냈다. 지갑을 호주머니에 넣고 다시 잠들었다.

다음 날 아침에 눈을 뜨자, 미리 생각해 둔 계획을 마음에 품고 홀렌벡을 찾아갔다.

****

"그때 말씀하시길, 떠나기 전에 땅을 모두 정리할 계획이고 현금만 받겠다고 하셨죠."

나는 홀렌벡과 현관에 앉아서 말문을 열었다. 집을 찾아가자, 마침 현관에서 신문을 보던 홀렌벡은 나더러 옆에 앉으라고 권했다. 자리도 비켜주었다. 백인치고 그렇게 행동하는 이는 드물었다.

홀렌벡은 고개를 끄덕이며 담배연기를 내뿜었다.

"그랬지."

"그렇다면 말씀하신 가격으로 80만 제곱미터만 사고 싶습니다."

"160만 제곱미터라고 했던 것 같은데."

"맞습니다."

나는 인정하였고 홀렌벡과 눈이 마주쳤다.

"지금은 80만 제곱미터입니다. 하지만 언덕과 못을 중심으로 해서 목초지까지 포함시켜주십시오."

홀렌벡은 나를 찬찬히 살피는 게 과연 내 이야기를 계속 들을 필요가 있나 고민하는 눈치였다. 드디어 입을 열었다.

"계속 말하게."

"4천 제곱미터당 10달러에 하시면 계약금으로 25퍼센트를 드리겠습니다."

자칫 제안이 거절당할까봐 마음을 졸이며 차분히 설명을 했다.

"즉 계약서에 서명할 때 500달러를 드리고 앞으로 6달 동안 매달 20달러를 지불하겠습니다. 7번째 달에는 마지막 금액인 1380 달러를 모두 지불하렵니다."

홀렌벡은 나를 응시하더니 엷은 웃음을 띠었다.

"반년 동안 어떻게 1380달러를 모을 수 있나? 은행대출이라도 받는 게야?"

"은행대출이 아닙니다. 지금 일하고 있는 삼림지를 팔 생각입니다."

"내가 알기로는 그 땅의 주인은 아직 자네가 아닌데."

"기한이 다 되면 제 땅이 될 테니까요."

"나머지 돈은 어떻게 충당하려나? 16만 제곱미터의 삼림지를 판다고 해도 80만 제곱미터에 대한 돈에는 터무니없이 모자라지 않나."

"압니다. 그래서 목화를 심으려고 합니다. 이미 종자도 사두었으니 목화 가격이 작년과 같다면 400달러는 될 겁니다. 그리고 빅스버그 상점의 루크 소여 씨에게 가구주문을 받아 힘닿는 대로 만들면 7월까지 200달러를 모을 수 있습니다."

홀렌벡은 머리를 천천히 내저었다.

"내가 보기엔 그래도 충분하지 않은데."

나는 끝까지 쥐고 있던 마지막 재산목록을 내밀었다.

"팔로미노도 팔려고 합니다."

홀렌벡은 나를 물끄러미 보며 아무 말 하지 않았다. 엽궐련을 한 모금 빨아들이더니 곧 내뿜었다.

"6달이라고 했나?"

"7달입니다."

내가 정확하게 알려주었다.

홀렌벡의 눈이 가늘어졌다.

"내가 왜 자네의 재정 형편 때문에 시간을 질질 끌며 땅을 팔아야 하지? 나는 이번 거래에 현금을 원한다고 말했어. 나로서는 그 땅을 지금 당장 팔아치우는 게 훨씬 낫지 않겠나?"

나는 인정했다.

"하지만 이 땅이 아니더라도 팔아야 할 땅이 많다고 들었습니다. 저로서는 이 땅을 꼭 사고 싶습니다. 계약을 하자마자 500달러를 가지시는 겁니다. 달마다 납입금을 받으면서도 이 땅은 여전히 담보물로 남아 있는 셈입니다."

나는 잠시 멈추었다가 말을 이었다.

"매달 드리는 납입금이나 마지막 잔금을 제대로 치르지 못하면 벌금을 물겠습니다."

자진해서 벌금을 제안한 행동이 그다지 현명한 태도가 아니란 걸 알지만 제때 돈을 갚겠다는 의지를 보여줌으로써 홀렌벡을 설득하고 싶었다.

나를 빤히 바라보던 홀렌벡은 엽궐련을 입술 사이에 문 채, 베란다 저쪽 끝까지 걸어가더니 등을 돌려 먼 곳을 주시했다. 나는 인내심을 가지고 기다렸다. 홀렌벡은 한참이나 생각에 빠져 있었다. 이윽고 돌아서서 입에 물고 있던 엽궐련을 손가락으로 옮기고 나를 가리켰다.

"계약금은 500달러가 아니라 850달러로 하되 매달 납입금은 25달러로 하고 5달러는 이자로 추가하지. 벌써 2월 말이니 다음 달부터 돈을 내도록 하고 마지막 잔금인 1000달러는 9월 말을 만기로 하겠어. 자네 말에 따르면, 그 즈음에 그레인저 땅의 소유권을 갖는다고 했지. 나와 거래를 맺을 정도로 영리하니 16만 제곱미터의 삼림지도 제때 팔아서 나에게 갚을 거라 믿네. 기간은 7개월이고 단 하루도 연장은 없어. 계약을 제대로 이행하지 못하면 불이익이 있을 거야. 자네에게 이 땅을 이렇게 싼 가격에 넘긴 것은 어떻게든 해보려는 노력이 가상했기 때문이야. 백인이든 유색인이든 자네처럼 일을 성취해내거나 뚝심 있게 추진하는 사람은 드물거든. 그 점이 마음에 드네. 의욕이 넘치는 사람에게는 기회를 주자는 게 내 기본적인 입장이야. 하지만 내가 들인 시간을 헛되게 만든다면 그 대가를 톡톡히 치를 걸세. 약속을 어기면 자네가 지불한 돈을 계약금으로 생각하여 한 푼도 돌려주지 않겠어. 나는 그 땅을 4천 제곱미터당 10달러가 아니라 15달러를 받으려 했거든. 자네가 이 거래를 끝까지 성사시키면 내가 손해를 보는 셈이고, 실패하면 자네가 손해를 보는 거야. 다시 말해서 한 푼도 돌려주지 않겠어. 이런 조건이라도 받아들이겠나?"

조건만 따진다면 그 자리에서 박차고 일어나야겠지만, 홀렌벡의 땅은 내가 그토록 갈구했던 땅이었다. 내가 조건을 받아들이지 않는다면 나는 그 땅을 가질 기회를 다시는 잡을 수 없을 것이다. 그렇다고 조건을 수용하자니 내 돈 전부를 잃어버릴 위험이 도사리고 있었다. 그래도 홀렌벡은 기회를 주었다. 다른 백인이라면 기회를 주기는커녕 땅을 사겠다는 내 말을 아예 무시하고 말았을 것이다. 돈의 수입과 지출을 제대로 파악하지 못하는 사람에게는 나쁜 조건이지만 금전의 흐름을 잘 파악하고 있는 사람에게는 유리한 거래였다.

나는 내 수입과 지출을 정확히 파악했다.

그래서 나는 모험을 선택했다. 제안을 수용하기로 결심한 순간 터지려는 환호성을 억지로 참았다. 내가 거래에 임했을 때 나는 최고의 조건과 최저의 조건을 모두 염두에 두고 있었다. 홀렌벡에게 최저의 조건을 제시했기에 어느 정도 협상의 여지가 있었다. 계약금으로 지급할 850달러 정도는 나에게 있었다. 매달 내야할 납입금도 어느 정도 가지고 있었다. 부족한 돈은 얼마든지 모을 것 같았다. 마지막으로 지급할 1000달러도 염려되지 않았다. 나에게는 16만 제곱미터의 땅과 천둥이 있었다. 7달이 지나면 소여에게서 주문 받은 물건도 마무리 될 거고 농작물도 수확할 수 있었다. 잘만 하면 돈이 오히려 남을 듯했다.

조건을 받아들이겠냐는 홀렌벡의 질문에 대답을 했다.

"저는 자신 있습니다."

홀렌벡은 베란다 끝으로 다시 걸어갔다. 그리고 입을 열었다.

"좋아. 850달러는 이번 주말 전에 가져오게."

나는 호주머니에 손을 넣어 송아지 가죽을 만졌다.

"서류를 작성한다면 지금 지불하겠습니다. 뉴올리언스에서 발행한 백지수표가 있습니다."

홀렌벡의 얼굴에 웃음이 감돌았다.

"뉴올리언스 돈이라면 믿을 만하지. 들어가서 문서를 작성해보세."

＊＊＊＊

나는 기쁨을 주체할 수 없었다. 삼림지로 돌아가는데, 기분이 얼마나 좋은지 하늘까지 날아갈 것 같았다. 그 땅을 곧 갖게 되리라는 생각이 들자 노새를 타고 가는 도중에, 웃음이 저절로 터져 나오고 노래가 절로 흘러나왔다. 아버지처럼 커다란 땅을 갖게 된다는 사실이 아무래도 믿어지지 않았다. 면적이야 훨씬 작았지만 그건 중요하지 않았다. 무엇보다 내가 원하던 땅이었다. 내 노력만으로 커다란 땅을 갖게 되었다는 사실을 아버지에게 알려드리고 싶었다. 그러자 아버지와 형제에게 생각이 미치며 마음 한쪽이 울적해지기에, 유쾌한 기분을 망칠까 봐 얼른 생각을 돌렸다. 한시라도 빨리 미첼과 캐롤린에게 이 소식을 알려 주고 싶었다. 노새를 재촉하여 나머지 5킬로미터를 열심히 달렸다. 마치 천둥이라도 되는 양 노새를 몰았다. 오두막에 가까워졌을 때 달려오는 네이던이 보였다. 땅이 어떻게 되었는지 무척 궁금했던 모양이라고 짐작했다. 나는 네이던을 향해 반갑게 손을 흔들었다. 어느 정도 가까워졌기에 활짝 웃었다. 그러나 네이던의 얼굴을 대하는 순간, 뭔가 일이 크게 잘못되었다는 것을 알았다. 벌목을 하느라 네이던의 얼굴은 늘 먼지투성이였는데, 오늘은 그 위로 눈물 자국이 선명히 찍혀 있었다. 나는 몸을 앞으로 기울였다.

"왜 그래?"

"미첼 형이요!"

네이던이 흐느꼈다.

"미첼 형이 심하게 다쳤어요. 형!"

"무슨 일인데?"

"누군가 매형 뒤에서 총을 쏘았는데 하필 그때 나무가 쓰러졌어요! 나무가 매형을 덮치는 바람에 뼈고 뭐고 모두 다쳐서 피를 철철 쏟았어요! 아무래도……."

"지금 어디에 있어?"

"저 위에요."

내가 네이턴의 팔을 끌어당기자 네이턴은 얼른 내 뒤로 올라탔다. 나는 노새에 박차를 가해 다시 한 번 전속력으로 질주했다. 노새가 현관 입구에 채 멈추기도 전에 뛰어 내려 문으로 달려갔다. 톰 비가 현관 입구의 통나무 벽에 머리를 기대고 앉아 있었다. 톰 비도 울고 있었다. 나를 보았지만 말이 없었다. 나는 문을 확 열어젖혔고 순간 우뚝 서고 말았다. 미쳴은 미동도 없이 침대에 누워 있었으며 주위는 온통 피바다였다. 캐롤린은 존스 부인이라는 여자와 함께 앉아 있었다. 나를 보자 캐롤린이 일어났다. 어리둥절한 내 눈빛을 보고 입을 뗐다.

"미쳴이 당신을 기다렸어요."

캐롤린이 더는 말이 없었다. 그냥 나를 지나서 밖으로 나갔다. 존스 부인도 따라 나갔다.

나는 침대로 갔다. 미쳴이 꼼짝도 않기에 너무 늦었나 싶어 섬뜩했다. 미쳴이 눈을 떴다.

"그래, 어떻게 됐어?"

나는 미쳴을 가만히 보았다.

"뭐가?"

"땅을 계약했어?"

나는 고개를 끄덕였다. 눈을 감은 미쳴의 얼굴에 얼핏 미소가 감돌았다.

"음……해낼 줄 알았어. 사실 은행에서 유색인에게 돈을 빌려줄 거라고는 생각 못 했다."

"못 빌렸어."

나는 더는 중요하지도 않는 이야기를 평상시처럼 주절주절 늘어놓았다.

"그저 충고만 하더라. 철부지 아이를 가르치듯 말이야. 홀렌벡 땅은 백인에게 어울리는 땅이니, 지금 가진 땅에나 만족하래."

"그러면 어떻게 샀어?"

"그게 뭐가 중요해? 어서 기운이나 차려."

"알고 싶어."

"홀렌벡에게 계약금을 벌써 냈어. 나머지 돈은 앞으로 7개월 동안 나눠서 낼 거야."

"그럴 돈이 있어?"

나는 소리 없이 고개만 끄덕였다.

미첼은 이번에는 간신히 웃음을 머금었다.

"그 정도인 줄은 몰랐지."

나는 자리에 앉았다. 미첼의 손을 잡고 싶었지만, 덜덜 떨리는 내 마음을 미첼이 눈치 챌 것 같았다.

"네이던 말로는 나무가 너를 덮쳤다던데. 어쩌다 그런 거야?"

미첼이 웅얼거렸다.

"나도 왜 그랬는지 알고 싶어."

미첼이 숨을 가쁘게 몰아쉬었다.

"조심하지 않았던 거야?"

미첼이 나를 똑바로 보았다.

"바보인가 봐. 나야 원래 조심성과는 거리가 멀지……. 더구나 누군가 나에게 총을 쐈어."

작은 움직임도 힘든 노동으로 느껴지는지 신음소리를 냈다.

"총이 발사된 순간 나무가 쓰러졌어. 나는 그 앞에서 고꾸라지고."

"누가 쏘았는데?"

"디거."

"디거? 확실해?"

"그 자식이었어, 분명히."

"디거 웰러스는 잊어버려. 쓸데없이 힘 빼지 말고."

"기운이 다 빠져버렸어. 나는 이제 가망이 없어."

"넌 반드시 살아날 거야."

"아니야, 그렇지 않아. 나에게 거짓말 하지 마. 우리 둘은 정말 많은 일을 함께 겪었지."

"그래, 지금처럼 어려운 상황을 몇 번 겪었지만 우리는 그때마다 오뚝이처럼 살아남았어. 이번에도 아무 일 없을 거야."

미첼은 웅얼거리면서 스르르 눈을 감나 싶더니 안간힘을 쓰며 다시 떴다.

"에타라는 아가씨를 두고 했던 말은 진심이냐?"

나는 막상 입을 열었으나 왜 이 같은 순간에 에타에 대해 묻는지 종잡을 수가 없었다.

"내가 뭐라고 말했는데?"

"에타 양에게 아무 감정이 없다고 했지. 바로 그렇게 말했어."

나는 고개를 끄덕였다.

"그래 그랬어. 하지만 왜?"

"그러면 잘됐어."

"잘됐다니?"

"꼭 부탁할 게 있어."

"뭔데?"

"캐롤린과 결혼해 줘."

미첼을 바라봤다. 지금 무슨 소리를 하는지 이해하려고 하면서.

"무슨 소리야?"

"입 좀 닫고 있어…… 너야 이야기할 시간이 많지만, 나는 아니야. 자꾸 같은 말 시키지 마. 캐롤린과 결혼해달라고 부탁했어."

나는 고개를 저었고, 미첼의 종잡을 수 없는 부탁에 뭐라고 해야 할지 알 수 없었다.

"그런데……그건 있을 수 없는 일이야. 미첼…… 네가 캐롤린과 결혼……."

"나를 대신하여 캐롤린을 돌봐주길 바래. 캐롤린과 내 아들을 보살펴 줘."

"미첼, 안 돼……이런 말은 하지……."

미첼이 내 손을 잡았는데 손아귀의 힘이 엄청났다. 그러더니 팔꿈치에 지탱하여 몸을 일으켜 세웠다.

"폴, 네가 해줘야겠어. 그렇게 해 달란 말이야! 대답을 듣지 못하면 나는 편히 눈을 감을 수 없어. 우리는 서로 지켜 주었잖아. 그러니 나를 대신해서 그들을 보살펴다오. 약속해 줘, 폴. 약속해!"

나를 억세게 움켜잡는 미첼의 손길에서 시간이 빠져나가는 게 느껴졌다.

"약속할게. 미첼."

미첼은 혼신의 힘을 쏟았는지, 약속을 듣자마자 손에서 힘이 빠지더니 풀썩 쓰러졌다.

"다행이야. 나는 믿는다. 믿고말고. 너도 후회하는 일은 없을 거야. 내가 약속해."

그게 미첼이 나에게 마지막으로 남긴 말이었다. 다시 눈을 감더니 더는 떠보려고 애쓰지 않았다. 호흡이 점점 자꾸 끊어지더니, 아무리 불러도 대답이 없었다. 내 친구를 들여다보고 있으려니 둘이 함께 겪은 세월이 주마등처럼 스쳐가면서 미첼이 거기에 누워 있는 게 거짓말처럼 느껴졌다. 내 머릿속에는 말해야 했으나, 하지 못한 이야기들이 맴돌았다. 나는 미첼의 손을 한번 꼭 쥐고는 걸어 나와 방문을 열고 캐롤린을 불렀다.

캐롤린이 서둘러 나타나 나를 빤히 쳐다보았다. 나는 그냥 밖으로 나갔다. 톰 비는 아직도 현관 앞에 있었다.

"디거 웰러스 짓이란 걸 자네도 알지? 그렇지? 디거가 저 친구를 쏜 거야. 천하의 불한당 자식! 저 친구와 네 말을 쏘았어!"

나는 꿈이라도 꾸는 듯 천천히 돌아섰다.

"뭐요?"

"그래. 천둥! 그 근사한 말이 저기 목장에 죽은 채 쓰러져 있어. 그 빌어먹을 놈이 미첼을 쏘고, 말도 쏜 거야. 그 자식이 말을 쏘는 걸 봤어. 미첼을 쏘는 건 못 봤지만, 말을 쏘는 건 두 눈으로 똑똑히 보았지. 그 자식이 왜 그런 거야, 폴? 왜 그 말까지 쏘았지?"

톰 비는 대답을 찾으려는 듯 나를 올려다보았다.

"그 말은 아무에게도 해코지하지 않았는데."

나는 아무 대꾸 없이 고개를 저으며 자리를 떴다. 노새 옆에 있던 네이던을 지나면서도 아무 말을 하지 않았다. 그저 도끼만 들고 산비탈로 올라갔다. 나는 벌목 터로 걸어가서 도끼로 나무를 내리찍었다. 도끼질을 할 때마다 미첼이 생각났다. 아버지의 땅에서, 우리 형들에게 여차하면 도끼를 휘두르려던 미첼. 기회만 닿으면 나를 두들겨 패다가 마침내 나와 협상을 맺은 미첼. 우승 금액 중 내 몫을 찾아오기 위해 백인을 때렸던 미첼. 나와 함께 기차 좌석 아래에 숨어 있던 미첼. 내 머릿속에 천둥은 없었다. 오직 미첼뿐이었다. 나는 나무가 쓰러질 때까지 도끼질을 했다. 그리고 다른 나무에 다시 도끼를 찍었다.

어스름 속에서 캐롤린이 나에게 다가왔다.

"저기 아래에 있어야죠? 폴 에드워드."

캐롤린은 양팔로 자신을 감싼 채 말을 건넸다.

"나무는 그냥 두세요. 당신은 그이 가족이잖아요. 저기에 같이 있어야죠."

나는 고개를 끄덕였다. 도끼를 버리고, 캐롤린을 따라 비탈길을 내려갔다. 네이던과 톰 비, 캐롤린과 나는 미첼의 옆에서 밤을 새우며 지켰다. 다음 날 아침, 동이 트기 전에 미첼이 죽었다. 나의 친구이자 나의 형제가 떠나갔다.

가족

미첼의 관을 만들었다. 주문한 장식장을 제작하기 위해 소여가 공급한 떡갈나무가 재질이 우수하고 단단했다. 장식장은 나중에 걱정하기로 했다. 내 친구를 땅에 묻는데, 목재라도 가장 좋아야 할 것 같았다. 내가 하루 종일 관을 만드는 동안 캐롤린은 네이던과 함께 향수와 허브로 미첼의 시신을 닦았다. 미첼에게 결혼식 정장을 입혔고, 신발은 옆에 가지런히 두었다. 관 속에는 캐롤린이 혼수로 마련해온 침대보를 깔았다. 해가 뉘엿뉘엿 질 무렵에 미첼을 떡갈나무 아래에 묻고 십자가를 세웠다. 다 함께 기도를 올리고서 미첼의 무덤을 떠났다.

장례를 끝낸 뒤에, 톰 비에게 말을 타고 페리 농장으로 가서 미첼의 부고를 전해달라고 부탁했다.

"캐롤린이 마음을 추스리는 대로 집으로 데려가겠노라고 전해줘요."

다음 날 아침, 날이 밝자마자 톰 비는 출발하겠다고 했다. 캐롤린,

네이던과 함께 오두막에 들어서자, 모여든 사람들도 한둘씩 돌아갔다. 캐롤린에게 말했다.

"언제든지 당신이 원할 때에 네이던과 함께 집으로 데려다 주겠소."

캐롤린은 나를 물끄러미 바라보기만 할 뿐, 말이 없었다. 우리가 식탁에 자리를 잡자, 캐롤린이 음식을 차렸지만 네이던만 입에 댈 뿐이었다.

"오늘 하루는 모두들 힘들었고, 당신은 제대로 쉬지도 못했소. 당신도 생각해 보고 나중에 말합시다."

캐롤린의 대답을 기다렸으나 묵묵부답이기에, 몇 모금 마시던 커피를 내려놓고 자리에서 일어났다. 캐롤린이 물었다.

"식사를 안 할 건가요?"

"배가 그다지 고프지 않군요. 덮어서 찬장에 넣어 두지요."

"그냥 놔두세요. 제가 정리할게요."

나는 깨끗한 천을 찾아 들고는 말했다.

"아닙니다. 나한테 신경 쓰지 마세요. 혼자서도 잘 합니다."

"그럼 편한 대로 하세요."

캐롤린이 말했다. 나는 그릇을 천으로 덮어 치운 뒤에 둘에게 잘 자라는 인사를 하고 돌아섰다.

"폴 에드워드 씨!"

내가 문을 열려는데 캐롤린이 한마디 했다.

"나는 여기에 남을 거예요."

캐롤린을 돌아보았다.

"뭐라고요?"

"여기에 남을 거라고 말했어요. 아무 데도 가지 않을 거예요."

나는 의견을 밝혔다.

"물론 당분간은 괜찮아요. 당신이 가족에게 빨리 돌아가고 싶을 거라고 생각했습니다."

"여기가 내 집이에요."

나는 머리를 가로저었다.

"여기는 집이 아니오."

"미쳴은 나에게 삼림지의 반을 가지라고 했어요."

"그거야 물론이지만……."

"그러니 여기에 집이 있는 거예요."

"아니요. 당신은 여기에서 살면 안 됩니다."

캐롤린이 벌떡 일어났다.

"왜 안 되는데요?"

캐롤린은 나를 쳐다보며 답을 기다리더니 이윽고 접시를 치웠다.

"미쳴도 이제 없으니 당신이 여기에 살 거라고는 예상치 못했어요."

"그런 이유로 내가 떠날 거라고 생각했나요? 그렇게는 못 해요. 여기 있을 거예요."

"당신 가족에게 당신을 데려다 주겠다는 전갈을 톰 비에게 전하라고 했습니다."

"그건 잘못한 거예요. 나에게 먼저 물어봤어야죠."

"물론 그렇긴 하지만, 당신이 남으리라고는 생각하지 못했습니다."

"어쨌든 나는 있을 거예요."

나는 깊이 숨을 들이마셨다.

"네이던은 어쩌고요?"

네이던은 먹다 말고 자기 누이를 올려다보았다. 캐롤린이 말했다.

"본인에게 물어보세요. 하지만 쟤가 가든 말든, 나는 여기에 남을 거예요."

나는 반대하고 나섰다.

"그건 옳지 않아요. 남녀가 결혼도 하지 않고 함께 지내는 건 바람직하지 않습니다."

"나는 남겠다고 분명히 말했어요. 곧 태어날 아이를 위해서라도 뭔가 해야만 해요. 이 땅의 일부가 미첼의 것이니 이제는 그이의 아이의 것이죠. 자신의 아버지가 이 땅에 땀방울을 흘렸으니까요. 게다가 벌목기간이 7개월밖에 남지 않았으니 땅을 지키려면 힘을 합쳐야 해요. 이곳이 진정 우리 땅이 될 때까지 당신 곁에서 미첼처럼 일을 하겠어요. 미첼에게 약속했어요. 어떻게 당신 혼자서 이 일을 다 처리할 건가요?"

대답할 말이 딱히 떠오르지 않았다. 그리고 솔직히 캐롤린과 의견을 더 나누기에는 마음도 지쳤고 몸도 피곤했다. 그동안 제대로 잠을 못 잔 탓에 몽롱한 상태였다.

"아침에 이야기하지요."

"더 할 말이 없어요."

캐롤린을 쳐다봤더니 캐롤린도 나를 바라보았다. 나는 자리를 떴다.

그날 밤, 피곤했지만 잠이 오지 않았다. 미첼과 캐롤린 생각으로 복잡했다. 끊임없이 생각이 일어 밤을 꼬박 지새우다, 결국은 일어나서 등불을 켜고 누나에게 편지로 미첼 소식을 알렸다. 미첼의 어머니에게도 편지를 한 장 썼으며 누나에게 전해달라고 부탁했다. 날이 밝으려면 아직 멀었지만, 편지를 호주머니에 찔러 넣고 총과 총알을 집어 든 채로 미첼이 총에 맞은 비탈로 올라갔다. 쓰러진 나무와 미첼의 피로 붉게 물든 바닥이 보였다. 나는 피로 얼룩진 흙을 손으로 쓸어보다가 땅에 엎드렸다. 그제야 내 친구를 잃은 슬픔이 눈물로 쏟아지기 시작했다. 해가 중천에 떠오를 때에야 자리를 뜰 수 있었다. 총과 편지를 들고 삼림지로 향했다. 톰 비와 네이던이 묻은 천둥의 무덤을 지났으나 지체하지 않았다. 톰 비는 디거가 팔로미노를 죽인 이유를 짐작하지 못했지만 내가 보기엔 뻔했다. 디거는 아무것도 손에 쥔 게 없는 비렁뱅이 신세였다. 그렇게 근사한 말을 백인도 아닌 유색인이 타고 다니는 꼴을 보자니 배알이 아주 많이 뒤틀렸던 것이다. 그자가 내 말을 죽이고 내 친구를 죽였다. 나는 삼림지를 벗어나 계속 걸었다. 디거 웰러스를 반드시 추적해 사냥할 생각이었다.

****

곧장 발길을 옮겨간 톰 비의 집은 그레인저 농장의 가장 외진 곳에 자리 잡고 있었다. 지금 톰 비가 없다고 하더라도 나는 존 웰러스가 거기에 살았으니, 톰 비 가족은 웰러스 형제와 그들의 행방에 대해서 뭔가는 알고 있지 않을까 싶었다. 톰 비 가족들은 존 웰러스는 한참 전에 빅스버그로 떠났고 디거만 돌아왔다고 했다. 고맙다는 인사를 하면서 잠시 뒤에 삼림지로 돌아가겠다는 말을 캐롤린에게 전해달라고 부탁하고 가던 길을 갔다. 만나는 유색인들에게도 일일이 웰러스 형제에 대해 물어보았지만 돌아오는 대답은 똑같았다. 보지 못했다고 했

청년시절

다. 백인들에게 디거에 대해 묻는 실수를 범하지 않도록 주의를 기울였다. 내가 총을 지니고 있는 것도 들키지 않으려고 신경을 곤두세웠다. 믿을 만한 사람들에게 탐문했으나 디거도 이 근방에 없고 존도 마찬가지라는 대답만 돌아왔다.

나는 웰러스 형제가 달아났다는 이야기를 믿을 수 없었기에 계속 찾아 헤맸다. 스트로베리로 가서 편지를 부친 다음에도 계속 탐문을 하며 돌아다녔다. 내 마음속에는 온통 미첼뿐이었다. 미첼이 백인의 손에 죽임을 당했으니 그 백인 놈이 죽어야 미첼과 내가 편히 쉴 수 있을 것 같았다. 나는 꿈속을 헤매는 것 같았다. 이 동네 저 동네 돌아다니며 디거를 수소문하면서도 내가 추적하는 걸 사람들이 눈치 챌까 봐 먼저 총을 감추고 물었다. 그래도 사람들의 대답은 한결같았다.

"그 사람을 못 봤소. 최근에 들었던 바에 의하면 앨라배마로 돌아갔다고 합디다."

낮과 밤이 지났으며 그렇게 이틀이 흐르고 다시 사흘째가 되었다. 눈도 한번 붙이지 못한 상태에서 분노가 걷잡을 수 없이 나를 휘감았다. 숲에서 다람쥐와 토끼를 잡아 구워 먹었던 것은 배가 고파서가 아니라 디거를 잡을 힘이 필요해서였다. 하지만 어디에서도 디거를 찾을 수 없었다.

어쩌다보니, 미첼과 함께 디거를 처음 마주친 산마루로 발길이 향했다. 디거는 닭 서리꾼을 쫓는 사람들 틈에 끼어 있었다. 나는 산마루에 서서, 자칫 곤경에 빠질 뻔했던 일을 떠올렸다. 나는 내가 왜 이곳에 왔는지 알 수 없었다. 디거가 동생인 존과 그날 그 자리에 있었더라도, 다시 이곳에 숨어 있을 리는 만무했다. 웰러스 형제가 닭 서리꾼일거

라는 미첼의 추측이 맞을지도 모른다고 생각했다. 내가 보기에도 디거
에게 딱 어울리는 짓거리였다. 나는 산마루에서 밤을 새웠다. 불을 지
피지도 않았다. 잠도 자지 않았다. 산마루에 앉아서 내 인생과 미첼의
인생에 대해 생각했다. 시간이 지나갔다. 바람이 불어 나뭇잎이 바스
락거렸고 이내 가랑비가 흩뿌렸지만 나는 여전히 그 자리에 있었다.
비가 지나가자 구름이 걷히고 보름달이 나왔지만 나는 그 자리에 있었
다. 녹초가 되었다. 숲 속의 온갖 소리가 머릿속으로 울려 퍼졌으나 신
경 쓰지 않았다. 잠이 필요했지만 나는 쉴 수가 없었다. 디거를 찾을
때까지는 그럴 수 없었다.

****

"폴 로건?"
나는 눈을 뜨고 벌떡 일어섰다. 달은 여전히 머리 위에 있었다. 졸았
던 것도 아닌데 잠깐 정신을 놓았는지 사람이 다가오는 줄도 몰랐다.
"여기 있었네! 자네를 찾아 사방을 헤매고 다녔어!"
톰 비가 걸어오는데, 그 옆에 페리가 있었다. 나는 말없이 바라보기
만 했다.
"내가 여기를 알고 있어 다행이지. 자네를 어떻게 찾아냈겠어?"
나는 다소 혼수상태에서 말을 건넸다.
"톰 비? 어떻게 여기에 올 생각을 다했어요?"
"그 존 웰러스라는 아이 때문이지. 어느 날 밤에 존이 자네와 미첼
을 이 산마루에서 보았다고 하더군. 그때 함께 있던 사람들이 자네를
백인으로 착각했다는 말도 했네."

청년시절

톰 비는 알고 있었다는 눈빛으로 나를 보았다.

"디거가 이 근처를 배회한다고 자네가 생각할까 봐 한번 와 봤지."

페리가 큼지막한 손을 내 어깨에 올렸다.

"마음고생이 얼마나 심했나?"

나는 그저 고개를 끄덕였다.

톰 비가 설명했다.

"캐롤린이 자네 좀 찾아보라며 우리를 보냈어. 페리 가족을 모시고 삼림지로 도착해보니, 자네가 아무 말도 없이 떠났다고 캐롤린이 걱정하고 있더군."

"소식을 보냈는데요."

"캐롤린도 그 이야기를 했네. 그런데 그 소식과 함께 자네가 디거를 찾더라는 이야기도 들은 모양이야."

페리가 나에게 물었다.

"그자를 찾았나?"

"아니요."

"정말 다행일세. 혹시 찾아냈을까 봐 조마조마했다네."

나는 힘없이 주저앉았다.

"다들 디거가 앨라배마로 돌아간 것 같다고 하더군요."

톰 비는 소리 질렀다.

"디거는 벌써 도망쳤을 테지! 아무짝에도 쓸모없는 겁쟁이 자식! 내가 빅스버그로 가기 전에 자네에게 일러줄 걸 그랬나보네."

페리가 내 옆에 자리를 잡고 앉았다.

"차라리 잘된 일일세. 폴."

"그 자식이 미첼을 죽였어요."

"디거라는 놈을 죽이면 자네도 죽임을 당할 걸세."

나는 입을 다물었다. 톰 비가 물었다.

"이제 어쩔 셈인가? 폴 로건!"

내가 올려다보자 톰 비가 목청을 높였다.

"그깟 불한당을 앨라배마까지 쫓아가는 바보짓은 하지 않겠지?"

나는 잠시 뜸을 들이다가 대답했다.

"그 자식이 거기 있다면 그래야죠."

페리가 말을 받았다.

"아닐세. 그러지 말게. 자멸의 길로 가버리면, 자네가 모든 걸 바쳐 일해 온 이 땅은 어찌 되나? 자네 모두는 1년 반 동안 이 땅을 위해 거의 모든 것을 쏟아 부었어. 디거처럼 하찮은 놈 때문에 그 모든 걸 내던질 참인가?"

톰 비가 호통을 쳤다.

"잘 들어! 폴 로건! 백인을 죽이고 나면 그 즉시 자네도 목이 매달린다는 사실을 머릿속에 똑똑히 새겨두게나! 안 잡히려고 아무리 빨리 도망가더라도 결국은 그들은 잡아 죽여."

페리가 거들었다.

"자네 땅이고 자네 인생이야. 자네가 미첼을 위해 할 수 있는 일이란 저 땅을 지키는 일일세. 우리 딸도 거기에 마음을 의지하고 있어."

나는 페리를 보았고, 그제야 캐롤린이 생각났다.

"캐롤린을 농장으로 데려가시죠?"

"그러지 않겠다고 말하더군."

"남아서는 안 된다고 분명히 말했습니다."

"어쨌든 그 결정은 캐롤린에게 달렸네."

"미첼에게 캐롤린을 돌보겠다고 약속했습니다."

"그렇다면 약속을 지키기 위해서라도 디거 따위는 잊는 게 상책일세. 무덤에 들어가면 약속을 지킬 수 없지 않겠는가."

페리와 톰 비가 밤새도록 나를 붙잡고 이야기를 해 준 덕에, 나는 슬픔에서 벗어나 차츰 캐롤린과 캐롤린의 아기에게 마음을 돌릴 수 있었고, 미첼에게 했던 약속도 떠올릴 수 있었다. 두 사람은 더 이야기할게 없을 때까지 계속 나를 설득했다. 다음 날 새벽에 우리는 산마루를 떠나서 삼림지로 향할 수 있었다.

어스름한 저녁이 되어서야 오두막에 도착했다. 나는 캐롤린이나 네이던, 페리 가족에게도 인사를 건네지 못한 채 곧장 창고로 가서 장화를 벗고 뻗고 말았다. 몇 분 지나지 않아 창고 문이 열리더니 캐롤린이 문가에 서서 나를 내려다보았다.

"이제 돌아온 건가요?"

캐롤린은 손을 허리에 얹었다.

"다음에라도 또 나갈 일이 있거든 나에게 직접 알려주면 고맙겠네요. 남편을 잃은 상황에서 당신 걱정까지 해야 하나요? 다시는 나에게 이러지 마세요! 폴 에드워드 로건 씨! 알아들었나요? 다시는 안 돼요."

일장 훈계를 늘어놓더니, 몸을 돌려 창고를 나가며 문을 닫았다. 나는 거의 1주일 만에 처음으로 입가에 웃음을 지었고 이내 곯아 떨어졌다.

****

미첼이 총에 맞은 뒤에 처음으로 잠을 잤다. 기진맥진한 상태라, 내 잠은 깊이 떨어졌고 아무런 방해도 받을 수 없었다. 새벽을 지나 아침 나절까지 잠에 빠져 있었다. 눈을 뜬 순간, 아기 울음소리가 들렸다. 통나무 벽 틈으로 들어오는 햇빛에 눈을 부비며 일어났다. 창고의 문을 열어젖히니 페리가 네이던과 휴를 데리고 노새에 나무를 잔뜩 실은 채 강으로 끌고 가는 중이었다. 쏟아지는 햇빛을 손으로 가리며 쳐다보았다.

"이제 일어났군!"

페리가 먼저 말을 걸었다. 그러고는 껄껄 소리 내어 웃으며 손을 흔들었다. 휴와 네이던도 손을 들어 인사했다. 내가 입을 열었다.

"지금 뭐 하십니까?"

네이던이 싱긋 웃으며 대답했다.

"뭐 하는 것 같아요? 나무를 강으로 가져가는 거예요."

페리가 맞다는 듯 고개를 끄덕였다.

"우리 딸 캐롤린이 자네는 하루 종일 잘 거라고 말하기에 우리끼리 먼저 시작했네."

페리는 다시 한 번 호탕하게 웃어댔다.

"우선 오두막에 들르게. 여자들이 자네 아침식사를 따로 마련해 두었네."

"알겠습니다. 저도 되는 대로 빨리 나오겠습니다."

페리는 바삐 움직이며 대꾸했다.

"너무 서두르지는 말게. 우선 식사부터 제대로 하게나. 그러지 않았

청년시절

다간 여자들의 성화가 만만치 않을 걸세!"

나는 무심코 고개를 끄덕이다가 오두막을 돌아보았다.

"아기가 우는 소리를 들었는데요."

페리가 확인해줬다.

"아마 그랬을 거야. 우리 손자가 저 오두막 안에 있거든."

네이던이 덧붙였다.

"캘리 누나가 아기를 데려왔어요."

페리가 인자한 얼굴로 한마디 했다.

"지금은 입을 놀릴 시간이 없네! 톰 비가 강 하류로 내려 보낼 통나무를 눈이 빠지게 기다리니 어서 가야 해. 그렇더라도 자네는 천천히 나오게. 서두르지 말고!"

세 사람은 다시 로사리 강으로 움직였다. 나는 장화를 신으려고 창고로 다시 들어갔다. 장화를 채 다 신기도 전에 캐롤린이 창고로 왔다.

"일어났다기에 와 봤어요."

전날 밤처럼 입구에 서 있었는데, 이번에는 손을 가지런히 모으고 있었다.

"지금 식사할 거죠?"

캐롤린의 윤곽이 눈에 들어왔다.

"내 것을 따로 남겨 두었다면서요."

"뜨겁지는 않아요."

"괜찮습니다."

"그러면 와서 식사하세요."

나는 고개를 끄덕였고 캐롤린은 돌아섰다.

"캐롤린."

내가 불렀다. 캐롤린이 가다 말고 돌아보았다.

"당신 가족이 여기에 있으니 마음이 놓이는군요."

"저도 그래요."

"가족과 함께 돌아가길 바랍니다."

캐롤린이 가지런히 모았던 손을 풀더니 허리에 척 올렸다.

"왜 그런 말을 하죠? 분명히 여기에 남겠다고 말했을 텐데요."

"그런 말을 했었죠. 하지만 다들 당신을 데리러 왔으니……."

"식구들은 나를 위로하려고 온 거예요."

"그래도 데려가려고 온 겁니다."

"전에도 말했다시피 나는 가지 않아요."

나는 머뭇거렸는데 캐롤린의 대답이 짐작이 되기 때문이었다.

"잘 들어봐요, 캐롤린. 당신이 남아 있는 것은 바람직하지 않아요. 설령 네이턴이 함께 있더라도 말이죠. 나는 미혼이고 당신은 남편이 없으니 다른 사람 눈에도 썩 아름다운 모습도 아니고……."

"내가 그걸 걱정할 것 같아요?"

"미첼에게 당신을 돌보겠다고 약속했습니다."

"내가 여기에 없으면 어떻게 그럴 수 있죠?"

"그야 내 계획은 우선 이 땅을 얻고 나서……."

"당신이 그러는 동안 나는 뭘 하란 말인가요? 여기에 내 땅 8만 제곱미터가 있는데 아버지 집에서 소작을 하고 있으란 말인가요? 그렇게 어처구니없는 일이 어디 있나요? 미첼이 당신에게 나를 돌보라고 부탁했을지언정, 나 혼자 힘으로 일어서도록 도와주는 게 그 약속을 지키는 거예요."

캐롤린의 반박이 이어지는 동안, 나는 대꾸할 말에 대해 신중하게 생각하였다. 나는 장화를 더듬더듬 찾아내서 신었다. 허리를 쭉 펴고는 캐롤린을 똑바로 쳐다보았다.

"그렇다면, 꼭 여기에 남고 싶다면, 당신의 애도기간을 끝내고 우리가 결혼하는 문제를 진지하게 고려해봅시다."

"흥, 미첼이 당신에게도 그런 말을 하던가요?"

"미첼은……당신을 돌보라고 말했지요. 미첼이 바라는 건 그것뿐이었어요."

캐롤린은 투덜거렸다.

"미첼이 바라는 게 뭔지 알아요. 당신에게 했던 말을 나에게도 똑같이 했지요. 나는 미첼을 사랑하고, 지금은 그 사람의 아기까지 갖고 있지만, 그렇다고 미첼이 무덤에 누워서까지 나를 쥐락펴락할 수는 없어요. 누구의 보살핌도 필요치 않아요. 폴 에드워드 로건 씨! 미첼 때문에 당신이나 다른 사람과 결혼하지는 않겠어요."

나는 캐롤린의 고집에 한숨을 쉬었지만 한편으로는 마음이 놓였다.

"그렇다면 정말로 남아 있을 겁니까?"

"이것 보세요. 폴 에드워드 씨! 나는 당신을 괴롭히려거나 당신이 미첼에게 한 약속을 깨뜨리려고 하는 게 아니에요. 내 자신과 아이를 위해 노력하는 것뿐이라고요."

"마음을 안 바꿀 작정이세요?"

"예. 안 바꿀 겁니다."

"그렇다면 곧 태어날 아기는 어쩔 겁니까? 아기를 낳을 때 누가 도와주지요? 그러니 가족과 함께 농장으로 돌아가세요."

"여기에서 몇 킬로미터만 가면 존스 부인이 있다는 걸 잊었나요? 부인만 오면 아무 문제없어요."

나는 다시 한숨을 내쉬었다. 캐롤린은 내 말을 기다리며 묵묵히 서 있었다. 내가 더는 말을 꺼내지 않자 캐롤린이 말했다.

"지금 식사할 건가요?"

"그러지요."

캐롤린이 자리를 떴고, 몇 분 뒤에 따라나섰다. 할 말이야 남았지만, 캐롤린의 가족에게 맡기기로 했다. 캐롤린을 떠나도록 설득하는 사람이 있다면 그 사람은 가족뿐이겠다 싶었다.

****

미쳴이 죽고, 내가 디거를 쫓는 동안 캐롤린을 위로하러 여러 사람들이 다녀갔다. 찰스 제미슨과 웨이드도 왔다 갔다는 말을 들었다. 내가 삼림지로 돌아 온 다음 날, 그레인저와 할란도 삼림지에 나타났지만 조문할 생각은 아예 없었다.

"미쳴이라는 아이가 실수로 죽었다면서."

할란과 함께 강가에 서 있던 그레인저가 나에게 말을 건넸다. 나는 단호하게 말했다.

"아이도 아니고 실수로 죽은 것도 아닙니다."

"듣자하니 나무가 덮쳤다던데."

나는 그저 고개만 끄덕이고 입을 다물었다. 디거에 대한 말은 꺼내지 않았다.

"걔가 일을 잘했는데 말이야."

그레인저는 미첼에 대해 그렇게만 이야기했다. 그러고는 삼림지를 한번 훑어보더니 들판 너머 숲으로 시선을 돌렸다.

"아직도 벌목할 게 많군. 그 아이가 없는 데도 저 나무들을 모두 벨 수 있나?"

"할 겁니다."

"딱 7개월이야. 더는 안 돼."

"알고 있습니다."

"꼭 지키도록 해."

잠시 말을 멈추더니 그레인저의 눈길이 나를 스쳐서 오두막으로 향했다.

"저 사람들은 다 뭐야?"

나는 돌아보았다. 페리 부인과 캘리가 빨래를 널고 있었다. 페리와 휴는 통나무를 잔뜩 실은 노새를 끌고 로사리 강둑으로 막 향하던 참이었다.

"미첼의 가족입니다."

나는 그 말 외에는 하지 않았다. 그레인저는 투덜거렸다.

"어디에서 온 거야? 다 처음 보는 자들이군."

"근처에 사는 사람들이 아닙니다."

나는 길게 말하지 않았다. 그레인저는 호기심어린 눈초리로 페리 가족을 바라보았다.

"여기에서 계속 지낼 건가?"

"잘 모르겠습니다."

"나무만 제대로 잘라놓는다면 살아도 상관없겠지."

"나무는 다 준비해놓겠으니 언제든지 강으로 내려 보내십시오."

그레인저는 딱딱한 표정으로 나를 윽박질렀다.

"날짜를 잘 맞추어야 할 거야."

나는 고개를 끄덕였다. 그레인저는 그러고도 남을 사람이었다. 불만에 가득 찬 내 얼굴을 보고 그레인저의 표정이 일그러졌다. 그레인저와 할란은 각자 말에 올라탔다. 그레인저가 한마디 덧붙였다.

"통나무 개수가 예전과 달라서는 안 돼. 네 친구가 죽었다고 수량을 못 채운다면 그냥 넘어가지 않겠어."

나는 대꾸했다.

"그럴 리 없습니다."

그레인저는 말에 박차를 가하며 할란과 함께 떠났다. 두 사람을 보고 있으려니 디거가 떠올랐다. 페리가 내 곁으로 다가왔다.

"캐롤린 말로는 저 사람이 땅 주인이라던데."

"얼마 남지 않았습니다. 7개월만 있으면 이곳은 우리 땅이 됩니다."

"이 나무들을 제때 자를 수 있겠나?"

"예, 해낼 겁니다."

"네이던과 톰 비의 도움만으로도 될까?"

나는 순순히 인정했다.

"물론 힘이야 들겠지요. 전에도 고비가 있었습니다. 그때도 미첼과 나는 함께……."

나는 멈칫했으며 페리와 나 사이에는 긴 침묵이 흘렀다. 페리가 말을 꺼냈다.

"그렇지. 여기에 이제 미첼은 없다네."

페리는 내 어깨에 손을 얹었다.

"하지만 자네는 해 낼 거야. 나는 자네를 믿네."

페리는 손을 내리고는 한숨을 쉬며 오두막을 돌아보았다.

"여기에 머물면서 자네를 도울 수 있다면 좋겠네만."

"며칠간 갈피를 못 잡고 방황할 때 아저씨가 붙잡아 준 덕에 여기를 지켰습니다. 게다가 미첼과 톰 비와 함께 통나무를 넉넉히 벌목해두어서 수량도 그럭저럭 맞췄습니다."

"땅 주인은 다행이라고 생각했겠군."

"확실치는 않지만 땅 주인은 벌목이 웬만큼 이뤄지자 계약이 틀어지기를 바라는 눈치입니다. 통나무 값도 이미 목재회사에서 받았으니까요. 이제는 경작할 수 있는 삼림지가 탐이 나는 모양입니다. 자기 욕심 같아서야 삼림지를 돌려받고 싶겠지만 그런 불상사가 일어나지 않도록 제가 계약대로 이행할 것입니다. 그자가 표시해 둔 나무는 계약기간에 맞춰 한 그루도 빠짐없이 자를 테니까요."

페리가 맞장구쳤다.

"그렇고말고. 그리고 벌목이 끝날 때까지, 네이던을 가르치는 일은 신경 쓰지 말게나. 우선 벌목하는 일에만 전력을 쏟게. 네이던은 천천히 가르쳐도 돼. 지금은 그럴 시간이 없네."

나는 반대했다.

"아닙니다, 아저씨. 그렇게 마음 써주시니 정말 감사하지만 이미 약속한 사항입니다. 네이던이 벌목하는 데 얼마나 많은 도움이 되는지 모릅니다. 네이던이 없었더라면 저와 미첼은 이만큼도 못했을 겁니다.

저도 제 도리는 다 해야죠."

"자네야 틀림없이 그러리라 믿네! 내 말은, 자네가 벌목을 마치고 땅문서를 받은 뒤에 가르쳐도 늦지 않다는 게야. 땅문서를 못 받으면 캐롤린과 아기도 빈손이 되네. 네이던과 몇 차례 이야기를 해보았지. 네이던은 떠나지 않겠다고 하더군. 이 땅이 자네에게 넘어 올 때까지 무조건 돕겠다고 했네. 네이던은 자네가 가르친다고 해도 당분간 목공 일 배우는 일을 미룬다는 게야. 나무를 베고 가지를 치는 일 외에도 삼림지에 필요한 일이라면 뭐든 열심히 하겠다고 다짐하더군. 자네는 우리에게 가족이나 다름없어. 우리도 힘을 합칠 걸세."

페리와 눈이 마주친 순간 무한한 신뢰가 느껴졌다. 그 신뢰를 훼손하는 일은 하지 않겠다고 결심했다. 페리의 뜻을 따르기로 했다.

들판 너머로 여전히 빽빽이 들어찬 나무들을 보고 있자니 홀렌벡과 맺은 계약이 떠올랐다. 이 삼림지는 어떻게든 지키겠지만. 미첼도 없고, 팔 팔로미노도 없는 상황에서 과연 어떻게 해야 홀렌벡의 땅을 얻을 수 있을지 알 수 없었다.

****

페리 가족이 캐롤린을 설득할 거라는 내 예상은 빗나가도 한참 빗나갔다. 페리가 캐롤린과 이야기를 하고 나서, 캘리가 돌아가자고 설득했으며 휴도 몇 마디 거들었다. 페리 부인을 제외하고는 모두 캐롤린을 붙잡고 대화를 시도했다. 내가 듣기로는 캐롤린을 설득하지 않은 사람은 부인뿐이었다. 페리 가족 외의 다른 사람들은 침묵으로 캐롤린의 입장을 지지하는 것 같았다. 그러나 이야기를 하면 할수록 캐롤린

의 입장도 더 완강해졌다. 마침내 캐롤린이 식구들 앞에서 단호하게
뜻을 밝혔다.

"아버지, 엄마! 제가 결혼하겠다고 하자 1년을 기다리라고 하셨죠.
이번에는 충고를 듣지 않겠어요. 아버지 말씀도 따르고 싶지 않아요.
아버지를 사랑하고 존경하니까, 아버지의 말씀도 물론 소중해요. 하지
만 이번에는 아무도 내 결심을 꺾지 마세요. 네이던을 집으로 데려가
면 나 혼자라도 남겠어요. 캘리나 다른 사람들에게 떠나라는 말을 지
겹게 들었어요. 물론 나를 아끼는 마음에 충고하는 건 이해하지만, 미
첼의 땅은 내 것이니까 나는 여기에 남을 거예요."

그 이후로 캐롤린더러 떠나자는 말을 아무도 하지 않았다.

페리 가족은 며칠 더 머물렀다. 페리와 휴까지 팔을 걷어 부치고 톰
비와 네이던 그리고 나까지 열심히 일해, 내가 디거를 쫓고 톰 비가 나
를 찾으려고 허비한 시간을 만회할 수 있었다. 그들 덕분에 생활은 일
상으로 돌아왔고 간간히 웃음도 흘러나왔다. 페리 가족이 삼림지에 머
무는 사이 우리는 의욕을 되찾을 수 있었다. 가족들은 캐롤린과 네이
던을 위로해 주었다. 그런데 캘리의 아이가 자꾸 내 눈에 들어왔다. 아
직 첫돌도 지나지 않은 여자아이는 곳곳을 누비고 다녔다. 그걸 보고
있자니 미첼이 자신의 아이와 삼림지에서 살아가는 모습이 자꾸 생각
났다. 아무리 생각해도 그건 곤란했다. 캐롤린이 떠나야 했다.

페리 가족의 출발을 하루 앞둔 밤에 나는 캐롤린 문제로 페리 부인
을 찾아갔다. 나는 단도직입적으로 말했다.

"캐롤린이 떠나는 게 최선일 것 같습니다."

페리 부인은 잠자코 나를 살펴보더니 이윽고 입을 뗐다.

"이유가 뭔가?"

나는 멈칫했다. 이유야 지난 며칠간 페리 부인도 충분히 듣고 알고 있을 터였다. 페리 부인은 대답을 기다리며 나를 물끄러미 바라보았다.

"무엇보다 아기 때문입니다. 아기를 가졌으니 언제 무슨 일이 벌어질지 모릅니다."

"캐롤린 이야기로는 여기서 3, 4킬로미터 떨어진 곳에 도와 줄 부인이 있다고 했네."

"아무리 그렇더라도 어머니와 지내는 게 훨씬 낫습니다."

"캐롤린은 근처에 사는 존스 부인이 나와 다름없이 돌봐줄 거라는 이야기를 하더군요. 또 다른 이유가 있나요?"

나는 잠시 말을 잇지 못했다. 사실 가장 분명한 이유가 있었다.

"미혼자 두 사람이 함께 지내게 됩니다. 네이턴이 함께 있다고는 하지만, 온갖 말들이 떠돌 겁니다."

페리 부인도 끄덕이며 한숨을 쉬었다.

"어떻게 처신을 해도 사람들은 입방아를 찧을 걸세. 딱히 할 일이 없는 이들이 그러겠지. 하지만 꼭 알아두게나. 폴! 캐롤린이 여기에 머문다니 걱정이야 되지만, 나는 데려 갈 뜻이 없네. 같이 가자는 건 남편의 생각이지. 내가 캐롤린을 데려가려고 하지 않는 건 그 애와 생각이 같기 때문일세. 그 아이에게는 여기가 삶의 터전인 게야. 캐롤린 자신이 반드시 지켜내야만 하고 버텨내야 해. 나는 캐롤린이 온전히 제 것을 갖길 바랄 뿐이야."

페리 부인의 말은 내 생각을 확 바꾸어놓았다.

"결혼도 하지 않고 캐롤린과 살려니 걱정이야 되겠지. 미첼과의 약속 때문에 자네가 캐롤린에게 결혼하겠다는 소리를 했다는 이야기도 들었네. 캐롤린은 미첼의 뜻을 따를 생각이 없다고 밝혔으니 부담 갖지 말게나. 이건 진심일세. 폴. 나는 미첼을 좋아했지. 미첼은 소신이 뚜렷했거든. 물론 자네도 성실하지. 난 자네를 우리 아들로 여기네. 그럼 된 거야. 우리 아이가 아주 현명한 선택을 했다고 믿네."

페리 부인의 눈과 마주쳤는데, 그 말이 다였다.

다음 날 동이 틀 무렵, 페리 부부, 휴, 캘리와 아기는 마차에 올라 빅스버그로 향했다. 모두 떠나자 캐롤린과 네이턴, 나는 일상으로 돌아가 가지를 치고 덤불을 태웠다. 우리는 미첼이 생각나고 그리웠지만 그런 말은 삼갔다. 그날 밤 집으로 들어가기 전에 모여서 모닥불을 피우고 잠시 앉아 있는데 캐롤린이 말을 건넸다.

"그동안 땅에 대해 물어보질 못했네요."

"땅이요?"

"홀렌벡에게서 사려던 땅 말이에요. 땅을 구입할 돈 때문에 빅스버그에 다녀왔잖아요."

캐롤린이 내 기억을 상기시켰다. 나는 고개를 끄덕였다.

"아주 오래된 일처럼 느껴지는군요."

캐롤린이 수긍했다.

"그러게요. 한평생이 지난 것 같아요."

네이턴이 물었다.

"잘됐어요? 형? 땅을 계약했나요?"

"그랬지."

"해낼 줄 알았어요!"

네이턴은 미첼의 말투로 한마디 했다.

캐롤린은 웃음을 머금었다.

"미첼이 다른 사람은 못 해도 당신은 해낼 거라고 하더군요."

나도 웃어보였다.

"미첼은 자신에게는 신념이 부족하다고 말하곤 했죠. 하지만 당신에 대해서는 믿음이 있었죠. 삼림지 반쪽에 대한 자신의 계약서도 필요할까 봐 넘겨주었다더군요."

나는 고개를 끄덕였다.

"혹시 불안하지 않습니까?"

"걱정하지 않아요."

"이 삼림지를 팔려고 내놓으려고 합니다. 농작물도 팔아서 홀렌벡의 땅을 사는 데 보태려고요. 천둥도 팔려……."

나는 캐롤린을 힐끗 보다가 그만 눈이 마주쳤다.

"다른 방법을 모색하고 있습니다."

캐롤린은 그저 고개만 끄덕였다. 잠시 우리 사이에 정적이 흘렀다. 캐롤린이 그 적막을 걷었다.

"미첼도 당신이 홀렌벡 땅을 구입한 사실을 아나요?"

"나를 보자마자 그걸 묻더군요."

"미첼이 알았다니 기쁘네요."

"미첼에게 꼭 보여주고 싶은 게 있었죠. 바로 그 땅입니다. 그런데 그동안 너무 바빴던 모양입니다. 정말 후회막심이죠. 정말로 굉장한 곳이거든요."

"언젠가 미첼의 아기와 제가 대신 보러 갈게요."

270

나는 혼잣말 하듯 중얼거렸다.

"꼭 그러기를 바랍니다."

잠시 뒤에 우리 3명은 침묵에 잠기고 말았는데, 그럴 수밖에 없었다. 졸음이 우리를 덮쳐 각자 잠자리에 들었다. 미첼 없이 우리끼리 하루를 버텼고, 그리고 나니 다음 날도, 또 다음 날도 그렇게 흘러갔다.

****

며칠을 보내고 다시 1주일이 지나자, 캐롤린과 네이던이 없었더라면 이 생활을 어떻게 감당했을까라는 생각이 들었다. 아침에 눈을 뜰 때마다 하느님에게 삼림지에 남기로 한 캐롤린의 고집과 결단력에 대해 감사기도를 올렸다. 캐롤린이 삼림지에 있다는 사실만으로도 일할 의욕이 솟았고, 네이던 역시 큰 도움이 되었다. 사실 미첼의 몫을 대신할 일꾼을 고용할 필요가 있었으나, 자꾸 미루었다. 물론 톰 비도 계속 도와주긴 했다. 예전에 필모어 그레인저가 벌목량을 늘렸을 때처럼 땀을 뻘뻘 흘리며 일했다. 미친 듯이 나무를 찍어대는 나를 보고 캐롤린은 쉬엄쉬엄 하라고 했지만 귓등으로 흘려 들었다. 계약기한을 넘기지 않으려면 얼마큼 벌목해야 하는지 누구보다 내가 잘 알았다.

미첼이 죽은 뒤에, 홀렌벡의 땅에 대해 생각해보았다. 이미 850달러를 계약금으로 지불한 상태고 첫 지불금인 25달러와 이자 5달러는 마련해두었다. 약속을 조금이라도 어기면 나는 한 푼도 돌려받지 못한다. 홀렌벡은 그 부분을 확실히 못 박아두었다. 돈을 잃는 것보다는 땅을 잃고 싶지 않은 마음이 더 컸다. 나는 그 땅을 사랑했다. 그 땅은 내 영혼을 사로잡았다. 나는 중도금을 계속 지불하기로 마음먹었다.

잔금인 1000달러를 모으기 위해 계획했던 것보다 목화를 더 많이 심기로 했다. 또 벌목이 끝나면 노새도 팔기로 했다. 어쩌면 정말 운이 좋으면, 목화 가격이 떨어지지 않고 노새도 좋은 값에 팔게 되면, 부족한 금액은 충당될 듯했다.

계산해 보았다. 홀렌벡에게 지급할 돈을 따로 떼놓고 톰 비의 품삯을 제하고 나니, 삼림지 소유권을 양도받아 팔기 전에는 거진 빈털터리로 지내야 했다. 홀렌벡에게 매달 납입금을 지불하겠다고 계약할 때는 미첼이 있어 시간적인 여유가 있을 것 같아, 가구를 제작하여 현금을 모을 계획이었다. 마침 주문받은 침실 탁자 2점이 완성되었기에 소여에게 가져갔다. 소여에게 받은 돈으로 미첼의 관에 사용했던 목재 값을 지불했다. 그리고 앞으로 당분간은 장식장이나 여타 가구의 제작이 힘들겠다고 설명했다. 계속 장식장의 주문을 받아 일한다는 게 불가능하다고, 죄송하다고 했다. 이젠 가구 제작을 할 시간이 없었다.

고향을 떠난 이후, 처음으로 약속을 깬 데다, 그 상대가 소여인지라 못내 안타까웠다. 이제부터 주문 들어온 가구를 다른 이에게 맡기라고 권하자, 소여도 아쉬움을 감추지 못했다. 나는 삼림지 16만 제곱미터를 구입할 만한 사람을 찾아달라는 부탁도 덧붙였다. 소여는 수소문해 보겠다고 대답했다.

이제는 들어 올 돈이 없었다. 네이던과 캐롤린에게 이를 알렸으나, 자금이 바닥난 것까지는 말하지 않았다. 내 문제였으니 어쨌든 내가 해결할 일이었다. 그래도 벌목을 계속하려면 일꾼을 한 명 데려와야만 했다. 그 사람은 톰 비와 친분이 있는 젊은이로 이름이 호레이스 에이버리였다. 호레이스를 고용하자마자 잭슨으로 가서 아버지의 반지를

청년시절

팔았다. 그다음 달에도 잭슨으로 가 어머니가 남겨 준 시계를 팔았다. 두 번 다 마음이 무거웠다. 시계와 반지는 아주 소중했기에 팔기 전에 오래 생각해 보았지만, 어쩔 수가 없었다. 결국, 아버지나 어머니도 나처럼 행동했으리라는 결론을 얻었다. 달리 방도가 없었다. 닥치는 대로 돈을 만들어야만 했다. 땅을 지켜내야만 했다. 다시 토지 대금 납부일이 다가오자 이번에는 소여에게 내 목공구를 팔기 위해 빅스버그로 갔다.

"도대체 일이 어떻게 돌아가고 있는 건가?"

소여는 나를 맨 처음 만났을 때 지었던 불안한 표정을 하며 안경 너머로 나를 보았다.

"그다지 좋아 보이지 않는군."

"미첼이 없으니 어렵네요."

"그렇겠지. 그렇다고 목공구를 팔아야 할 만큼 돈이 급한가?"

"홀렌벡 씨의 토지대금을 지불하려면 현찰이 있어야 하니까요. 목공구야 나중에 사면 안 되겠습니까?"

소여는 안타깝다는 듯 고개를 설레설레 저었다.

"뻔뻔한 말이지만 말일세. 팔로미노 말일세."

나는 고개를 끄덕이며 무언의 긍정을 표시했다. 소여는 화를 억누르듯 입을 앙 물더니 한마디 덧붙였다.

"돈을 많이 쳐줄 수 있었다네. 정말 좋은 말이었으니까."

나는 다시 고개를 끄덕였다.

"폴, 자네는 때가 되면 그 말을 팔겠다고 했지. 내 생각으로는 홀렌벡 씨 땅문서에 도장을 찍을 때가 그 시점이라고 생각했는데. 내 생각이 맞나?"

소여와 눈이 마주쳤다.

"천둥을 팔려고 내놓을 계획이었죠."

"그랬겠지. 얼마나 받을 생각이었나?"

소여는 말의 가격을 볼 줄 아는 사람이니 단지 호기심 때문에 묻는 게 아니라는 걸 알았다.

"천둥은 경주를 할 수도 있고, 또 이길 수도 있는 놈입니다. 나이도 고작 5, 6살입니다. 천둥을 팔면 지금 벌목하는 삼림지와 맞먹을 돈이 될 거라고 봅니다."

"흠, 그 정도란 말이지?"

소여는 턱을 문질렀다.

"그렇다면 400달러 정도인데. 상당히 큰돈이군."

"그렇습니다."

"아, 한 가지, 자네에게 반가운 소식이 있네. 자네의 땅에 관심을 갖는 사람이 있네. 존 로우즈 씨인데 땅을 직접 보겠다고 하더군. 그 사람이 땅을 사겠다면 그건 확실한 걸세."

"잘됐군요."

소여는 나를 찬찬히 뜯어보았다.

"그러게 말일세. 그런데 앞으로 나머지 돈은 어찌 구할 텐가? 듣자니 은행에서 거절당했다던데."

나는 잠깐 입을 다물었다. 소여에게 은행 일을 말한 적이 없었다.

"다른 복안을 세웠습니다. 어쨌든 제가 할 수 있는 한 최대한 매달 대금을 지불하고, 나중에는 삼림지를 넘겨받으면 팔아야겠죠."

"처리할 일이 태산이군. 폴."

나는 씁쓸하게 웃었다.

"게다가 아까 말했지만 아주 피곤해 보여."

나는 어깨를 으쓱 올렸다. 소여가 갑자기 싱긋 웃었다.

"나와 함께 다시 여기에서 일하면 어떻겠나? 정규직으로 말이야."

"그렇다고 해도 필요한 돈을 마련하지는 못합니다."

소여도 동의했다.

"그럴 거야. 3년 전처럼 우수한 품종의 말을 구입해 판다면 모를까. 물론 그럴 가능성이야 없겠지만."

나는 고개를 끄덕이며 내 목공구를 내려 보다가 다시 소여를 바라보았다.

"이 목공구 정도면 현금이 다소 융통될 것 같습니다. 소여 씨라면 이 목공구의 가치를 알아주실 것 같아서 가져와 봤습니다."

"그렇다면 앞으로 주문 들어오는 가구는 아예 손을 못 대는가?"

나는 고개를 저었다.

"할 수 없습니다. 시간이 없어서요. 그래서 다른 기술자를 찾아보라고 말씀드린 겁니다."

소여는 한숨을 쉬었다.

"알았네, 알았어. 정말 못할 짓이네만, 자네 목공구를 내가 사도록 하지. 내가 했던 말을 잘 생각해보게. 자네가 돌아와서 일하겠다면 언제든지 문을 열어둘 걸세."

소여에게 감사의 마음을 전했다.

"어디 한번 가격을 흥정해 봄세."

"원하시는 금액을 말씀해 주십시오."

소여는 안경 너머로 나를 바라볼 뿐 목공구에는 눈길도 주지 않은 채 가격을 제시했다. 흥정은 없었다. 소여는 내 목공구의 가치보다 훨씬 더 쳐주었다.

****

나는 1주일에 7일을 꼬박 일했다. 나무를 자르고 목화를 돌보았다. 열이 나도, 온몸이 쑤셔도 쉬지 않았다. 캐롤린이 삼림지로 오기 전에 미첼과 처음 삼림지에서 지낼 때처럼 오로지 일만 했다. 벼랑 끝까지 나를 밀어 붙였다. 내 안에는 미첼과의 약속에 대한 생각만 있었다. 홀렌벡의 땅을 사기 위해서는 이 땅을 지켜내야 했다. 그래야 캐롤린과 아기를 위한 터전도 마련할 수 있었다. 그런 뒤에라야 쉴 것이다. 그런데 어느 날, 눈을 떠보니, 온몸이 펄펄 끓어 거의 녹초가 되었다. 설사까지 나 다리가 후들거려 똑바로 서 있기도 힘들었다. 그만 쉬라는 신의 뜻인 듯했다.

캐롤린은 나를 돌보면서 잔소리를 퍼부어댔다.

"그러게 내 말을 들으라고 했잖아요! 폴 에드워드 로건 씨! 쉬엄쉬엄하라는 말을 몇 번이나 했잖아요!"

"하지만 나로서는 꼭 해야만……."

"내가 시키는 대로 무조건 쉬어요. 여기는 내가 알아서 하겠어요."

"그래도 나무를……."

"벌목은 제대로 이루어지고 있으니 걱정 마세요."

캐롤린은 차가운 물수건을 든 채로 주변을 맴돌며 딱 잘라 말했다.

청년시절

"여기는 내 땅도 된다는 사실을 잊지 말아요."

캐롤린은 일을 척척해냈다. 내가 꼬박 1주일 간 침대에 누워 있는 동안, 새벽부터 어둑어둑해질 때까지 밖에서는 도끼소리가 끊이지 않았다. 자리를 털고 일어났더니 캐롤린이 경고했다.

"당신 혼자만 이 일을 떠맡은 게 아니라고 신이 일러주신 거예요. 당신과 늘 동행하시는 하느님께서 천천히 하라고 주의를 주셨어요. 일이야 당신이 하겠지만 시기는 신이 결정하시겠죠."

나는 웃음을 지어보였다.

"하지만 그분도 제가 맡은 몫을 잘 감당해내길 바라실 겁니다."

캐롤린이 딱딱거렸다.

"그렇더라도 나는 내 눈앞에서 당신을 죽게 내버려 두지 않아요. 당신과 미첼, 두 사람 없이 나는 살 수가 없어요."

산비탈로 올라가서야, 지금까지 톰 비, 호레이스, 네이던만 벌목한 게 아니라 캐롤린까지 벌목에 동참했다는 이야기를 톰 비를 통해 들었다. 그제야 캐롤린과 아기에 대한 걱정이 들기 시작했다. 내가 완전히 회복한 뒤에도 캐롤린은 삼림지에 와서 처음에 맡았던 일을 손에서 놓지 않고 있었다. 밭을 갈고 씨앗을 뿌리고 잡초를 뽑고 잡목도 태웠다. 게다가 갖은 집안일까지 도맡았다. 내 성화에 못 이겨 캐롤린이 그만둔 일이라곤 도끼질뿐이었다.

****

미첼이 죽고 난 뒤, 하루 이틀 한 주, 두 주, 시간이 흐를수록 나는 더욱 더 잡목을 태우는 저녁시간을 기다렸다. 모닥불을 사이에 두고 캐롤린과 마주 앉아 밤늦도록 이야기꽃을 피울 수 있기 때문이다. 때로는 톰 비가 우리와 함께했고, 또 때로는 호레이스가 늦게까지 말동무를 하기도 했으나 대개는 나와 캐롤린만이 자리를 지킬 때가 많았고, 나는 그게 좋았다. 네이턴이 언제나 우리 곁에 있긴 했으나, 졸음을 참지 못해 모닥불 곁에 웅크린 채 잠을 자기 일쑤였는데, 시간이 한참 흘러 각자 자러 들어갈 때 네이턴을 깨워 창고로 들여보냈다. 캐롤린이 네이턴을 들여보내지 않는 이유를 짐작하진 못하지만, 나로서도 네이턴이 있으면 어쩐지 마음이 편했다. 캐롤린도 그런 심정이었으리라.

미첼과 마지막 나눈 대화를 떠올릴 때마다 캐롤린과 결혼하겠다는 약속도 자꾸만 생각났다. 산마루에서 돌아와 캐롤린과 그 이야기를 나눈 뒤로는 그 이야기를 다시 꺼내지 못하고 있었다. 그래도 그 생각을 떨쳐버릴 수 없었는데, 단지 미첼과의 약속 때문만은 아니었다. 나는 원래 캐롤린을 마음에 두고 있었으나 미첼이 먼저 청혼을 해 캐롤린을 잊고자 했다. 그때는 캐롤린이 생각날 때마다 머릿속에서 밀어내는 싸움을 벌여야 했다. 캐롤린은 내 친구의 부인이 되었다. 나는 내 친구의 부인으로만 캐롤린을 대했다. 언젠가는 마음이 맞는 여성을 만나 사랑을 하고 또 함께 땅을 일구며 살겠노라고 꿈꾸었지만 캐롤린을 대신할 사람은 나타나지 않았다. 미첼의 죽음을 처음 접했을 때는 내 가슴속에는 슬픔과 분노만 가득 찼다. 그건 캐롤린도 마찬가지였을 것이다. 내가 미첼에 대한 의무감으로 결혼을 청했을 때 캐롤린은 무덤에 있는 사람이 자신의 삶을 결정하지 못한다며 거절했다. 한 달 두 달 세월이 흘러 각자의 마음의 상처가 조금씩 아물어가자, 캐롤린도 나처럼 친구 이상의 감정이 자라고 있는지 알고 싶어졌다.

청년시절

내 감정이 커갈수록 내 걱정도 깊어갔다. 캐롤린의 출산이 가까워지자, 그 일도 염려되었지만 새벽부터 밤늦도록 끊임없이 일하는 캐롤린 때문에 늘 조마조마했다. 제발 쉬어가며 일하라고 부탁했지만 캐롤린은 웃어 넘겼다.

"우리 엄마가 나를 낳기 전에 편안히 쉬었을까요?"

어느 날 저녁, 캐롤린과 단둘이 불가에 앉아 있는데 물었다. 네이던은 옆에서 잠들어 있었다.

"천만에요! 엄마는 나를 낳자마자 다시 들로 나갔지요. 잘 들으세요. 폴 에드워드 로건. 나는 엄마만큼 튼튼하다고요."

나는 모닥불 건너 캐롤린을 향해 웃어 보였다.

"거야, 당연히 알죠."

캐롤린도 빙긋 웃었다.

"그럼 됐어요."

나는 잠자코 있었다. 캐롤린이 내 기색을 살폈다.

"무슨 걱정거리가 생긴 건가요?"

"자꾸 걱정이 됩니다."

"분명히 말하건대 내 염려는 조금도 하지 말아요."

캐롤린도 잠시 침묵에 잠겼다.

"혹시 다른 고민이라도 있나요?"

캐롤린과 눈이 마주친 순간 모두 털어놓고 싶다는 생각이 들었다. 미첼과의 약속이 얼마나 내 마음을 부식시키고 있는지 밝히고 싶었다. 홀렌벡의 땅이 내게 얼마나 중요한 일인지도 설명하고 싶었다. 수중에 자금이 하나도 남아 있지 않으며 다음 달에 지급할 토지대금을 도저히 맞출 수 없다는 것도 토로하고 싶었다. 가진 돈이라고는 톰 비와 호레이스에게 지급할 것밖에 없었다. 그것만은 미리 챙겨두었다. 임금을 체불하고 싶지는 않았다.

그나마 한 근심 덜었던 것은 삼림지를 매매하는 문제였다. 예전에 소여가 말했던, 삼림지에 관심을 가진 존 로우즈가 다녀갔는데 마음에 들어 했다. 나는 4천 제곱미터당 10달러를 원했으나 결국 9달러에 합의를 보았다. 아직은 내 땅이 아니므로 계약금은 받지도 못했다. 그레인저와 맺은 거래가 이행될 때까지 기다려야 했다. 토지대금을 곧장 받을 수 있을 것 같아서 안심은 되었으나 다음 달 납입금을 생각하면 불안해서 견딜 수가 없었다. 나는 당장 돈이 필요했다.

일전에 소여를 만나고 오면서, 아예 소여 창고에서 목공일을 할까 하고 고민한 적도 있었다. 거기에서 일을 한다면 납입금 정도는 낼 수 있었다. 하지만 캐롤린에게 여기를 맡겨두고 떠날 수 없었다. 내가 떠나면, 캐롤린이 밭일은 물론이고 벌목까지 하겠다고 나설 게 뻔했다. 캐롤린이 삼림지를 잘 꾸려나가겠지만 캐롤린의 건강과 아기가 위태롭게 될지도 몰랐다. 게다가 톰 비와 호레이스 역시 더 많은 몫을 감당해야 했다. 돌아가는 상황으로는 두 사람에게 계속 일을 시켜야 하는지도 확신할 수 없었다. 그렇다고 나를 믿고, 매달 내는 납입금이 더 급하니, 그레인저와의 계약이 끝나면 삼림지를 팔 테니 나중에 품삯을 받으라고 할 수도 없었다. 그들에게도 딸린 식구가 있었기 때문이다. 캐롤린에게 이런 고민을 툭 털어놓고 싶었지만 할 수가 없었다.

"폴 에드워드! 이 점은 꼭 알아두세요."

내가 입을 꼭 다물고 있자, 캐롤린이 말을 이었다.

"당신에게는 온통 걱정거리뿐이고 거기에 나와 내 아기까지 한 몫 한다는 걸 알아요. 하지만 나는 아무것도 걱정하지 않아요. 미첼이 그랬듯이 나도 당신을 전적으로 믿거든요."

캐롤린이 가만히 나를 살폈다.

"도대체 뭐가 걱정이죠? 기간 내에 벌목을 마치지 못할까 봐 염려되나요? 혹시 그렇다면 걱정을 훌훌 털어버리세요. 톰 아저씨와 호레이스와 네이던이 버티는 데다 나까지 합세한다면 계약기간을 맞추는 게 뭐 그리 어렵겠어요."

캐롤린의 확신에 찬 어조에 그만 웃음이 나왔다.

"정말 그렇게 생각하나요?"

"그럼요. 그러니 아무 걱정 마세요."

모든 일에 솔직하고 당당한 캐롤린이 그렇게 장담을 하자 어쩐지 마음이 놓였다. 그렇다고 걱정이 사라진 건 아니라서 소여를 찾아가는 문제를 진지하게 고려했다. 그곳에 간다면 캐롤린에게 이유를 알려야 한다는 것도 알았다. 우선 그걸 연기하고 홀렌벡에게 납입금을 낼 날짜가 다가왔기에 노새 2마리와 마차를 먼저 팔기로 결심했다. 어쨌든 노새 한 쌍과 마차 없이 우리는 일을 진행할 수밖에 없었다.

"노새들을 끌고 어디로 가는 건가요?"

동틀 녘에 노새를 마차에 묶고 있는데 캐롤린이 물었다.

"스트로베리에 다녀올 일이 있어서요."

"그 노새를 다시 데려올 건가요?"

나는 캐롤린에게 시선을 주었다.

"그게 무슨 소립니까?"

캐롤린은 솟아오르는 해를 흘낏 보고는 다시 나에게 고개를 돌렸다.

"당신 목공구는 어디 있나요?"

"뭐라고요?"

"목공구요. 요즘은 통 안 쓰더군요."

"시간이 없거든요."

"며칠 전, 네이던을 시켜 당신 망치를 가져오라고 시켰죠. 그랬더니 목공구 통이 보이지 않는다고 하더군요."

"목공일 외에는 함부로 공구를 써서는 안 된다는 걸 네이던이 잘 알고 있거든요."

"그래요? 네이던 말로는 요즘도 공구 통이 보이지 않는다던데요."

나는 어깨를 으쓱 올렸다.

"건성으로 찾았나 보군요."

"여기에 없어서 못 찾는 것은 아닌가요?"

"그게 무슨 뜻인가요?"

캐롤린은 내 질문에는 대답하지 않고 계속 질문을 해댔다.

"손목시계는 어디 갔나요?"

"내 시계요?"

"최근에 시계를 볼 수가 없군요."

"시계를 들여다 볼 틈이 없습니다."

캐롤린이 따지듯이 물었다.

"그렇다면 어디에 두었는데요?"

"안전한 곳에 잘 두었습니다."

"시계를 팔아버렸죠?"

나는 멍한 눈빛으로 캐롤린을 보았다.

"그걸 팔았죠? 그렇죠? 폴 에드워드! 공구도 마찬가지구요?"

"캐롤린……."

"또 뭘 팔았나요?"

나는 애써 호흡을 가다듬었다.

"내가 뭘 팔든 내 문제요."

나는 다시 입을 열어 한마디 했다.

"다른 사람이 상관할 바 아니요."

캐롤린이 응수했다

"나는 해야겠어요."

"당신도 마찬가지요. 내 아내가 아니니까요."

캐롤린에게 그 점을 상기시켰다. 캐롤린이 단호하게 말했다.

"물론 그렇죠. 하지만 이 삼림지의 반은 제 몫이에요. 당신이 물건을 내다파는 걸 보니 돈이 무척 궁한 모양인데 홀렌벡의 토지대금과 벌목하는 사람들의 품삯이 필요한 탓이겠죠. 기한에 맞춰 벌목하지 못한다면 이 땅을 지킬 수 없으니까요. 이 삼림지를 잃고 홀렌벡 땅마저 놓칠까봐 어쩔 수 없이 당신은 소중한 물건마저 팔고 있어요. 나는 그렇게 생각할 수밖에 없네요."

딱히 할 말이 떠오르지 않아 캐롤린 앞에서 노새의 고삐만 손에 쥔 채 그냥 우두커니 서 있었다. 거짓말을 하기 싫었고, 캐롤린에게는 거짓말을 할 수도 없었다. 그렇다고 진실을 토로할 수도 없었다.

캐롤린이 나를 궁지에서 빼주었다. 앞치마 주머니에 손을 쑥 집어넣더니 주먹을 쥔 채로 다시 꺼냈다. 내 팔을 끌어당겨 손바닥에 자신의 주먹 쥔 손을 올려놓았다. 캐롤린이 입을 뗐다.

"저기, 이거 가져가도록 해요."

캐롤린은 손을 펴 지폐 2장을 내 손바닥에 놓았다. 나는 지폐를 보다가 다시 캐롤린을 봤다.

"팔 게 물건만 있는 것은 아니죠."

"캐롤린……나는 이걸 받을 수 없소."

"폴 에드워드 로건, 당신은 여기가 내 땅이기도 하다는 사실을 계속 잊고 있군요. 이 땅에 대한 당신의 걱정은 내 걱정이기도 해요."

"무얼 팔았습니까?"

"돼지요. 내 돼지들이니 내 마음대로 처분했지요. 값도 잘 쳐서 받았어요. 흥정하는 건 아버지한테 배웠지요. 이미 팔아버렸으니 이제 와서 돼지들을 찾아오라는 말은 하지 마세요. 어차피 지금쯤이면 훈제 창고에서 햄이나 베이컨이 되어 걸려 있겠죠. 그 돈에다 내가 친정에서 가져온 돈을 합쳤어요. 내가 가진 돈이라곤 그게 전부지만, 더 필요하다면 저 소도 팔 거예요. 하지만 노새는 안 돼요. 폴 에드워드. 우리에게는 노새가 꼭 있어야 해요."

나는 더는 할 말이 없었다. 캐롤린의 돈을 받아서 홀렌벡에게 대금을 냈다. 나는 반드시 그 돈을 갚겠다고 다짐했다.

****

"네이던!"

며칠이 지나 저녁에 캐롤린이 소리쳤다.

"하모니카 한번 불어보지 그래. 보아하니 하모니카를 불고 싶어서 입이 근질거리는 것 같은데."

저녁식사 뒤였고, 캐롤린은 오두막 밖에서 설거지를 하고 있었다. 아직 장작을 태우기 전이었다.

네이던이 다소 멋쩍은 표정을 지었다.

"정말이야? 누나?"

"그럼, 물론이지. 정말 듣고 싶어. 네가 강가로 내려가서 연주하는 걸 몇 번 들었지. 그런데 슬픈 음악은 불지 않기. 나는 명랑한 분위기가 좋거든."

네이던은 싱긋 웃고는 층층대에 앉아 셔츠 주머니에서 하모니카를 꺼냈다. 그러고는 경쾌한 곡조로 신나게 불었다. 캐롤린은 깔깔 웃어 댄 다음에 이내 따라 불렀다. 가족 간의 따뜻한 정이 느껴지는 순간이었다. 나는 물통을 들고 강으로 향했다. 톰 비와 호레이스는 각자 집으로 돌아갔다. 아직 잡목을 태우는 일이 남아 있었다. 잡목 주변 땅에 물을 뿌리는 건 네이던의 일이지만 하모니카를 불고 있기에, 내가 일어섰다. 나도 음악을 즐기고 싶었다.

돌아와 보니, 캐롤린은 설거지를 마치고 나뭇등걸에 걸터앉았는데, 화톳불을 피울 때면 늘 앉던 고정석이었다. 한 손에는 양철 컵을, 다른 손에는 그릇을 들고 있었다.

캐롤린이 지시하는 어투로 말했다.

"폴 에드워드, 물통 내려놓고 이리 와요, 차와 블루베리 과일파이를 들고 난 뒤에 불을 지피죠."

나는 고개를 끄덕이고 물통을 나뭇단에 올려놓았다. 저녁을 먹고 한 시간쯤 뒤 설거지가 마무리되면 캐롤린은 후식을 가져오곤 했다. 또 이슥한 밤에 장작을 태울 때에는 캐롤린은 음료를 내오곤 했다. 그래서 밤이 더 고즈넉하게 느껴졌다.

"네이던! 하모니카 내려놓고 어서 와. 네가 제일 좋아하는 거야."

"잠깐만."

네이던은 층층대에서 연주를 계속했다. 나는 캐롤린 맞은편에 자리 잡았다. 캐롤린이 컵과 그릇을 내밀었고 나는 컵에 든 차를 몇 번 홀짝이다가 바닥에 내려놓았다. 그리고 과일 파이를 떠먹었다. 역시 비할 바 없이 맛이 좋기에 캐롤린에게 그대로 말해주었다.

"칭찬을 들으니 기분이 좋은데요. 미첼이 아주 좋아하던 거예요."

"그랬죠."

"하긴 고구마 파이도 게 눈 감추듯 먹어치웠죠."

나는 웃음을 터뜨렸다.

"맞아요."

캐롤린이 밤공기를 깊이 들이마셨다.

"저녁에 여기 모여 오순도순 이야기를 나누다보면 기분이 아주 편안해져요."

나도 같은 심정이기에 고개를 끄덕였다.

"미첼과 함께 저녁마다 이렇게 보낼 거라고 생각했죠."

캐롤린이 갑자기 소리 내어 웃었다.

"물론 미첼이 당신처럼 나지막이 이야기하거나 책을 읽어 준 적은 한번도 없었지만요. 하지만 미첼은 독특한 점이 있었어요. 맞아요, 그 사람은 독특했어요."

"미첼을 그리워하는군요."

"당신도 그렇겠죠?"

캐롤린은 입을 다물고는 눈을 내리깔았다. 다시 나를 보았는데 눈동자에 불빛이 어렸다.

"폴 에드워드! 미첼이 청혼했을 때 바로 결혼하지 못한 게 너무 후회스러워요. 아버지와 엄마 때문에 결혼을 늦췄지만 지금 생각하니 그때 우겨서라도 결혼할 걸 그랬어요. 우리는 너무 많은 시간을 허비한 것 같아요."

나는 캐롤린의 눈에 눈물이 맺힌 걸 본 적이 없었다. 심지어 미첼이 죽었을 때도 보지 못했다. 눈물을 흘릴 때는 혼자 있을 때나 가족 앞에서였다. 눈물을 머금은 캐롤린을 보자 꼭 들려줄 말이 생각났지만, 잠시 시간을 가졌다. 나는 다 비운 과일 파이 그릇을 바닥에 내려놓았다. 나는 캐롤린을 보며 조용히 물었다.

"내가 지금 뭘 생각하는지 알아요?"

"뭔데요?"

"당신의 가족이 옳았다는 거요. 미첼에게는 그 기간이 필요했어요. 미첼은 마음만 먹으면 누구라도 쉽게 사귀었죠. 미첼은 당신을 기다릴 필요가 있었습니다."

캐롤린이 이마를 찌푸렸다.

"미첼은 기다리면서 기뻐했나요?"

"내가 알기론 그랬어요. 쉽게 얻어지는 것에는 감사한 마음을 갖기 어렵죠. 미첼은 당신에게 감사하며 살았어요. 당신을 소중하게 여겼어요. 당신은 기다릴 만한 사람이거든요."

캐롤린은 흐느끼거나 훌쩍이지 않고 눈물만 하염없이 흘렸고, 닦지도 않았다. 네이던이 가까이 오자 캐롤린은 과일 파이가 담긴 그릇을 건네고는 나에게 말했다.

"미첼은 당신을 세상에서 가장 소중한 사람이라고 여겼어요. 폴 에 드워드! 자기 가족이라고 말했죠."

"나도 미첼을 그렇게 생각했지요."

"두 사람은 참 좋은 친구였어요."

내가 대꾸했다.

"아닙니다, 그냥 친구가 아니라 형제였죠."

캐롤린은 그 말에 고개를 끄덕였고 우리는 서로 마주보며 웃음 지었다.

****

잠시 뒤에 네이던이 하모니카를 불었고 캐롤린이 노래했다. 그런 다음 우리는 다들 일어나 발매치(편집자 주 : 베어 낸 큰 나무에서 쳐낸 가지로 된 땔나무)를 정리했다. 내가 불을 붙였다. 불이 타오르자 나뭇개비를 던졌다. 네이던은 물을 더 가져왔다. 구덩이 가장자리로 나뭇가지가 떨어지면 기다란 막대기로 불길을 막았다. 바람이 일었지만 우리는 걱정하지 않았다. 불길은 구덩이 안에서만 넘실거렸다. 그날 하루 벌목하며 잘라낸 발매치를 다 태우려면 족히 2, 3시간은 걸렸다. 그날 밤도 별다르지 않았다. 발매치가 재로 변하면서 불길이 약해질 무렵 네이던이 화장실로 뛰어갔다. 캐롤린이 불렀다.

"얘, 물이 더 있어야겠어!"

네이던이 소리 질렀다.

"급해!"

"너……."

"내가 가져오지요."

나는 물통을 들었다. 캐롤린은 마치 남정네처럼 고개를 가로젓더니 이내 쾌활하게 웃었다.

"그렇게 하세요."

다시 한 번 나는 강으로 갔다. 물을 가득 담을 무렵 캐롤린의 비명이 들렸다. 돌아보니 불길이 솟구쳐 올랐고 네이던이 화장실에서 뛰어나오고 있었다. 그리고 캐롤린이 보였다.

캐롤린은 구덩이 옆에서 펄쩍거리더니 강으로 달려왔다. 치마에 불이 붙었다. 둑에 있던 나는 캐롤린을 향해 달렸다. 강으로 달려가는 캐롤린을 붙잡고는 밀어 흙 위에서 빠르게 굴리며 불길을 껐다. 긴치마와 안에 입은 속치마를 찢자 다리가 드러났다. 나는 캐롤린을 안아서 부리나케 강으로 달려갔고 뒤에서 네이던이 쫓아왔다. 캐롤린을 강 속으로 넣자 고통스런 신음소리가 터져 나왔다. 나는 침착하게 말했다.

"네이던, 가서 존스 부인을 모셔와."

"하지만 누나가……."

네이던이 울먹거렸다.

"빨리!"

네이던이 달려갔다. 몇 분가량 캐롤린을 강에 담갔다가 오두막으로 데려가 침대에 뉘였다. 캐롤린은 계속 끙끙 앓는 소리를 냈다. 내가 이름을 불렀을 때 캐롤린은 단지 나를 쳐다볼 뿐이었다. 캐롤린의 눈에 서린 고통을 보자 덜컥 겁이 났다. 나는 캐롤린을 잃을 수는 없었다.

"아기는 괜찮을 거예요."

나는 부드러운 목소리로 캐롤린을 위로했다.

"불길이 무릎 위로 올라오기 전에 껐어요. 아기 쪽으로는 불길이 닿지 않았어요."

내 말을 알아들었는지 캐롤린은 손을 배에 대더니 살살 어루만지다가 금세 눈을 감았다. 마침, 예전에 캐롤린이 삼림지에 오자마자, 상처에 바르라며 만들어놓은 연고가 있어서 다리에 발라 주었다. 캐롤린이 계속 끙끙댔지만, 다리 양쪽에 넓게 연고를 발라두었다. 그러고는 기다렸다.

네이턴을 따라온 존스 부인은 먼저 캐롤린의 배에 손을 갖다 댔다. 부인은 그 상태로 한참 기다렸고, 네이턴과 나도 조용히 기다렸다. 존스 부인이 입을 열었다.

"다행일세. 아기가 발길질을 하는군."

부인은 내가 어떻게 응급처치를 했는지 물었다. 내가 설명했다. 부인은 고개를 끄덕이고는 네이턴과 나에게 밖으로 나가라고 지시했다.

"이제 내가 돌보도록 하지."

네이턴과 나는 밖으로 나와 그루터기에 앉았다. 바람이 잦아들어 발매치에서 치솟았던 불길은 저절로 꺼져 있어 우리에겐 천만다행이었다. 네이턴이 염려스러운 얼굴로 물었다.

"어떻게 될까요? 형! 우리 누나는 괜찮을까요?"

나는 네이턴을 보며 안심시켰다.

"누나는 강한 사람이잖아. 금방 좋아질 거야. 잘 이겨내겠지."

캐롤린이 고통과 싸우는 며칠 동안 존스 부인은 오두막에 머물렀다.

네이턴과 내가 할 수 있는 일은, 계속 일을 하면서 아기와 캐롤린을 지켜달라는 기도뿐이었다. 소식을 듣고 한달음에 달려온 톰 비와 호레이스도 기도했다. 동이 틀 무렵, 일하러 가기 전에 나는 반드시 캐롤린에게 들렀다. 벌목을 마치고 돌아오는 길에도 캐롤린의 상태를 확인했으며, 밤이 되어 창고로 돌아가기 전에도 한 번 더 들여다보았다. 그렇지만 캐롤린의 눈빛은 초점을 잃은 상태라 나를 전혀 알아보지 못했다. 밤마다 내 짚더미 침대에 엎드려 두 손을 모으고 캐롤린과 아기를 위해 기도를 올렸다. 잠이 들 때까지 캐롤린을 생각했고 심지어는 꿈속에서도 캐롤린을 생각했다.

어느 날, 마침내 존스 부인이 나를 오두막으로 불렀다.

"의식이 돌아왔네."

안으로 들어가자 캐롤린이 내 쪽으로 고개를 돌렸다. 나는 좀 더 가까이 다가가서 침대 옆에 무릎을 꿇었다. 나는 조용조용 속삭였다.

"지금부터는 내 말을 들어요. 오래전에 당신이 말했지요. 캐롤린 페리 토머스! 힘든 일을 그만두라고요. 당신을 내 눈앞에서 죽게 내버려두지 않아요. 미첼과 당신 없이 내 삶을 꾸려나갈 수 없어요."

내 꾸중을 듣는 캐롤린의 눈과 입가에 웃음기가 감돌았다. 캐롤린이 손을 내밀어서 내 손을 잡았다.

****

캐롤린이 일어나는 데에 한 달이 넘게 걸렸다. 출산 예정일이 다섯 주도 채 남지 않았는데 캐롤린은 이제 겨우 발을 한 걸음씩 뗄 뿐이었다. 아직 회복이 덜 되어 보이는데도 캐롤린은 자리에서 일어나겠다고 고집을 부렸다. 캐롤린이 회복하는 동안에, 존스 부인이 손녀딸을 보내어 집안일을 돕도록 했다. 얼마 뒤에, 캐롤린은 혼자 일을 해도 되겠다 싶었는지 소녀를 집으로 돌려보내며 옥수수와 야채를 바리바리 싸주었고 닭도 2마리 챙겨주었다. 야채에 대해서는 별 다른 말이 없었으나, 닭은 줘도 되는지 내 허락을 물었다. 밭은 캐롤린이 심고 가꿨던지라 자기 마음대로 줄 수 있다고 생각한 모양이었다. 하지만 닭 2마리는 캐롤린의 닭과 내가 사온 닭이 교배하여 생겼으므로 내 생각을 듣고 싶었던 게다. 나는 망설이지 않고 닭 2마리를 주었다. 사실 캐롤린이 닭을 다 주자고 해도 기꺼이 주었을 것이다.

9월이 다가오면서 캐롤린은 점차 건강해졌고 출산일이 임박했다. 계약했던 나무도 모두 잘라서 강으로 내려 보낸 터라 필모어 그레인저가 땅문서를 들고 오기만을 기다리고 있었다. 땅문서가 나에게 넘어오는 순간, 존 로우즈에게 돈을 받아서 홀렌벡과 계약한 사항을 매듭지을 계획이었다. 그동안에 네이던과 함께 목화를 따기 시작했다. 8월부터 목화를 따서 목화 한 꾸러미와 쟁기를 팔아 마지막 달의 토지 납입금을 치렀다. 나머지 목화도 서둘러 팔아 치울 생각이었다. 채 따지 못한 목화는 존 로우즈가 사들이기로 했다. 로우즈는 우리 노새 2마리를 사기로 했으며 남은 노새 1마리도 살 사람을 구해 두었다. 그 정도 돈이면 토지 잔금을 충분히 치를 수 있었다. 2주일 정도면 일을 마무리 짓겠구나 싶던 차에 그레인저가 찾아왔다. 삼림지 문서를 가져온 줄 알았다. 그건 착각이었다. 그레인저는 말에서 내리며 말했다.

"듣자니 홀렌벡의 땅을 사려고 한다며."

왜 그 이야기를 꺼내나 싶어 순간 어리둥절했다.

"계약을 맺었습니다."

나는 조심스럽게 대답했다.

"홀렌벡은 우리 아버지한테서 그 땅을 샀지. 우리 아버지가 전쟁이 끝난 뒤에 세금을 내느라 홀렌벡에게 땅을 내놓을 수밖에 없었지. 그런데 네가 그 땅을 사겠다고?"

나는 가만히 있었다. 그레인저가 가슴 속에 있는 이야기를 다 꺼낼 때까지 기다렸다. 그레인저는 이리저리 둘러보았다.

"여기 이 땅을 상당히 많이 개간해 놓았군. 목화도 많이 심었고."

"처음부터 그렇게 합의했으니까요."

밭에서 나오던 캐롤린이 야채가 가득 담긴 통을 들고 오두막 근처에 멈춰 선 것이 보였다.

"땅을 개간한 뒤에 경작해도 좋다고 하셨죠."

그레인저는 내 말을 들은 척도 않고 나를 보며 말을 이었다.

"내 땅 16만 제곱미터를 팔아서 홀렌벡의 땅을 사겠다는 거야?"

그건 그레인저가 상관할 바가 아니었다. 이 땅을 갖고 무엇을 하든 그건 완전히 내 자유였다. 그러나 나는 직설적으로 말하지 않았다. 나는 백인에게 말을 가려야 했다.

"그레인저 씨, 우리 계약은 제가 이 땅의 나무를 모두 자르면 이 땅은 제 것이 된다는 것입니다. 다시 말해서 제 마음대로 땅을 팔 수 있다는 뜻입니다."

"천만에! 네 마음대로 못 해!"

그레인저는 고래고래 소리를 질렀고 분위기는 순간 싸늘해졌다.

"여기는 아직 네 땅이 아니야! 첫 날, 네 녀석이 여기 왔을 때, 나무를 훔치면 용서치 않겠다고 분명히 못 박았건만, 그 짓으로 네 주머니를 채운 게 틀림없어! 이 삼림지 바깥에 있는 쓸 만한 내 나무를 팔아 먹은 게야!"

그레인저를 노려보다 슬쩍 고개를 돌리는 순간 캐롤린과 눈이 마주쳤고, 캐롤린을 위해서라도 화를 참기로 했다. 마음속의 말을 다 쏟아낼 수는 없었다. 아버지를 생각했다. 나는 그레인저의 눈을 마주보고 말을 꺼냈다.

"그레인저 씨, 표시해둔 경계선을 넘지 않으려고 조심했습니다. 벌목은 16만 제곱미터 내에서만 이루어졌습니다. 한발자국도 벗어난 적이 없습니다."

이제 그레인저는 미친 듯이 분노를 터뜨렸다.

"나더러 거짓말쟁이라는 거야?"

"그렇게 말하지 않았습니다."

상대가 백인인지라 신중을 기해 말을 조심했지만, 속은 부글부글 끓어 넘치고 있었다.

"삼림지 밖에서는 벌목하지 않았다고 말씀드리는 겁니다. 미첼과 함께 벌목한 장소는 물론이고, 네이턴이라는 아이를 데리고 벌목한 장소도 그렇고, 다른 일꾼들이 작업한 지역도 그렇습니다. 우리는 삼림지를 벗어나서 벌목하지 않았습니다."

그레인저는 눈을 부라렸다. 나도 그레인저를 노려보았다. 그레인저는 조롱하는 어투로 말했다.

"그럼 실수했다는 거군. 모르고 실수로 나무를 잘랐단 말이지?"

"우리는 삼림지에서 한발자국도 벗어난 적이 없습니다."

그레인저는 얼굴을 일그러뜨리며 나를 노려보더니 돌아서서 말에게 걸어갔다. 말에 올라타기 전에 다시 한 번 내 얼굴을 보았다.

"이 땅을 그냥 갖고 있기로 했어."

"뭐라고요?"

"너는 홀렌벡 땅이 너무 탐이 난 나머지, 네 것도 아닌 나무를 베어버렸어. 내 나무를 잘라 니 마음대로 팔아버리다니……."

"저는 그런 적이 한번도 없어요."

"정 원한다면 여기에 남아서 소작을 해도 좋아. 달리 갈 데도, 할 일도 없는 것 같으니 여기 머무르도록 형편을 봐주지. 소작하기 싫다면 식솔들을 데리고 이 달이 지나가기 전에 떠나도록 해."

"그것은 우리가 합의한 내용과 다릅니다. 미첼과 나는 그레인저 씨가 말씀하신 대로 나무를 잘랐고 기간을 지켰습니다."

"나무를 잘라서 네 마음대로 썼잖아."

"처음에 허락하신 것만……."

"나랑 논쟁을 하겠다는 거야?"

그 말은 위험한 말이었다. 지금 이 세상에 그건 가장 위험한 말이었다. 나는 그렇게 알고 있었다. 나는 잠시 말을 삼키며 다시 한 번 화를 억눌렀다. 침착하게 말했다.

"계약서가 있습니다."

그레인저는 다시 내게로 걸음을 옮기더니 바짝 다가섰다.

"내가 깜둥이와 만든 계약서 나부랭이에 신경이나 쓸 것 같아? 똑똑히 들어둬! 이 자식아! 전에 너 같은 놈을 수백 명이나 데리고 있었다. 네놈들 옷을 해 입히고 먹여주고, 병들면 치료해주고, 장사까지 치러졌어. 세상이 바뀌자 깜둥이들이 자신도 백인만큼이나 잘난 줄 착각하여 백인처럼 말하고 백인처럼 깝죽대더니 이제 백인처럼 땅까지 가지려드는군. 자신들이 백인과 마찬가지로 똑똑하다고 생각하는 모양이야. 내가 분명히 말해두려고 왔는데, 이 세상에 필모어 그레인저보다 잘난 깜둥이는 없어. 아무리 백인처럼 보인다고 해도 마찬가지야."

그레인저는 손가락으로 내 얼굴을 가리키며 힘주어 말했다. 그러고는 돌아서서 말 쪽으로 걸어갔다. 말에 올라타서 나를 내려다보았다.

"이 땅에 심어 놓은 작물도 내 거야. 조금이라도 거둬 가면 보안관을 부르겠어. 미리 따 놓은 목화도 마찬가지야. 벌써 목화를 한 꾸러미 팔았다던데, 다시 그런 소리가 들리면 당장 감방에 쳐 넣을 테다."

그레인저는 말에 박차를 가하여 내가 닦아 놓은 길을 따라 달려갔다.

오두막 옆에 서 있던 캐롤린에게 다가갔다. 캐롤린이 들고 있는 통에는 저녁거리로 토마토, 제비콩, 오이, 옥수수가 담겨 있었다. 캐롤린은 한마디도 하지 않고 나를 물끄러미 쳐다보았다.

"들었소?"

"똑똑히 들었어요."

캐롤린은 천천히 고개를 끄덕였다.

"이럴 수는 없어요."

"그자는 백인이요. 자기 마음대로 할 수 있어요."

"하지만 당신은 계약서를 가지고……."

나는 같은 말을 다시 했다.

"마음대로 할 수 있다니까요."

잠시 침묵하던 캐롤린이 입을 뗐다.

"어쩔 건가요?"

"모르겠소."

나는 삼림지 너머 들판을 바라보았다.

"분명한 건 내 땅에서 소작인 노릇은 하지 않겠다는 거요."

캐롤린은 그 말에 고개를 끄덕였다.

"나도 이것만은 분명해요. 그자는 내 밭을 차지 할 수는 없어요."

****

그 날 내내 나는 삼림지를 걸으며 어떻게 해야 할지 생각에 생각을 거듭했다. 벌목은 거의 끝났으며 쟁기로 들판을 갈아놓았고, 농작물의 추수는 끝났다. 그레인저는 목재를 팔아 엄청난 돈을 번 것을 제외하고도 상당한 수입을 갖는 셈이었다. 말로서는 표현하지 못할 만큼 고통스러웠다. 나와 미첼, 네이던과 캐롤린까지 잠을 줄이고 온갖 희생을 감수했는데, 뭘 위해 그랬단 말인가? 결국 남은 게 아무것도 없었다. 가장 고통스러운 것은 캐롤린의 좌절과 미첼이었다.

그레인저는 나를 마음껏 가지고 놀았다. 내가 홀렌벡 땅을 사려고 한다는 사실을 몰랐을 리가 없다. 웬만한 사람은 다 아는 내용이니 그레인저도 분명히 들었으리라. 훨씬 전부터 분명히 알았을 테지만, 그러나 그레인저는 입을 딱 다물고 있었다. 목재가 들어오는 한 가타부타 말을 하지 않았다. 벌목하기를 원하는 나무들이 다 벌목되기 전까지는 침묵을 지켰다. 그리고 내가 한 때 자신의 땅이었던 땅을 살 돈이 없다는 거짓말까지 퍼뜨렸다.

석양이 질 무렵, 떡갈나무 아래 미첼의 무덤 앞에 앉아 미첼이 곁에서 듣기라도 하는 듯 넋두리를 늘어놓으며 어떻게 해야 할지 상념에 잠겼다. 밤이 다가왔고, 캐롤린이 저녁식사를 하라며 불렀지만 꼼짝하지 않았다.

****

다음 날 아침 일찍, 나는 스트로베리로 출발했고 캐롤린은 네이던과 밭에 추수하고 남은 곡식들을 챙겼다. 캐롤린은 밭작물을 모두 뽑았으며 보관이 어려운 야채는 일일이 저장식품으로 만들었다. 나는 스트로베리에 있는 은행부터 다시 찾아 만나볼 생각이었다. 빅스버그의 비알 틸만과도 다시 만날 것이고, 다른 은행들도 들를 작정이었다. 허튼짓이란 걸 알지만 그래도 해 볼 참이었다. 대출을 받을 거라고 생각지는 않았으나 그저 손 놓고 기다릴 수는 없었다. 스트로베리 은행들은 예상대로 딱 잘라서 거절했으며 빅스버그의 은행들도 마찬가지였다.

마지막으로 찾아간 은행의 비알 틸만은 커다란 의자에 몸을 파묻은 채로 입을 열었다.

"폴, 듣자하니 자네가 그레인저 씨의 땅을 두고 매매계약을 했다더군. 그리고 폴 자네가 그 사람의 나무를 벌목했다는 것도 들었다네. 자네는 홀렌벡 씨의 땅은 물론이고 그레인저 씨의 땅을 살 돈이 없다는 것도 아네. 이제야 하는 말이지만, 처음에 자네가 들렀을 때 홀렌벡 씨는 사업가 기질이 부족하다고 하지 않았나? 북부 양키 출신이라 아무나 붙들고 땅을 팔고자 했던 게야. 그러다 보니 자네가 그자에게 지불할 돈이 없어 대출을 받으려고 여기까지 오게 되지 않았나."

틸만은 한숨을 쉬었다.

"나는 자네가 마음에 들어. 폴. 전에도 그런 말을 했었지. 자네 가구를 빚는 솜씨는 거의 장인 수준이야. 우리 집사람은 자네가 만들어준 장식장을 요즘도 뽐낸단 말이야. 그러니 내 말했듯이 괜스레 일을 복잡하게 만들지 말고 그냥 손재주를 이용해 살아가도록 해 봐. 그 정도의 기술이면 먹고 살 만할 거야. 전에 내가 충고할 때 흘려들었다면 이번에는 잘 새겨듣게. 홀렌벡 씨 땅은 잊어버려. 그레인저 씨에게 이러쿵저러쿵 따지지 말고. 내가 그 사람에게 이야기는 잘 해두었네. 자네가 원래 착한 사람인데 어쩌다 분수에 어울리지 않는 땅에 눈독을 들이다보니 나무에 손을 대는 실수를 저질렀다고 설명했지. 그레인저 씨와 거래를 청산하게. 땅을 일궈서 가족을 부양하고 싶으면 어디든 가서 소작 일을 맡게나. 송충이는 솔잎을 먹고 살아야지. 쓸데없이 욕심을 내면 안 되는 법이야. 그 충고만이 내가 자네에게 해줄 수 있는 최대의 것일세. 폴."

나는 비알 틸만에게 말했다.

"충고를 들으러 여기에 온 것은 아닙니다."

그러고는 전신국으로 발길을 돌렸는데 그만, 나 스스로도 평소에는 전혀 예상치 못했던 일을 감행하고 말았다. 누나에게 여윳돈이 있는지, 그 돈을 빌려줄 수 있는지를 묻는 전보를 보냈던 것이다. 가능하다면 스트로베리로 열흘 내에 은행어음을 보내달라고 부탁했다. 남은 기간이라고는 그게 전부였다. 누나의 도움을 크게 기대하지 않았지만, 나는 누나의 도움을 요청할 만큼 절박했다. 무거운 마음으로 전신국을 떠나 소여의 가게로 갔다. 캐롤린이 야채를 절일 때 필요한 통조림 병을 몇 상자 구입했다.

"통조림 할 게 많은가 보군."

소여가 계산하면서 말했다. 고개만 끄덕였다. 소여는 안경 너머로 나를 넘겨다보았다.

"농작물은 어떻게 됐나?"

나는 다른 곳으로 눈길을 피했다가 다시 소여에게 눈길을 돌렸다.

"이제는 아무것도 없습니다. 그레인저가 삼림지를 뺏어갔지요."

소여는 나를 가만히 바라보았다.

"나도 들었어."

소여도 나도, 그레인저가 계약을 깨뜨린 것에 대해 별 말을 하지 않았다.

"그럼 이제 어쩔 텐가?"

"거기를 떠나야죠."

"홀렌벡 씨 땅은 어쩌고?"

나는 어깨를 으쓱했다.

"지금 상황에서는 도저히 살 수 없습니다."

"그 땅에 투자한 돈이 많을 텐데."

"도박을 해서 잃은 셈이죠."

"그 큰돈을 그냥 포기할 텐가?"

나는 대답하지 않았다. 소여는 나를 물끄러미 보더니 계산을 했다. 계산을 마친 소여가 나를 다시 보았다.

"내가 돈을 빌려준다면 어떻겠나?"

나는 그 말에 깜짝 놀라서 계산대에서 흠칫 뒤로 물러났다. 그 제안이 뜻하는 바를 알기에 순간적으로 피가 얼굴로 확 몰리면서 나도 모르게 눈길을 피하고 말았다. 땅을 지킬 수 있다는 희망으로 머릿속이

쿵쾅거렸다. 나만의 땅을 가지게 되고, 캐롤린을 데려갈 장소가 생기며, 미첼과 맺은 약속도 지킬 수 있게 된다.

소여가 다시 입을 열었다.

"그래, 어떤가? 은행과 같은 조건으로 빌려줌세."

"아닙니다."

그렇게 말했지만, 그 대답은 무척 힘이 들었다.

"아니에요. 혹시 일이 잘못되면 돈을 못 갚습니다."

"땅을 담보로 잡으면 되겠지."

나는 다시 거절했다.

"감사합니다. 소여 씨. 하지만 신세를 질 수는 없습니다."

"언제든지 나와 일하면서 빚을 갚으면 되잖나."

나는 빙긋이 웃고는 다시 정중하게 거절했다.

"그러면 백발노인이 되어야 빚을 다 갚을 텐데요."

정말이지 또 다른 백인에게 신세를 지고 싶지 않았다. 그리고 백인들과 개인적으로 친분을 쌓고 싶지 않았다. 하지만 소여의 눈빛에서 나를 돕고자 하는 진심과 내 거절을 안타까워하는 심정까지 고스란히 읽을 수 있었다. 소여에게 다시 한 번 감사를 전한 뒤, 통조림통 값을 지불하고 가게를 나섰다. 그 제안을 거절하고 돌아서는 게, 내게는 얼마나 힘이 드는지 소여는 짐작도 못 할 터였다. 나는 정말로 정말로 그 땅을 갖고 싶었다.

****

다음 날 저녁에서야 모닥불 앞에 앉아 캐롤린과 이야기를 할 수 있었다. 네이턴이 잠들어 조용조용 말을 나누었다. 은행에 갔던 일은 말했지만 우체국 전보에 대해서는 함묵했다. 누나는 어떻게든 돈을 보내고 싶겠지만, 식구가 딸린 누나의 수중에 그만한 돈이 있을지도 의문이었다. 누나에게 그런 무거운 짐을 올려놓은 걸 후회하던 차라 캐롤린까지 헛된 희망을 품게 하고 싶지는 않았다. 소여가 했던 제안도 털어놓지 않았다. 내가 왜 그 제안을 거절했는지 그 이유를 설명할 방법을 알지 못했기 때문이다.

캐롤린이 말했다.

"네이턴과 함께 집으로 돌아가는 길밖에 없군요."

나는 동의하는 표시로 고개를 끄덕였다. 나는 캐롤린을 보내고 싶지 않았으나, 그런 말을 할 수가 없었다. 현재로서는 캐롤린에게 줄 게 아무것도 없었다. 캐롤린이 내 아내가 아니더라도, 캐롤린과 아기를 반드시 지키리라. 나는 미첼과 맺은 약속을 깨뜨리지 않겠다고 다짐했다.

캐롤린이 말했다.

"한 가지만요, 폴 에드워드. 여기 떠나기 전에 할 일이 하나 있어요."

"뭔가요?"

"미첼을 여기에 두고 떠나지 못해요. 내가 가는 곳에 미첼의 무덤이 있어야 해요. 여기를 떠나면 다시는 발을 들이지 않을 작정이에요. 미첼도 이런 곳에는 있고 싶지 않을 거예요."

나는 고개를 끄덕였다.

"내가 알아서 하지요."

우리는 각자 생각에 잠겨 잠시 말을 잃었다. 그런데 갑자기 캐롤린이 킥킥대면서 나를 봤다.

"그레인저는 참 운이 좋은 것 같아요."

"어째서요?"

"미첼이 있었더라면, 그레인저는 아마 벌써 무덤으로 들어갔을 거예요."

듣고 보니 그럴 듯해서 나도 따라 웃었다.

"미첼이 지금쯤 무덤에서 일어났을지도 모르죠."

캐롤린이 동의했다.

"제 생각도 그래요."

"미첼 대신 나라도 나서서 끝장을 낼 걸 그랬나봅니다. 정말 그러고 싶은 마음이 굴뚝같군요."

"그러고는 목이 매달리겠죠. 폴 에드워드! 미첼도 정작 그러지는 못했을 거예요. 그레인저가 죽으면 미첼도 똑같은 신세가 될 테니까요."

우리는 다시 침묵했다. 캐롤린이 느끼는 슬픔을 알 것 같았다. 그리고 둘 다 땅을 뺏기고 미첼을 잃은 상태라서 캐롤린은 내 슬픔을 짐작하는 듯했다. 캐롤린에게 말했다.

"이 달 말이 되기 전에 집으로 데려다드리지요."

불빛 너머로 나를 바라보더니 가만히 중얼거렸다.

"차라리 당신을 따라가고 싶어요."

나는 캐롤린과 눈이 마주친 순간 얼른 피했다.

"나는 갈 곳이 없습니다."

그 즈음에 나는 누나의 소식을 기다리며, 캐롤린이 밭작물로 통조림을 만드는 것을 도와주었다. 엉성한 트레일러도 하나 만들어 네이던과 둘이서 얼마 남지 않은 물건을 남김없이 실었다. 계획보다 하루 일찍 떠나기로 마음먹었는데 캐롤린도 찬성했다. 그레인저가 끌고 온 백인들에게 쫓겨나는 굴욕만은 당하고 싶지 않았다. 떠나기 이틀 전, 날이 밝으려면 멀었지만, 일어나서 스트로베리까지 노새로 달려갔지만, 나를 기다리는 은행어음은 없었다.

나는 삼림지로 곧장 가지 않았다. 그 대신 나는 그 땅으로 갔다. 홀렌벡에게 직접 찾아가서 거래가 깨졌다고 말해야 했다. 지불할 돈이 없다고 말해야 했다. 그러나 차마 발길이 떨어지지 않았다. 고작 이틀이긴 해도 그 시간만큼은 이곳이 내 땅이었다. 희망이라고는 눈 씻고 찾아볼 수 없었지만 미리 포기하고 싶지는 않았다. 홀렌벡을 찾아가서 내 상황을 설명하고 기간을 연장해달라고 부탁해볼까 하는 생각도 들었다. 하지만 홀렌벡은 기간이 지연되거나 거래가 취소되면 그동안 입금했던 돈을 돌려주지 않겠다고 미리 조건을 걸었다. 그동안 지불했던 내 모든 돈을 몰수당하게 된 것이다. 내가 직접 서명을 하며 동의한 사항이었다. 이제는 되돌릴 방법이 없었다.

나는 땅을 걸어보았다. 목장과 숲을 타박타박 걸었다. 못가의 차가운 기운을 받으며 쉬었다. 거기에 한참 머물다가 다시 산비탈을 올라, 전에 머리를 뉘였던 바위 근처로 갔다. 바위 옆에서 무릎을 꿇고 기도를 드렸다. 나의 기도는 길고 간절했다. 해가 지고 날이 어두워질 때까지 초원과 숲 속을 우두커니 지켜봤다.

****

삼림지로 돌아오는데 강을 가로지르는 다리에 캐롤린이 서 있었다.

"누가 당신을 기다리고 있어요."

청년시절

걱정이 가득한 얼굴이었다.

"백인이에요. 그 사람은……당신 형제래요."

캐롤린을 스쳐 길 위를 봤다. 오두막 앞에 서 있는 마차와 그 옆의 남자가 눈에 들어왔다. 네이던이 그루터기에 앉아 그 남자를 빤히 바라보고 있었다. 나는 노새에서 내려 캐롤린과 함께 걸었다.

"저 사람이 여기 온 지 얼마나 됐지요?"

"꽤 됐어요."

캐롤린의 대답을 끝으로 우리 둘은 말없이 오두막으로 걸어갔다.

조금씩 가까워지자 그 사람이 똑똑히 보였다. 로버트였다. 10년 이상을 못 봤지만 금세 알아봤다. 로버트가 어디에 있든지 금세 알아봤을 것이다. 로버트가 입을 열었다.

"폴."

"로버트."

"캐시 누이의 심부름으로 왔어."

로버트가 악수를 청했다. 구덩이에서 불길이 타올랐다. 로버트에게 손짓으로 그루터기를 가리키고는 함께 자리에 앉았다. 캐롤린이 네이던을 데리고 오두막으로 들어갔다. 로버트가 주변을 두리번거리는 동안에 오두막의 문이 닫혔다.

"미첼 이야기는 들었다. 나도 마음이 아프더라."

나는 고개만 끄덕이고 말은 하지 않았다.

"누이가 미첼의 부인과 뱃속의 아기에 대해서도 말하더구나. 부인이 무척 힘들겠다."

"잘 견디고 있어."

나는 로버트가 이곳에 온 이유를 우선 알고 싶었다. 아버지나 조지 형이나 하몬드 형에 대해서도 묻지 않았다. 내가 정작 궁금한 것은 지나간 세월도, 그 세월을 치유하는 일도 아니었다.

"누나가 보냈다고?"

"그래."

로버트의 목소리가 사무적으로 바뀌었다. 봉투를 하나 꺼내어 건네주었다. 누나의 필체가 눈에 들어왔다. 편지를 열지 않았다. 의아한 눈초리로 로버트를 쳐다보았다. 로버트가 설명했다.

"1주일 전에 누이가 애틀랜타에서 우리 집으로 왔어. 네 어머니의 땅을 팔러 왔다더라."

내가 물었다.

"땅? 무슨 땅?"

"네 어머니의 집이 있던 4만 제곱미터말이야."

나는 깜짝 놀랐다.

"하지만……내가 알기론, 그 땅은 아버지의……."

로버트가 말을 받았다.

"나도 그런 줄 알았어. 그렇게만 알고 있었지. 네가 집을 나가고 나서……."

그 말을 하는 순간 로버트와 눈이 마주쳤고, 로버트는 말을 이었다.

"네가 나가고 나서, 아버지가 그 땅의 주인이 네 어머니라고 하시더구나. 아버지 말씀으로는 그 땅을 그냥 주려고 했으나 네 어머니가 거절했대. 공짜로 뭘 받기 싫었던 게지. 시세대로 계산하여 땅을 샀다더구나. 그리고 아버지께 한 가지 부탁을 했나 봐. 이유는 모르지만, 너에게 밝히지 말라는 부탁이었어."

로버트를 바라보는데 할 말이 없었다. 로버트는 말을 이어나갔다.

"그런데 캐시 누이가 집에 와서 그 땅을 당장 팔겠다는 거야. 현관에 들어서자마자 아버지더러 그 땅을 되사라는 거야. 아버지가 얼마면 되겠냐고 되묻자 누이는 땅이 우리 농지 한가운데 있으니 500달러면 딱 적당하다는 거야. 시세에 비해 500달러는 솔직히 좀 심한 편이지만 아버지는 따지지 않았어. 그 자리에서 땅을 샀지."

나는 손에 들고 있던 봉투를 뒤집어 보았다.

"누나가 왜 땅을 팔려는지 말했어?"

"때가 되었다고만 하더라."

"그러고는 너더러 이걸 갖다 주라던?"

로버트가 고개를 끄덕였다.

"아버지는 더 캐묻지 않았고?"

로버트는 어깨를 으쓱 올렸다.

"그 땅은 누이와 네 것이니까."

나는 봉투를 들여다보고는 로버트에게 돌려주었다.

"아버지에게서 돈을 받고 싶지 않아."

로버트는 꿈쩍도 하지 않았다.

"아버지가 준 게 아니야. 폴. 누이가 보낸 거야. 누이는 아버지에게 네 말은 한마디도 하지 않았어."

로버트가 나를 살펴보았다.

"아까 말했다시피 너와 누이의 몫이야."

봉투를 다시 뒤집고는 로버트를 똑바로 바라보았다.

"누나가 왜 너에게 이걸 시킨 거야?"

"누이는 자기 집으로 돌아가기 전에 나더러 여기까지 갈 수 있는지 묻더라고. 너도 알겠지만, 다시 임신한 상태라……."

"몰랐어."

"자신이 직접 가기 힘들고, 일이 바쁜 매형도 보내기 어려웠나 봐. 내일까지는 네가 이것을 꼭 받아야 하는데, 은행을 통해 보내자니 내일까지 도착할지 못 믿겠대. 그러면서 나에게 직접 갖다 줄 수 있냐고 묻더라. 다른 말은 없었지만, 그 정도면 내게는 충분했어. 그래서 기차를 타고 왔고, 다시 마차를 전세해 물어물어 여기까지 온 거야."

잠자코 있다가 다시 물었다.

"아버지에게 누나가 부탁한 내용을 말했어?"

로버트와 눈이 마주쳤다.

"아니. 이건 나와 누이, 둘만의 비밀이니까. 누이가 아버지에게 알리지 말라고 당부했거든. 아버지에게는 그냥 처리할 일이 있어 다녀오겠다고만 말씀드렸어."

나는 다시 봉투를 쳐다보았다.

"안 열어 볼 거냐?"

나는 봉투로 손바닥을 찰싹 내려치고는 불길을 바라보았다. 로버트는 나를 흘낏 쳐다보더니, 아무 말 없이 강으로 걸어갔다. 로버트가 가고 나서도 몇 분 동안 지그시 봉투를 바라보았다. 그러다가 봉투를 열어보았다.

안에는 1100달러의 은행어음이 들어 있었는데, 내가 필요한 돈보다 많은 액수였다. 그리고 편지 두 장이 들어 있었다. 한 장은 누나가 보낸 것이었다. 또 한 장은 어머니의 편지였다. 우선 누나의 편지지를 펴보았다.

편지는 어머니의 땅을 팔았다는 글로 시작하였다. 어머니가 남긴 것에서 돈이 될 만한 것을 모두 팔았다고 했다. 남은 거라곤 어머니와 자기 사진이 담긴 브로치인데 그것도 모두 로버트 편에 보냈다는 내용이었다. 자기 부부의 저축과 가게를 담보로 빌린 돈도 합쳐 보낸다고 했다. 이 땅이 나에게 얼마나 중요한지 잘 알고 있고, 돈을 돌려받지 못할지는 걱정하지 않는다고 했다. 그저 어머니를 대신해서 하는 것뿐이며, 어머니께서는 생전에 적당한 때에 땅을 팔아서 그 돈을 나에게 주라고 당부했고, 자신의 판단으로는 지금이 그때인 것 같다는 것이다.

어머니의 편지를 뜯는데 손이 덜덜 떨렸다. 봉투를 찢자 지폐 5장이 쏟아졌다. 모두 20달러짜리였다. 순간 놀랐으나 다시 집어 접은 다음에 봉투 안에 넣었다. 글자는 희미했다. 날짜를 보니 로버트가 나를 배신했던 크리스마스 날이었다. 어머니의 편지를 펴자 공들여 쓴 글씨가 눈에 들어왔다. 읽는데, 옆에서 어머니의 목소리가 들리는 듯했다. 읽는 내내 눈물이 앞을 가렸다.

먼 훗날, 네가 어른이 되어서야 네가 이 편지를 읽었으면 한다. 그때쯤이면 지금보다 더 많은 삶을 경험했겠지. 지금이야 너는 이 세상에 대해 알 건 다 안다고 자부하겠지만, 그렇지 않단다. 네 앞에 펼쳐질 인생에서 이제 서막을 봤을 뿐이야. 내가 늘 말해왔듯이, 온전히 너만의 것을 가지기를 바란다. 내가 네 아버지로부터 이 땅을 돈 주고 산 것도 바로 그런 이유 때문이다. 내 자신만의 것을 가지고픈 것도 또 하나의 이유겠지. 이기적일지는 몰라도 나는 오로지 나만의 것을 갖고 싶었거든.

　이 땅에 대해 네게 말하지 않은 것은 네가 아직은 애이기 때문이다. 너는 아무리 힘든 일이 닥치더라도 여전히 이곳을 사랑할 테고, 네 아버지를 존경하겠지. 물론 그래도 괜찮겠지만, 네 생각대로라면 말이다. 게다가 이 땅이 네 거라는 사실마저 알게 되면 너는 이곳을 떠나지 못할 게다. 나는 네가 이곳을 떠나기를 바란다. 여기를 떠나 새로운 삶을 꾸려나가기를 소망한다. 마치 캐시가 그랬던 것처럼.

　폴 에드워드! 이 땅 말고 네게 보탬이 될 거라곤 지폐 몇 장이 다구나. 나중에 주려고 시계도 여기에 넣었으나, 너와 로버트와 아버지 사이에 일어난 일을 듣고서 이번 크리스마스에 주기로 마음먹었다. 너에게 이 땅을 남긴다. 캐시는 인생을 새롭게 시작했다. 결혼할 때 아버지가 어느 정도 보태주셨고 나도 힘껏 도와주었다. 그러니, 아들아! 여기 이 땅은 네 거다. 나는 이 땅이 너에게 도움이 되기를 늘 소망했다. 하지만 이 땅에 머무는 데 도움이 되는 게 아니라 새로운 삶을 펼치는 데 도움이 되었으면 한다. 캐시는 이 모든 것을 알고 있다. 때가 이르기까지 너에게 말하지 말라고 당부했다. 적당한 시기가 되면 캐시가 모든 걸 설명해줄 게다. 아들아! 그렇게 많은 걸 남겨주진 못한다만, 이걸로 시작은 할 수 있겠지. 현명하게 사용한다면 오로지 너만의 것을 갖게 될 거다. 행복하기를 빈다.

　그때 내 기분을 말로는 표현할 수 없었다. 내 느낌을 표현할 말이 없었다. 편지를 한 번 읽고 나서 또 다시 읽었다. 로버트가 돌아오는 소리를 듣고 돈과 편지들을 호주머니에 집어넣었다. 마음 같아서야 얼른 오두막에 들어가 로버트가 가져온 소식을 캐롤린에게 알려주고 싶었지만 꾹 참았다. 캐롤린에게 털어놓기에 전에 먼저 홀렌벅의 땅문서부터 챙기고 싶었다. 로버트가 그루터기에 다시 앉으며 입을 열었다.

"폴, 내가 이 근방에 약 1년 반 전에 왔어."

"알아. 미첼이 빅스버그에 갔다가 네가 거기에 들렀다고 하더구나."

로버트의 얼굴에 놀라움이 스쳤다.

"네가 여기에 있다는 걸 알았더라면 한걸음에 달려 왔을 거야. 캐시 누이는 네가 어디에 있는지 전혀 밝히지 않았거든. 지금까지."

"하지 말라고 부탁했어. 그게 낫지 싶어서."

로버트는 고개를 끄덕이면서 불길을 바라보았다.

"폴, 너에게 꼭 하고픈 말이 있어. 네가 꼭 알아야 할 일이 있어. 네가 그 경주마를 탔다고 아버지에게 말씀을 드리긴 했으나 너를 곤란하게 할 의도는 없었어. 네가 다칠까 봐 걱정했을 뿐이야."

나는 로버트를 가만히 쳐다만 보고 내 속마음을 털어놓지 않았다. 나를 배신했던 사건은 한마디도 꺼내지 않은 걸 보니, 지난 세월 동안 로버트는 그 일만 마음에 걸렸던 모양이다. 로버트가 이런저런 이야기를 꺼내는 동안 나는 가만히 들어주면서 그날 신의를 저버린 로버트의 행동은 그만 묻기로 했다. 우리는 이미 오래전부터 서로 다른 각자의 길로 걸어가고 있었다.

캐롤린이 오두막 밖으로 저녁식사를 준비해 가져왔다. 로버트가 흔쾌히 받아들였기에 둘이 불가에 앉아 식사를 했다. 식사가 끝나자 로버트가 어머니의 브로치를 건네주었다. 뚜껑을 열어 어머니와 누나의 사진을 보았다. 로버트는 아무 말 없이 내가 브로치를 닫아서 내 심장 쪽의 셔츠 주머니에 집어넣는 걸 봤다. 잠시 뒤에 오두막 밖으로 흘낏 내다보는 캐롤린의 모습이 눈에 띄었다. 시간은 많이 흘렀지만 로버트는 일어서지 않았다. 집 안의 희미한 불빛이 가물거리는 것이 보였다. 네이던은 오두막을 나와서 창고에 잠자리를 깔았다. 로버트와 나는 불가에 앉아 밤늦도록 이야기를 나누었다. 로버트는 내 사업에 대해서 묻지 않았고, 왜 누나가 돈을 보냈는지에 대해서도 말이 없었다. 나도 굳이 밝히지 않았다. 나는 땅에 대한 이야기나 내 꿈에 대해서 한마디도 하지 않았다. 로버트는 아버지에 대해 말했고, 또 조지 형이 아직 서부 어딘가에 있다고 이야기했으며, 하몬드 형과 그 가족에 대해서도 자세히 알려주었다. 아버지는 종종 내 이야기를 하고 있고 나를 다시 만나고 싶다고 많이 이야기했지만, 직접 찾지는 않겠다고 했다는 것이다. 아버지 입장은 나 스스로 걸어 나갔으니 집으로 돌아올 때도 제 발로 찾아와야 한다는 것이다. 로버트는 내가 도망쳤던 사건에 대해 물었고, 나는 사실대로 말해 주었다. 우리는 그 날 이후 각자 살아가며 겪은 일을 이야기했다. 하지만 과거에 우리 둘 사이에 얽혔던 이야기는 한번도 입에 올리지 않았다.

소년 시절처럼 밤을 새우며 이야기꽃을 피웠으나 그때처럼 편안한 기분이 아니었다. 날이 희뿌옇게 밝아오자 로버트는 떠날 채비를 했다. 로버트는 눈 한번 붙이지 못했고, 나도 마찬가지였다. 로버트는 커피 한 잔을 들고 어제 먹던 옥수수 빵만 약간 들었을 뿐 더는 입에 대지 않았다. 그리고는 마차에 올라탔으며 우리는 다시 만날 수 있을지 몰랐지만, 작별인사를 나누었다. 로버트가 떠나고 난 뒤 곧이어 나도 노새에 올라탔으며 캐롤린을 보지도 않고 어머니와 누나의 편지 등 모든 것을 호주머니에 넣은 채 내 땅의 권리증을 받기 위해 홀렌벡을 찾아 갔다.

청년시절

＊＊＊＊

백인에게 다시는 어떠한 도움을 청하지 않겠다던 자존심을 잠시 접어두기로 했다. 홀렌벡의 집으로 들어서기 전에, 제미슨 집으로 노새의 발길을 돌렸다. 세상의 쓴 맛을 본 나로서는 사람을 대할 때 좀 더 신중을 기하자고 이미 결심한 터였다. 다시는 바보 노릇을 하고 싶지 않았다.

"일전에 도와주신다는 말씀을 하셨지요."

나는 안내를 받아 서재로 들어갔을 때 제미슨에게 말했다.

"지금 그 부탁을 드리고 싶습니다."

"그래 뭔가?"

"피부색과 상관없이 법적으로 권리가 확실하게 보장되는 계약서가 필요합니다."

제미슨은 귀를 쫑긋 세웠다.

"홀렌벡 씨 땅 때문인가?"

그런 서류가 왜 필요한지 물어보는 질문이었다. 하지만 더 묻지 않은 걸로 보아, 그레인저가 삼림지를 뺏어갔다는 소문을 들은 모양이었다.

"예, 그렇습니다. 오늘 계약서에 서명을 할 텐데. 그게 효력이 있을지 모르겠습니다."

제미슨은 고개를 끄덕였지만, 내가 홀렌벡과의 계약을 맺을 돈을 어떻게 마련했는지는 묻지 않았다.

"좋아. 유효하지. 내가 자네와 함께 가면 우리는 그것을 확실하게 마무리 지을 수 있어."

제미슨은 책상 서랍에서 서류를 꺼냈으며, 모자를 들고 나와 함께 곧장 홀렌벡의 집으로 갔다. 나중에야 알았지만 제미슨과 함께 간 것은 정말 잘한 선택이었다. 제미슨은 법적인 서류를 꼼꼼히 읽고 몇 가지 조항을 바꾸었다. 거래를 마치기 직전에는 자신이 홀렌벡 땅을 살 때 썼던 계약서를 꺼내어 나더러 읽게 했다. 제미슨의 계약서와 내 계약서는 구입한 땅과 지불한 금액만 다를 뿐 토씨 하나도 틀리지 않았다. 게다가 제미슨은 증인자격으로 계약서에 직접 서명을 남겼다. 결국 계약서를 작성하는 데에 몇 시간이 걸렸고 나는 80만 제곱미터의 소유권이 적힌 토지증서를 들고 말에 올랐다.

드디어! 내 땅이 생겼다!

＊＊＊＊

삼림지로 돌아와 보니 해가 이미 중천에 떠 있었다. 캐롤린이 점심을 준비해두었지만 나는 배가 고프지 않았다. 당장이라도 짐을 꾸려서 떠나고 싶었다.

"내일 아침에 떠나기로 했잖아요."

캐롤린이 투덜거렸다.

"지금 떠나면 밤이 되어도 빅스버그에 도착하지 못해요. 노숙하게 된다고요."

"상관없어요. 어서 여기를 떠나고 싶군요."

나는 다른 말은 하지 않았는 데도 캐롤린은 내가 말한 날짜보다 더 일찍 떠나자는 내 말을 받아들였다. 거의 내 땅이 되었다가 그 땅을 잃어버린 나의 고통과 분노를 이해했기 때문이리라. 캐롤린은 내가 아침에 어디에 다녀왔는지나 나를 찾아온 로버트에 대해서도 일절 묻지 않

청년시절

았다. 그걸 묻는 게 예의에 벗어난 짓이라고 생각하는 듯했다.

캐롤린은 물건들을 꾸렸고, 네이던과 나는 미첼이 묻힌 떡갈나무에 가서 무덤을 팠다.

우리는 관을 마차에 조심조심 실었다. 예전에 미첼이 사 온 유리로 만들었던 유리창문을 떼어내고 대신 나무판자를 끼워놓았다. 네이던과 둘이 침대도 분해해서 마차에 실었고, 탁자와 의자도 올려놓았다. 저장식품은 물론이고 옥수수, 콩 등 갖가지 야채를 마차의 트레일러에 잔뜩 실었다. 수탉과 암탉들은 바구니에 넣어서 실었고, 소는 트레일러 뒤에 묶었다. 마차와 트레일러는 살림살이로 꽉 찼다. 나는 캐롤린과 마차의 앞자리에 앉았고, 네이던은 마차 뒤에 올라탔다. 내가 지은 오두막과 창고와 닦아놓은 길을 한 번 더 봤다. 미첼과 내가 이뤄놓은 탁 트인 들판도 한 번 더 봤다. 들판에서 넘실거리는 목화를 바라보다가 이내 마차에 올라 그곳을 떠났다. 뒤는 돌아보지 않았다.

****

캐롤린을 그 땅으로 데려갔다. 땅 문서에 대해 밝히지 않은 채, 덜컹거리며 길을 따라갔으니 캐롤린이나 네이던은 빅스버그로 향하는 줄 알았을 것이다. 캐롤린은 삼림지에 온 지 몇 개월이 흘렀지만 한번도 빅스버그에 가본 적이 없어 길을 몰랐다. 네이던은 삼림지를 떠나자마자 잠시 낮잠에 빠졌으며, 깨어나서는 피리를 다듬느라 길에는 전혀 신경을 쓰지 않고 있었다. 숲을 통과했지만 잘 모르는 사람의 눈에는 다 비슷해 보이는지라 두 사람은 여전히 빅스버그로 가는 줄 알았고, 나는 아무 말 하지 않았다. 그 땅에 이르기 전에 입을 열면 행복이 날

아갈까 봐 꾹 참았다. 그런데 나도 모르게 자꾸 웃음을 흘렸고 몇 번 캐롤린이 힐끔거렸다. 얼마쯤 더 가서야 비로소 그 땅에 도착했다. 캐롤린은 주변을 한번 둘러보더니 나에게는 시선도 주지 않고 눈앞의 광경을 향해 웃음을 머금었다.

"여기는 정말 아름다운 곳이네요."

나도 웃음을 지으며 마차를 멈췄다.

"참 멋지죠?"

캐롤린은 신선한 초원의 공기를 한껏 들이마셨다.

"냄새가 좋네요."

나는 소리 내어 웃었다.

"맘에 듭니까?"

"물론이죠. 누군들 안 그러겠어요? 저 초원을 보세요. 저쪽에 있는 자그마한 언덕과 그 둘레에 멋들어지게 자란 나무들을 보아요."

캐롤린이 한숨을 쉬었다.

"이런 곳에서 쉬어가면 참 좋겠어요."

"그렇게 생각한다니 잘됐네요."

나는 훌쩍 뛰어 내렸다.

"여기에서 잠깐 머뭅시다."

"그래도 괜찮을까요?"

"그럴 것 같은데요."

나는 대답을 하며 캐롤린이 내려오는 걸 도왔다. 네이턴이 뒤에서 뛰어 내렸고, 우리 셋은 한참이나 그 풍광을 감상했다. 네이턴이 의견을 내놓았다.

청년시절

"여기에서 오늘 밤을 묵으면 어떨까요?"

나도 찬성을 했다.

"그것 좋은 생각이군. 고작 두어 시간이면 해가 질 테니 당신이 말했 듯이 길에서 밤을 보낼지도 모르니 여기에서 쉬어가는 게 좋겠어요."

캐롤린이 이마를 찡그렸다.

"이 땅의 주인이 싫어하지 않을까요?"

"그러지 않을 거요."

나는 웃음을 지으며 캐롤린의 손을 잡았다.

"따라 와 봐요. 보여줄 게 있어요. 네이던, 너도 와라."

캐롤린의 손을 잡고 비탈로 올라갔다. 꼭대기에 이르러서 내가 기도 하던 바위로 걸어갔다.

"내 생각에는 여기에 미첼을 묻으면 좋겠소."

캐롤린이 뒤로 물러섰다.

"여기요?"

캐롤린이 어이없는 표정을 지으며 돌아섰다가, 이내 제정신이냐고 묻는 눈빛으로 나를 보았다.

"왜 여기죠?"

"여기가 싫은가요? 이 장소가 마음에 들지 않으면 다른 곳을 골라보 죠. 나는 그저 미첼도 여기를 좋아할 것 같아서요. 편안히 쉴 수 있을 텐데요."

캐롤린은 주저했다. 내가 이러는 이유를 조금도 눈치 채지 못한 게 분명했다.

"나는 미첼을 엘람 산에 묻으려고 생각했는데요."

"뭐, 그럴 수도 있겠지요. 하지만 당신도 미첼을 여기 우리 땅에 묻고 싶을 것 같은데요."

"우리 땅이요?"

캐롤린이 못 믿겠다는 듯 초원 너머를 바라보았다.

"우리 땅이라고요?"

네이던은 쩍 하니 입을 벌리고는 우두커니 서 있었다. 나는 빙그레 웃었다. 캐롤린은 서서히 머리를 내젓다가 역시 침묵에 잠긴 채 땅을 둘러보았다.

"자, 뭐 할 말이 없나요?"

그처럼 말문이 막힌 캐롤린을 본 적이 없었다. 캐롤린이 곧장 대답을 하지 않고 나를 찬찬히 바라보다가 이윽고 말문을 열었다.

"여기가 홀렌벡의 땅인가요?"

"이제는 아니요. 오늘 아침에 내가 이 땅의 소유권을 넘겨받았지요."

네이던은 미친 듯이 소리를 내지르며 공중으로 펄쩍 뛰어오르더니 덩실덩실 춤을 추었다.

"그래서 당신 형제가 왔나요?"

캐롤린이 소곤소곤 물었다.

"땅 때문에 왔나요?"

나는 고개를 끄덕였다.

"그 사람이 나에게 필요한 돈을 가지고 왔어요. 캐시 누나가 그걸 보냈지요. 누나와 어머니가요."

캐롤린은 다시 말을 잃어버렸다.

"자……어떻게 생각하는지요? 여기에 미첼을 묻어도 될까요?"

청년시절

캐롤린은 활짝 웃으며 나에게 뛰어들었다.

＊＊＊＊

우리는 해가 지기 전에 미첼을 묻었다. 우리 셋은 하느님에게 감사 기도를 올리고, 기도하는 바위 옆의 비탈에서 밤을 보냈다. 다음 날 아침, 나는 캐롤린의 손을 잡고 숲을 지나 못으로 갔다. 바닥에 놓인 통나무에 나란히 앉아서 말했다.

"캐롤린, 나는 미첼을 사랑했고 미첼이 원하는 거라면 다 들어주고 싶습니다. 하지만 지금부터 하는 말은 미첼과 아무 상관이 없어요. 나는 캐롤린, 당신을 사랑해요. 당신이 내 아내가 되어주었으면 해요."

캐롤린이 아무 말 없이 나무만 올려다보았는데 방금 솟아오른 해가 나뭇가지 사이로 햇빛을 쏟아내고 있었다. 나는 일어서서 햇빛을 응시하다 다시 캐롤린에게 돌아섰다.

"사랑스런 캐롤린, 나와 함께 이 멋진 땅을 가꿔나가면 어떻겠소? 내 아내가 되어 함께 이 땅을 일구면 좋지 않을까요?"

캐롤린이 여전히 침묵하면서 고개 들어 나무만 보았다. 드디어 말문을 열었다.

"나는 아버지와 마찬가지로 미첼에게도 편안한 감정을 느꼈어요. 두 사람이 곁에 있을 때면 마음이 편했기에, 나쁜 일은 일어나지 않을 것 같았어요. 행복해질 거라는 믿음이 있었죠."

캐롤린이 내게로 돌아섰다.

"당신에게도 그런 감정을 느껴요."

캐롤린은 사랑스러운 미소를 나에게 지으며 다시 한 번 나에게 뛰어

들었다.

"나도 당신을 사랑해요. 폴 에드워드."

캐롤린이 속삭였다.

"사랑해요."

****

그날, 네이턴과 둘이서 캐롤린의 거처를 우선 마련했다. 그런 뒤에 나는 삼림지 근방으로 가서 목사님 내외분, 존스 부인의 가족, 톰 비와 호레이스의 가족들을 부르고 그 밖에도 친하게 지내던 사람들을 모두 초대하여 그 땅으로 데려왔다. 캐롤린과 나는 해가 떨어지기 전에 혼례를 올렸다. 그다음 주에 캐롤린은 우리의 첫 아이이자 미쳴의 아들을 낳았다.

"뭐라고 부를까요?"

캐롤린이 침대에 누워 물었다.

나는 손에 아기를 안고 어르면서 내 친구의 얼굴을 바라보았다.

"미쳴. 미쳴 토머스 로건이라고 부릅시다."

허락을 들으려고 캐롤린에게 시선을 돌렸다.

캐롤린이 환하게 웃고 있었다.

청년시절

유
산

에필로그

미첼이 옳았다. 단 한 순간도 캐롤린 때문에 후회하지 않았다. 캐롤린은 지금도 강인한 의지를 가졌고 언제나 변함없이 나와 함께했다. 워낙 유쾌한 성격인지라 주변에 활기를 불어넣었고 내 인생을 꽉 채워주었다. 이 땅에서 함께 일하며 가정을 꾸려나갔다. 우리는 아들을 4명이나 두었다. 우선 미첼이 있고, 우리 아버지의 이름을 딴 케빈 에드워드, 장인과 내 형들의 이름을 따서 붙인 루크 하몬드와 데이빗 조지가 그 뒤를 이었다. 나중에 보니, 해머라고도 불린 하몬드는 성질이 조지 형과 비슷했고 반대로 데이빗은 하몬드 형과 흡사했다. 딸도 둘이나 있었으나 아기 때 그만 죽고 말았다. 딸 때문에 슬펐지만, 아들 때문에 다시 기쁨을 찾을 수 있었고, 땅에서 즐거움을 얻었다.

내가 땅을 사 경작을 했던 해는 1887년이었다. 몇 년 뒤에 융자를 얻어 캐롤린에게 제대로 된 집을 지어 주고 가축을 구입하였다. 캐롤린 전용의 마차를 사주었으며, 근사한 말도 몇 마리 샀다. 얼마 지나지 않아 융자를 갚았고, 빚은 한 푼도 남지 않았다. 누이가 빌려준 돈도 모두 갚았다. 최근에 나는 땅을 담보로 해 다시 융자를 받아서 그동안 마음속에 품어 왔던 나머지 80만 제곱미터를 샀다. 웨이드 제미슨이 그 땅을 팔았다.

캐롤린은 그동안 나와 땅과 가족에 얽힌 여러 가지 사건을 글로 써서 아이들에게 전해주자고 누차 권했다. 지금까지, 그 당시 겪은 일로 글을 쓴 것은 처음이었다. 얼마 전, 달빛이 쏟아지는 로사리 강에서 디거 웰러스가 바닥 난 술병을 곁에 두고 엎드린 자세로 둥둥 떠올랐다. 그날 나는 신문에 과감히 글을 썼다. 디거의 비열함과 그를 익사시킨 술에 대한 글이었다. 하지만 캐롤린은 디거 웰러스에 관해 신문에 글을 쓴 것에 대해 왈가왈부하고 싶지 않다고 했다. 아이들이 태어나기 전에 겪은 삶과 땅을 얻기 위한 투쟁과 가족에 관해 쓰라는 것이었다. 캐롤린은 그런 이야기를 전해 주는 일은 아주 중요한 일이라고 했다. 내가 우리 두 사람의 이야기야 당신이 아이들에게 전한 걸로 충분하다고 지적하자 캐롤린은 깔깔 웃었다.

그렇더라도 나는 계속 쓸 것이라고 말했다. 그리고 정말로 그랬다. 하루 일을 마치고 한가한 시간이 되어 아이들과 현관이나 불가에 앉아 있노라면 캐롤린이 벌목장에서 있었던 일이나 미첼과 동부 텍사스로 떠날 때의 기차 모험이나 아버지의 땅에서 자라던 시절에 관해 이야기해 달라고 청했다. 반복, 반복해서 내 이야기를 들려주어 아이들 귀에 못이 박히는 것은 아닌가 했는데도 아이들은 한번도 지겨워하지 않았다.

한번은 아이들이 이야기를 듣다가 우리 가족이 살고 있는 조지아로 가보고 싶다며 졸라댔다. 우리 아이들은 그곳에 정착한 뒤로 몇 년이 지나지 않아 캐시 누이를 만났다. 또 누이는 두 번이나 우리 집을 방문했었다. 처음에 누이는 매형과 조카들을 데리고 왔다. 두 번째는 누이 혼자 왔는데, 그 덕분에 나와 누이는 즐거운 시간을 오붓하게 보낼 수 있었다. 누이를 보고 싶었고 또 아이들도 누이를 나만큼 알기를 바랐기에 누이 집을 방문하려고 했다. 그러나 누이에게서 아버지가 위독하다는 편지를 받고는 그 여행을 미루었다. 또 누이는 고향을 방문할 때가 되었다고 했다. 해머와 데이빗은 채 10살이 되지 않았고 미첼과 케빈은 10대 소년이었다. 나는 아이들을 데리고 조지아 행 유색인 전용 기차에 몸을 실었다. 아내와 같이 가려 했으나 장인어른이 몸이 편찮았기에 캐롤린은 우리만 가라고 했다.

조지아로 간 첫 날 밤은 애틀랜타에 있는 누이의 집에서 누이의 가족과 함께 보냈다. 다음 날 아침에 나는 아이들을 데리고 아버지의 땅으로 갔다. 누이도 우리와 함께했다. 도착해 보니 로버트와 하몬드 형이 자신들의 가족과 함께 있었다. 지금 아버지 땅은 로버트가 관리하고, 하몬드 형은 애틀랜타에서 살았다. 조지 형의 소식을 아는 이는 없었다.

형제들을 다시 만나서 기분이 좋았다.

하몬드 형과 로버트는 아버지는 사흘 동안 깨어나지 못하고 누워만 있다고 했다. 두 사람은 아버지에게 계속 말을 붙였고, 지금 내가 오는 중이라고 전했다고 했다. 내가 도착하는 그날, 아침나절에 아버지는 겨우 눈을 떴다. 아버지는 말을 못 해도 알아듣기는 한다고 했다. 아버지가 나를 기다리고 있는 것 같다고 했다.

막상 아버지를 뵙자 잠들어 있었다. 나는 아버지를 깨우지 않았다. 침대 옆에 앉아 기억 속으로 묻혀버린 시간을 떠올렸다. 아버지가 눈을 떴을 때 아버지는 나를 똑바로 쳐다보았고 이내 알아보았다. 눈에 눈물이 맺혔는데, 입가에 웃음을 머금고 있었다. 그만 나도 울고 말았다.

그날 오후 내내 나는 아버지에게 말씀을 드렸고, 아버지는 귀 기울여 들었다. 나는 아버지의 손을 잡고서 아버지가 궁금해 할 내 생활에 대해 미주알고주알 빼놓지 않고 말씀을 드렸다. 아버지가 이미 알고 있을 내용도 다시 말했다. 아버지에게 사랑한다고 말했다. 우리 두 사람의 뺨을 타고 눈물이 흘러내렸다. 아이들을 아버지에게 데려와 한 명씩 소개를 하자 아버지는 그때마다 빙그레 웃었다. 누이는 아이들을 데리고 토머스 부부에게 갔다. 토머스 부부도 자신의 손자를 만나고 싶었을 테

유산

니까. 나는 아버지의 곁에 그대로 있었다. 아버지 곁을 떠나고 싶지 않았다. 조금 뒤에 누이와 하몬드 형과 로버트가 들어왔으며 아버지의 방은 나와 형제들과 누이가 떠드는 이야기 소리로 왁자지껄했다. 이야기와 웃음소리가 끊이지 않는 가운데에서도 아버지는 한마디라도 놓치지 않으려고 귀를 기울였다. 종종 웃음기가 감도는 아버지의 얼굴에서 아버지의 흐뭇한 심정이 느껴졌다. 아버지는 웃음을 머금은 채 누워 있다가 다시 잠들었다.

이번에는 깨어나지 않았다.

누이와 나는 우리 아이들과 함께 그날 밤에 어머니의 집에서 잤다. 땅은 경작을 하고 있었으나 집에는 아무도 살지 않았다. 내가 떠날 때의 모습 그대로였다. 누이의 말에 따르면 아버지가 손수 집을 관리했고, 아버지만 드나들었다고 했다. 로버트는 자신도 가끔 혼자 들렀다고 했다. 누이와 나는 밤새 이야기를 나누었고 다음날 아침 동틀 무렵에 아버지의 집으로 건너가서 아침식사를 했다. 조문이 곧 시작되면서 사람들이 모여들었다. 하루 종일 조문 행렬이 이어져서 밤늦도록 계속되었다. 다음 날 아침에 아버지를 형제들의 백인 어머니 무덤 옆에 묻었다. 장례식을 마치고 아이들과 아버지의 땅을 거닐다가 함께 어머니의 무덤으로 향했다. 예전에 아버지와 어머니 두 분 사이는 과연 무엇일까 궁금했던 적이 있었다. 두 분 사이에서 누이와 내가 태어난 것 이외에 어떤 연결고리가 있었는지 아직은 잘 모르겠다. 내가 알기로 아버지는 누이와 나를 돌보았고, 어머니는 자유의 몸이 된 뒤에도 아버지 곁에 계셨는데, 그것은 어머니 스스로 선택한 길이었다. 개중에는 함께 지내는 두 사람에게 경멸의 눈초리를 보냈지만, 나는 아버지와 어머니처럼 살지 않았다. 물론 내게는 그걸 판단

할 자격도 없다. 나는 그 문제를 그렇게 이해했다.

　그날 작별인사를 나누고 다시는 로버트를 만나지 않았다. 하지만 하몬드 형은 계속 만났다. 형은 상당히 큰 규모의 상점을 잭슨에 열고 초대하는 편지를 보냈다. 나는 해머와 데이빗을 데리고 형의 집이 아니라 상점으로 찾아갔다. 형은 우리 아이들에게 상점을 둘러보고 필요한 물건은 무엇이든 고르라고 말했다. 나는 그럴 수 없다고 거절했으나 형은 자기의 즐거움이라며, 아이들에게 뭔가 꼭 주고 싶다는 뜻을 굽히지 않았다. 결국 내가 한 발 물러서서 아이들에게 하나씩만 고르라고 허락했다. 상점 시간이 끝나고도 형과 옛 추억을 더듬거나 이야기를 나누며 저녁까지 함께 앉아 있었다. 그런 뒤에도 하몬드 형은 몇 번이나 우리 땅을 찾아왔고 나도 형의 상점을 가끔 들렀으며, 둘 다 혼자 방문했다. 물론 정기적으로는 만나지는 못했다. 흑백을 분리하는 세상인지라 그러기가 쉽지 않았다.

　내 어린 시절의 가족이 어찌 그립지 않겠는가? 누구보다 어머니와 누이를 사랑했다. 아버지를 사랑했고 내 형제들을 또 사랑했다. 그리고 미첼을 사랑했다. 그들이 많이 그리웠다. 내 아버지와 땅과 내 어린 시절을 생각할 때가 많았다. 물론 나는 추억에만 잠긴 채, 그 순간만 돌아보며 살지는 않았다. 나만의 가족을 가졌기에 축복이 있다는 것을 나는 안다. 또한 나만의 땅이 있기에 나는 축복받은 것을 안다. 사실 나는 '나만의 것'을 가졌다는 점에서 부자다. 나의 어머니도 그걸 좋아하시겠지. 아버지 역시 그걸 기뻐하리라 믿는다.

유산

세계적인 명작은 동·서양 어디에서나 남녀노소 누구에게나 가치를 인정 받습니다.

책가방문고 8

천둥아, 내 외침을 들어라

밀드레드 테일러 글 / 이루리 옮김 / 296쪽 / 값 12,000원

● 2004년 겨울, 책/따/세(책으로 따뜻한 세상을 만드는 교사모임)가 청소년에게 권하는 책
● 2004 교보문고 선정 올해의책
● "강백향의 책읽어주는 선생님"의 이번 달에 추천하는 책으로 선정
● 2005 아침독서 추천도서 ● 2005 어린이도서연구회의 권장도서(중학생)

★ 1977년 뉴베리 수상작 ★ 미국교사가 선정한 100대 추천도서
★ 미국도서관협회 우수도서 ★ 북리스트가 선정한 1970~1982년 베스트 오브 베스트 북
★ 커커스 선정 ★ 혼 북 팡파르 상 수상 ★ 1970~1980년 뉴욕타임스가 선정한 청소년책
★ 북서 태평양 청소년 상 수상

부조리에 맞서는 것은 인간으로서의 마땅한 행동이라는 이야기

어른들은 아이들에게 세상은 누구에게나 공평하니 억울해 하지 말고, 열심히 일하면 성공할 수 있으니 게으름을 피우지 말라고 했습니다. 그리고 당장은 지는 것 같아도 결국은 착한 사람이 이기니, 착한 사람이 되라고 가르쳤습니다.

그러나 이 책의 작가 밀드레드 테일러는 그렇게 말하지 않습니다.

"세상은 불공평하고 열심히 일한다고 해서 성공하는 것은 아니며, 착한 편이 항상 이기는 것은 아니다."